D1264202

DU MÊME AUTEUR

Romans

Le dehors ou la migration des truites, *Actes Sud, 2001.*

Appoggio, *Actes Sud, 2003.*

Anima motrix, *Verticales, 2006.*

Je suis une aventure, *Verticales, 2012.*

Récits

La déconfite gigantale du sérieux, *Lignes/Léo Scheer, 2004.*

J'ai appris à ne pas rire du démon, *Naïve, 2006; rééd. Hélium, 2015.*

Ma solitude s'appelle Brando, *Verticales, 2008.*

SebecoroChambord, *Ciclic et Domaine national de Chambord, 2013.*

Des lions comme des danseuses, *La Contre Allée, 2015.*

En collaboration

Une année en France, *avec F. Bégaudeau et O. Rohe, Gallimard, 2007.*

Anastylose, *avec L. Michaux, Y. De Roeck et B. Gallet, Fage éditeur, 2006.*

La borne SOS 77, *avec L. Michaux, Le Bec en l'air, 2009.*

Numéro d'écrou 362573, *avec A. Michalon, Le Bec en l'air, 2013.*

Pour la jeunesse

Énorme, *avec le collectif Tendance floue, Thierry Magnier éditeur, 2009.*

Dompter la baleine, *Thierry Magnier éditeur, 2012.*

des châteaux qui brûlent

arno bertina

des châteaux qui brûlent

roman

verticales

L'auteur remercie le Centre national du livre
pour la bourse d'« encouragement » reçue en 2016.

Pour Emily

Pour Ellen et Simon

« Don't let it bring you down
It's only castles burning. »

Neil Young.

« Vivre ce n'est pas s'excuser. »

Emerson.

« Freedom is just another word
for nothin' left to lose. »

Fred L. Foster,
chanté par Janis Joplin.

Spontanément

1

Vanessa Perlotta,
salariée (unité de conditionnement)

C'est sa voiture évidemment, ça y est. Ils se garent. Une femme en sort, elle était à la place du mort, et lui aussi – le voilà. Il enfile sa veste, il regarde le ciel et se recoiffe en s'ébouriffant les cheveux. Il repasse la tête et tout le buste à l'intérieur, c'est pour attraper le dossier épais avec lequel maintenant, ça y est, sans attendre la–

— C'est quoi ? me demande Riz-Cantonais. Une secrétaire ? La même que l'autre fois ?

— Je suis myope je te rappelle, et d'ici je vois qu'une greluche qui sait pas marcher avec des talons aiguilles.

Ou c'est qu'elle doit lui courir après car il ne l'attend pas ? Il se dirige vers nous, il a tout le parking à traverser.

— Aux autres de l'suivre, c'est ça ? Marche ou crève… ?

Un homme leur emboîte le pas, en courant – à son tour.

— Lui c'est le flic !

Le ministre est donc suivi par deux personnes. Et là tu peux tout dire : mauvais génie et ange gardien, good cop / bad cop, traîne-savates et mercenaire, tout. Ils marchent derrière lui, il y a les brumes de chaleur ou ma myopie, il pourrait y avoir une musique bizarre, certains d'entre nous s'écarteraient avec dans la tête le plomb de la crainte, des boules d'herbes sèches rouleraient sur le parking.

— T'entends l'harmonica flippant ? demande Fatou.

Quand il est venu ici pour la première fois, on lui a montré la chaîne d'abattage, les cuisines et les unités de conditionnement. Mais au fil des étapes (bains d'électronarcose et décapitation à la disqueuse), le directeur comprend et nous demande de raccourcir la petite phrase apprise pour présenter chaque poste. Vers la fin il accélère encore – on n'a plus la parole – et à la toute fin il ne nous présente même plus, et le secrétaire d'État nous serre la main toujours mais sans demander les prénoms de Sylvaine et Karine – que l'autre ne lui donne plus – et nous ce qu'on comprend, évidemment, c'est que tous les premiers prénoms servaient à rien, si les derniers sont inutiles.

Il ne s'est rendu compte de rien. Ou peut-être il a trouvé ça cool, cette accélération de la visite.

Parce qu'il veut aller vite. Au cas où on ne l'aurait pas compris, il nous le dit ensuite, dans une espèce de réunion qui va nous filer les sensations du train fantôme. « Tout doit plier devant l'urgence de la situation. » On sait pas c'est quoi ce « tout » mais on n'a pas le temps de lui demander « C'est nous ce "tout" qui doit plier ? ». Un groupe agroalimentaire couvert de dettes se casse la gueule ? C'est nous, La Générale Armoricaine. On était 4 000 il y a cinq ans, on n'est plus que 2 000 maintenant et le sort de l'entreprise est entre les mains du tribunal de commerce ? « Magnifique ! » À ce moment-là de la réunion on a eu l'impression qu'on va mourir, tous. « Oui, magnifique opportunité pour tenter une reconversion industrielle sous le signe du développement durable. » On est livides, là, tu peux me croire. Même moi je sens que je n'ai plus de sang dans les joues alors que sur les photos de famille d'habitude ça me désole parce qu'ils se moquent : « T'as la couperose, faut qu't'arrêtes. »

« On invente un projet local, intelligent humainement, écologiquement, économiquement. » Un projet-laboratoire-vitrine de tout ce qu'il « observe et théorise » depuis dix ans.

— Il y a urgence : la planète crève de notre capitalisme mondialisé, le Sud crève des prédations du Nord, le Nord crève parce qu'on le délocalise au Sud, tout le monde crève.

Et il nous explique que l'entreprise pour laquelle on se casse le cul est un acteur de la malbouffe, que c'est un rapport dégueulasse aux animaux – est-ce qu'il a pas dit « criminel » ? On venait de l'accueillir et il nous agressait comme pas possible !

— Il aurait parlé la langue de bois tu serais en colère pareil, non ?

Je n'ai pas répondu car il a continué : « La Générale Armoricaine est un acteur de l'économie mondialisée… Tout ce contre quoi je me bats depuis dix ans. » La décroissance, les reconversions, « ça m'obsède ». C'est un truc de civilisation, on doit choisir la civilisation qu'on veut. « Être acteur. » Alors on lui a demandé poliment de quoi tu causes.

— Je vais prendre un exemple.

Il a donc pas compris l'ironie ? Moi je connais Karine, je sais qu'elle était fumasse comme pas souvent. Mais il était, lui, tellement dans son truc… Il était heureux qu'on lui propose de développer. Petit prof.

— La mondialisation c'est des crevettes pêchées au Danemark, qui sont envoyées au Maroc où elles sont décortiquées avant d'être renvoyées à Copenhague pour y être vendues.

Idem avec les langoustines écossaises : elles sont décortiquées par les employés sous-payés de Findus-Thaïlande avant de revenir au pays où elles sont cuisinées et conditionnées pour être vendues dans les magasins Marks & Spencer. En deux ou trois jours, elles font donc 20 000 kilomètres en avion, les langoustines. Le bilan carbone est simplement dément.

Avec ces deux exemples, il a obtenu un silence très différent des autres : c'était assez proche de nous (on vend des poulets, à l'Arabie saoudite) pour qu'on ait un peu moins la vision d'un singe en train de jongler avec des grenades dégoupillées. Mais mis bout à bout, ses exemples dessinaient un truc bien irritant – est-ce qu'il n'est pas en train de nous accuser de–

— Notre inquiétude, monsieur le ministre, c'est le maintien de l'emploi.

Et il va falloir le lui redire.

Trois mois plus tard, c'est-à-dire aujourd'hui, on a l'impression de vivre la même réunion. Mais il est seul cette fois : le directeur n'est pas là, ni la famille propriétaire, ni le préfet. Les journalistes de *Ouest-France* non plus.

Il a rétorqué ce jour-là qu'il voulait créer un nouveau bassin d'emploi, que son projet était donc « plus ambitieux » que notre inquiétude – difficile à croire qu'il ait dit ça mais il l'a dit. À terme, son projet pourrait générer 3 000 emplois en l'espace de dix ans, et permettre de repêcher nos collègues débarqués par la direction au cours de l'année.

— Mais nous, c'est moins taré que vos crevettes écossaises : on dépiaute pas des poulets arabes pour les vendre ensuite à des Arabes. C'est nos élevages bretons, c'est du succès. Au JT ils nous bassinent assez avec les chiffres de l'export, et la balance commerciale.

Une autre personne s'est levée pour redire que notre souci c'était de continuer à travailler. Sauver l'abattoir.

— Je ne comprends pas : tout à l'heure, au cours de la visite, vous êtes plusieurs à m'avoir dit comme le travail est dur. Vous madame, par exemple !

Il me montre ! Il est culotté lui, ça va pas la tête ! ?

— Au-dessus de la disqueuse qui tranche les têtes de poulets vous m'avez dit « le moyen d'tenir c'est d'pas réfléchir »... Je vous propose de devenir fiers de ce que vous faites.

Certains ont sifflé tout de suite, d'autres étaient si surpris qu'ils encaissaient. C'est à cause de la mondialisation que le travail est rare et qu'on est obligés de tenir à notre emploi. Il vient nous reprocher les langoustines qu'on sert au Club Med ? ! Le kérosène des avions qui emportent nos poulets en Arabie saoudite c'est la faute à nos collègues licenciés le mois dernier ? S'il y avait du boulot, est-ce que j'en prendrais pas un autre, plus propre... ? ! Il nous répète qu'il est de gauche en faisant ce qu'il fait ; mais nous éviter la misère du chômage, ce serait pas un job de gauche peut-être ? ! Et obliger les banques à nous sauver la boîte, ce s'rait pas un job de gauche ? ! Et s'en prendre aux familles régnantes qui préfèrent continuer à vivre sur les subventions à l'export – salut patron ! – en se foutant de préparer le jour où elles tomberont plus... ce s'rait pas... ? Et lutter contre les PDG qui plantent la boîte avec des stratégies débiles ? Un mec doit payer s'il raye l'aile d'une voiture, mais quand il envoie 3 000 salariés à Pôle emploi il peut continuer à faire de la voile tous les week-ends, ou un golf...

***

Aujourd'hui, troisième réunion – le pas décidé de Pascal Montville, en sortant de la voiture, comment l'interpréter ? C'est la troisième AG avec « l'obsédé », comme Fatou l'appelle.

— Il marche contre nous, toujours bille en tête ?

Il s'arrête, sort son téléphone. Son flic et sa conseillère lui passent légèrement devant, avant de ralentir, et il leur emboîte le pas. Avec cette façon qu'il a eue d'être pressé, il y a cinq ou six mois, de débouler dans le dossier sans d'abord nous écouter, nous découvrir, il m'a fait penser à ces chauffeurs de bus qui veulent avancer plutôt que rendre service ; ils ont vu, dans le rétroviseur, quelqu'un qui court et leur fait signe, mais ils démarrent quand même. Tenir l'horaire, ou aller même un peu plus vite – comme s'ils étaient dans le privé avec des bonifications. Quand une seule personne veut descendre, ou monter, ils s'en agacent un peu. « Pour une seule personne… » On a tous la tête pourrie. Et lui là, alors pourquoi est-il pressé ? Pour nous (il aurait compris l'urgence) ou parce qu'on reste pas longtemps ministre ? Il ne veut pas marquer l'arrêt, entendre les coups qu'on donne sur la portière parce qu'il nous assimile, inconsciemment, à ceux qu'il combat depuis dix ans, aux grands patrons, aux fonds de pension dont il parle tout le temps, aux consommateurs indifférents et ça nous gave ! Il ne fait pas de détail : il y a un monde à renverser, la malbouffe, la surconsommation. Et là il parle aux tenants de ce monde ancien à ne pas pleurer, d'après lui. Il a devant lui des « acteurs », il dit, de cette chaîne alimentaire tordue – c'est comme ça qu'il nous appelle. Il se plante évidemment. On n'est pas l'axe de direction du bolide qui fonce dans le mur, ni même les roues crantées. On n'est rien que les crans de ces roues, ou encore moins que ça : nous sommes la graisse noire qui les enduit. On est innocents, monsieur connard ! Vous ne parlez pas aux décideurs ou aux actionnaires capables d'inventer des allers-retours avec les pays en voie de développement, mais aux petites mains ; on est les doigts qui s'agitent, sans cerveau, juste des doigts, du squelette et des tendons. On est la graisse noire des engrenages qu'on ne peut pas accuser des directions prises par le chauffeur. Dans sa tête de ministre, les deux strates sont bien collées, il nous aura entendues – certaines – parler fièrement de l'abattoir parce qu'on vend nos poulets et nos plats cuisinés dans le monde entier, et il croit qu'on est solidaires des choix de la direction, à cause de ça. Il ne voit pas que c'est le visage de notre drame, cette fierté.

— C'est le visage de notre drame, cette fierté !

Mais non, il entend pas. Quelqu'un lui parle. Je vais pas répéter ma phrase à l'identique. Un coup de griffe ça peut pas être du réchauffé.

Et c'est encore d'aller voir ailleurs dont il a été question : on entre dans le hall, quelque chose d'électrique parcourt les visages, la peau, les poils ; c'est aigre, ça part de la bouche et ça agace les pieds dans les Crocs en plastique et jusqu'aux cheveux sous la charlotte : on réalise qu'il est le seul de la salle à connaître l'Arabie et le Qatar, car si nous, ici, Bretons, on débite des carcasses toute la journée, dont la viande part ensuite là-bas, c'est sans y aller nous-mêmes, jamais – évidemment. Certains des commerciaux oui, et ils envoyaient parfois des cartes postales qui se retrouvaient vite collées sur le panneau syndical. Curieusement, l'Arabie s'éloigne encore un peu plus de nous avec ces cartes, car au recto on trouve toujours un désert traversé par trois ou quatre Bédouins, et une file de chameaux. Ces images venaient repeindre en pittoresque les vagues connaissances qu'on pouvait avoir grâce aux infos – on tendait l'oreille évidemment quand durant le 20 heures il en était question : les gratte-ciel de Dubai, les bousculades de La Mecque… Et pittoresque, un peu hors d'âge, elle devenait moins réelle, plus abstraite cette Arabie. Et on n'y avait plus part du tout.

Mais ça, les cartes postales, c'était au temps de la splendeur.

À lui le monde entier – il en revient d'ailleurs, un voyage de trois jours pour négocier avec Al Munahim la reprise de notre activité –, à nous l'abattoir, les odeurs de détergent et celles qui s'échappent de l'incinérateur brûlant les plumes, les os, les cartilages.

Alors oui c'était facile d'imaginer que reçu par des cheiks (« Des cheiks en blanc ? » – trois semaines après Cathie riait encore à sa bonne blague sans se douter qu'elle marchait vraiment puisque, au final, ils ne vont pas lâcher le pognon), ils lui avaient peut-être servi les poulets abattus et préparés ici trois ou quatre jours plus tôt. Qu'il avait mangé notre boulot. Malheureusement Christiane, bonne nature – personne dira le contraire –, sans orgueil, jamais vraiment blessée, Christiane lui a posé LA question, CETTE question, avec cet enthousiasme qu'on aurait voulu chuinter parce qu'on pressentait la vexation collée à la réponse à venir – ces poulets devenaient sous nos yeux des monstres tournés contre nous ; la volaille qu'on avait maîtrisée, dont on avait fait ce qu'on avait voulu, hein, elle reprenait du poil de la bête – elle est morte, elle revient nous hanter – jusqu'à devenir peut-être plus grande que nous, et on voudrait ne plus en sentir l'odeur sur nous, et partout dans l'usine, on aurait voulu s'en débarrasser mais rien à faire, elle nous rappelle qu'on n'est pas du monde qui voyage et qui se bâfre, du grand monde, mais d'ceux qui sont rivés à Châteaulin.

Parce qu'il en a mangé là-bas avec des cheiks en blanc, pour « évoquer votre avenir », mais en notre absence, ces poulets, ces poulets nous avalaient, recrachant seulement notre fierté en guise de boule de poils, piqûre de rappel de notre conditionnement.

Est-ce qu'il l'a senti ? Il a eu, le ministre, un instant d'hésitation, qui allait virer à l'embarras alors pour y mettre fin j'ai répondu pour lui :

— C'est le mouton qu'on sert aux invités de marque.

Ma réponse était pas mal. Elle nous rabaissait pas et je l'envoyais dans les cordes, lui, sans l'avoir touché. Christiane n'a pas compris, elle a voulu reposer sa question, autrement, mais Yves l'a coupée :

— Et tu veux aussi lui demander si on sert nos poulets en classe affaires ? !

Malgré ça, qui disait pourtant le climat, il a continué sa description d'une « reconversion » transformant tous les boulons de la boîte. Il ne se rend pas compte qu'on n'écoute pas, que l'écouter c'est impossible. Il ne voit pas que les herses tombent, qu'on relève le pont-levis. Il revient à cette proposition, il panique et tente un passage en force. (Les mots du député quelques heures plus tard : « On ne peut pas fonctionner comme ça. Vous méritez un vrai dialogue. ») Il arrivait avec son projet, le secrétaire d'État.

— Bien ou con, ça ne peut pas devenir notre horizon, et si ça devient le nôtre tout de même, c'est plus d'la politique : c'est de la casse, ou une tempête.

On fait pas un royaume avec une tempête.

***

Et hier donc, très vite après le début de cette troisième visite, Fatou – ma championne pour la vie :

— Vous n'avez aucune info nouvelle pour notre avenir, y a pu d'préfet pour vous suivre comme un toutou, la direction est pas là non plus et l'actionnaire principal avait piscine… Rassurez-moi, vous êtes encore ministre ? Comme vous apportez rien, le seul moyen qu'on aurait de vous trouver puissant ce serait de voir nos patrons s'courber d'vant vous, et d'venir des nains – à leur tour. Ça nous console, ça, quand vous et vos collègues venez nous rendre visite. Puisque c'est quoi un secrétaire d'État sans nos patrons, ou monsieur le maire, qu'on découvre capables de courbettes, de ronds de jambe, et leurs sourires visqueux ? Hein ? C'est plus qu'un pékin qui s'promène. Évidemment le pékin qui se promène c'est pas toujours un gros porc de touriste. Parfois il est respectueux des gens, parfois il jette pas ses papiers gras sur le trottoir, mais même cette qualité, vous croyez vraiment qu'on a encore LE LOISIR d's'y arrêter, et d'la saluer ? Plus les jours passent plus je me fous que vous soyez un type bien. Depuis deux mois on a tous un couteau sous la gorge et vous, tranquille, vous vous pointez avec l'envie d'bouffer après vous être lavé les dents : « Réinventer nos rapports » !

Il n'a pas répondu. Parce que Yves a enchaîné, et c'est là que tout a merdé, quand Montville a répondu à la tirade du mécano : « Oui je maintiens que la Commission européenne a eu raison de mettre fin aux restitutions, et que le problème n'est pas là. » Je le regardais déjà quand Yves s'est adressé à lui donc j'ai tout vu sur son visage et sur ses lèvres, pendant la question elle-même, dans le court temps où il a hésité : il s'est retenu Montville, j'ai vu ses lèvres qui tremblaient. Il s'est lancé, il a freiné, et il s'est relancé, parlant avec la trouille au ventre : « Oui la Commission européenne a eu raison de couper ces aides à l'exportation. » Sitôt sa phrase terminée tout le monde a hurlé. C'était des insultes. Sans ces aides, la boîte ferme et nos emplois n'existent plus – puisque depuis cinq mois qu'il s'occupe du dossier il ne trouve pas de repreneur. On était déjà près de lui mais tout le monde s'est rapproché encore (devant, sur les côtés, derrière) pour le menacer ou le taper, nos bouches devaient être collées à ses yeux et ses oreilles, qu'il sente notre haleine ! Qu'elle lui fasse peur comme si c'était des poings ou les gifles qu'on voulait lui foutre ! Qu'il sente que tout en nous était pourri, depuis nos dents jusqu'à nos foies, par le stress, et les viscères !, par le mauvais vin, le café dégueu, la charcuterie faite de plastique et de cancers, les légumes qui sentent l'aluminium de la conserve et jamais la terre ou le soleil, et la chlorophylle, non, non ça c'est pour les rêves, les visions ; et les ulcères.

De la masse qu'on formait autour de lui, « avec lui » pour ainsi dire, une main aurait pu s'extraire sans que personne, ensuite, soit en mesure de dire qui était au bout, quel bras et quel visage, et elle l'aurait frappé, et ç'aurait été le déclencheur d'autres coups de poing, la curée, le truc pour se vider sur une victime, le bouc émissaire – que nos blessures et nos misères elles changent de camp. Mais cette première baffe n'est pas tombée, cette main ne s'est pas faufilée jusqu'à sa tronche, il n'a eu que nos dents pourries – j'espère qu'il y en avait, pourvu qu'il y en ait eu.

Peut-être parce qu'il n'était plus l'heure d'être lâches au

moment où, le séquestrant, on relevait la tête, on secouait notre colère par les cheveux.

Et parce que peut-être il s'était montré courageux lui aussi, en répondant comme ça, en ne cédant pas sur le terrain de ses croyances, manifestement, quand bien même ça lui coûterait des baffes et des bourre-pifs.

2

Pascal Montville, secrétaire d'État

— On va vous garder, monsieur le secrétaire d'État.

J'ai d'abord été goguenard. Je souriais comme la fille à qui on dit : « J'te laisse pas partir. »

Puis, personne ne répondant à mon demi-sourire idiot, j'ai enfin compris et la première question que je me suis posée aura été : « Vont-ils aussi garder Céline ? »

Et aussitôt après, cette correction ou cette réponse : « On se fout bien de la conseillère quand on tient le secrétaire d'État lui-même… ! »

J'ai su tout de suite qu'ils hésitaient, alors quand elle a demandé les chiottes, j'ai plaidé pour qu'ils la relâchent : « Elle a trois gosses… Et vous m'avez moi… » Ils ne pouvaient me reconnaître aussi gentiment cette valeur d'échange parce qu'ils étaient furieux, et cette histoire d'enfants elle n'allait pas les émouvoir puisqu'ils se préparaient à ne pas voir les leurs…

À vrai dire je crois qu'elle n'en a pas. Quelquefois j'ai accepté qu'elle quitte le ministère avant 20 heures mais jamais elle ne m'aura donné de raison. A-t-elle une famille ? Sans doute ai-je lu la fiche que les Renseignements m'ont fait passer une fois que j'ai eu transmis, en juin, le projet de composition de mon cabinet, mais je ne me souviens d'aucune info. Peut-être n'ai-je fait que viser la case « clean », entre deux portes, voir si elle était cochée. Un amant, un compagnon ? Est-ce qu'il existe un monsieur Aberkane ?

Puis elle est revenue des toilettes et ils lui ont dit qu'ils la relâcheraient, avec mon officier de sécurité et la voiture. Avant la nuit. J'ai fait mine d'être blessé, comme un amoureux largué ne peut s'empêcher de jouer la comédie du désespoir quand bien même il espérait, secrètement… Et le type à qui je venais de demander la libération de Céline n'a pu s'empêcher, lui, de marquer sa surprise, et de l'agacement presque aussitôt : je tenais un double discours, je venais de me foutre de sa gueule. Je suis donc conforme à l'idée qu'il se fait des politiques, « Tous pourris ! », et il triomphe sur ceux du Balto qui parfois se mêlent de tempérer sa fureur en lui demandant, avec un mélange de lassitude et de terreur : « Mais est-ce que t'en as déjà croisé, en vrai ? » Eh bien il en a un, maintenant, sous les yeux et il est effectivement pourri.

Céline n'a rien vu, elle me regardait et je savais qu'il ne fallait pas trop dévisager le furieux. Est-ce qu'elle s'attendait à un conflit plus dur (Parisienne = salope = collusion de classe) ? Elle hésite à me laisser, ou elle regrette qu'on la rejette… Elle cherche une raison à cette libération, une issue… Par solidarité ? L'autre s'agace de cette hésitation, il flaire le petit soldat ou la pétasse couchant avec le boss. Il la pousse. Je la vois sortir. Il lui dira dans l'escalier que j'ai parlé de ses enfants.

Et ils me laissent dans ce petit bureau. Celui d'une secrétaire, la double porte en face donnant peut-être sur celui où m'a reçu le directeur en juin. J'entends parler, est-ce qu'ils ont improvisé une réunion ?… C'est une chose de chercher la solitude – dans mon cas : de manière panique –, la subir en est une autre. Je tends l'oreille, j'écoute les semelles sur le lino, les voix filtrées par la cloison mais amplifiées par les volumes de l'usine. Eux-mêmes sont surpris sans doute : parce qu'ils ont saboté la chaîne, le hall n'est plus bruissant, elles ont une majesté de cathédrale ces voix…

Je tends l'oreille pour percevoir tout ce qui va venir, le procès qu'ils me feront ou le silence à quoi ils vont me condamner, dans une pièce, à l'écart, ou aussi bien la cacophonie et le vacarme produits par l'intervention des gendarmes libérant un ministre en exercice.

Dehors le feu de palettes et de pneus est toujours impressionnant mais ils ne sont plus que cinq autour. Je bascule la fenêtre pour laisser entrer quelque chose. Notre voiture est encore là-bas, vide je crois ; Céline et l'OS sont toujours dans l'abattoir. L'odeur de caoutchouc cramé me fait du bien. J'en prends plusieurs goulées, comme on s'oxygène en altitude à la sortie des œufs où l'air est confiné.

Au bout de cinq minutes – parce qu'ils m'ont vu ouvrir la fenêtre ? – ils déboulent à huit ou dix armés de grands tubes argentés. Une bastonnade à l'ancienne ? C'est de l'aluminium alimentaire, ils recouvrent les fenêtres avec. J'imagine que c'est pour rendre l'intérieur impossible à scruter depuis le parking mais le premier résultat, pour moi, c'est que je me reflète partout et de cette confrontation avec moi-même je pourrais sortir commotionné, comme d'une bastonnade…

Au bout d'un quart d'heure une dizaine de personnes entre à nouveau dans le bureau. Ils me gardent contre ma volonté – mais je n'ai rien dit jusqu'à présent. En conséquence ils vont s'assurer que je n'ai plus de téléphone. Je ne fais pas de commentaire mais ça ne sert plus à rien de me l'enlever si je ne m'en suis pas servi pendant les dix minutes qui viennent de s'écouler… La femme qui se penche pour me fouiller est très tendue. Elle commence par les poches extérieures de ma veste, mais c'est au moment de sortir mon portefeuille que je vais lui découvrir les yeux rougis. Elle a pleuré ou elle va le faire. Elle passe ensuite à la poche intérieure gauche et en retire le truc plastifié où j'ai mis deux photos de ma femme, dos à dos. Là, elle craque. Abasourdi je cherche à calmer le jeu, sa détresse.

Je ne peux pas lui dire « Tout se passera bien » et pourtant c'est cette phrase qui me vient.

Je ne sais pas pourquoi elle pleure mais il y a quand même des chances pour que ce soit en rapport avec ce que nous vivons dans cette pièce. Est-ce qu'elle est prise en otage par les dix autres qui sont entrés avec elle ? Personne ne bouge = personne n'est vraiment surpris par ses larmes, ou = tout le monde est terrassé comme elle ? Je ne veux pas que ce soit à cause de la gravité de ce qu'ils sont en train de faire, alors avec le plus de douceur possible :

— Madame…

— Ah ta gueule hein toi !

Je suis jeté contre le mur par sa fureur. Les autres comprennent mais ne disent rien encore une fois. Ils partagent ou ça ne regarde qu'elle et j'ai eu tort d'intervenir ?

Elle n'a pas jeté un œil aux deux photos de ma femme. Par élégance ou parce qu'elle sait ? Tout a été dit dans la presse, elle ne peut pas ne pas savoir… Ma détresse ne doit pas peser dans la balance ?

Je n'ai plus de téléphone portable, ça y est. Ils sortent de la pièce sans me dire quel sera le cadre de cette action, ce qu'ils vont demander. Je n'imagine pas un instant que ma vie est en jeu. Ou plutôt si, justement : j'y ai pensé comme on se dresse sur la pointe des pieds par exemple, le bras tendu au maximum pour essayer d'attraper un pot de confiture placé tout en haut. Et il n'y a rien à faire, je ne suis pas assez grand. J'y ai pensé comme ça : je ne suis pas Kennedy, je ne suis pas Aldo Moro ni Lumumba. Je ne suis pas assez grand, ce serait grotesque.

Ça n'ira pas plus loin. Ça n'ira pas plus loin si Paris ou la préfecture n'envoie pas les CRS immédiatement. Si les flics tentent quelque chose, les salariés vont se braquer. Les larmes de cette femme… S'ils interviennent, elle sera inévitable cette révolte que je prédisais au reste du gouvernement ! Je ne crains rien pour moi, mais pour quelque chose qui nous dépasse, eux et moi…

J'écoute, j'essaie de comprendre. Pourquoi se sent-elle humiliée, et moi non ? Je suis fouillé, je me retrouve à poil, sans défense… Elle est hors la loi en retenant quelqu'un contre son gré. La légalité est tout ce qu'elle a. Elle m'en veut jusqu'aux larmes de ne pas avoir de solution parce que cette impuissance l'oblige à devenir violente ?

Comment ça « Tout se passera bien » ?!

Ils ne m'ont rien dit, d'autres sont juste venus m'enlever ce téléphone. Ont-ils programmé ce qu'ils font ? Savaient-ils qu'ils me retiendraient il y a seulement une demi-heure ? Qu'est-ce que je vaux ? Ont-ils un plan pour la suite ?

Les dix autres n'ont pu que regarder, eux, même furtivement – le temps de constater que c'était des photos de ma femme, et peut-être de détourner les yeux. J'aurais voulu pouvoir les ranger tout de suite, depuis cinq mois je dissimule. « Est-ce qu'il a refait sa vie ? » Ils ne peuvent savoir que je ne vois personne, que je ne reçois plus jamais chez moi, dînant seul dans des restaurants où je suis à peu près certain de ne croiser aucun homme politique, et pas de journalistes. Et comme peu de gens connaissent ma tronche… Il m'a fallu du temps pour nommer cette solitude. Je pouvais plus facilement montrer ma bite. Mais dès le début il y a eu dans mon silence une stratégie ou un réflexe : je ne pouvais la confier à quelqu'un sans perdre instantanément de ma valeur. Et c'est justement ça la solitude : tu n'as personne à qui avouer que tu es seul (sans que ça te coûte cher – j'avais peur de perdre un bras, j'avais déjà tellement perdu). Tu peux avoir plein de relations, si tu n'as personne à qui dire que tu es seul sans craindre d'entamer ton crédit, tu l'es effectivement. Pour qu'on ne le devine pas, je me suis condamné à être encore plus seul. À ce rythme, si je devais rencontrer quelqu'un dans un de ces restos, je ne m'en rendrais pas compte moi-même.

Mais elle date aussi d'avant cette solitude, je le sais : quand je suis rentré chez moi, après la première visite à l'abattoir, Mélanie nous avait servi deux verres – parce qu'on aimait être ensemble dans la cuisine, on y avait porté un petit canapé du salon – et je lui ai parlé de ce nouveau dossier et elle a fait une drôle de tête *dans son coin*. C'était une grimace, presque un haut-le-cœur. J'aurais aimé qu'elle dépasse son dégoût – commun, bizarre – de la volaille morte (son odeur et sa chair, celle du poulet cru, déplumée, froide et flasque). Je n'ai pu m'empêcher de trouver ça méchant, ou exagéré ; je ne lui demandais pas de farcir un chapon. Est-ce qu'elle venait de m'imaginer en train de rentrer le soir avec sur moi l'odeur des mille poulets abattus le temps de ma visite ? Ou être obligée de m'accompagner ? Est-ce qu'elle a imaginé qu'elle ne pourrait plus me toucher de peur que quelque chose de ces

poulets passe à ma propre peau ? Elle était assez chaman ou assez bizarre pour que des visions comme ça s'imposent à elle… Mais je suis de gauche donc j'y vais. Je le lui dis, malgré ce haut-le-cœur : je t'aime et je suis de gauche. La politique n'a rien à voir avec la noblesse, je me redis que ce sont des problèmes de boîtes aux lettres, de cages d'escalier, de trottoirs nickel. Je ne défends pas les patrons qui ont poussé l'entreprise dans le mur, je n'aide pas les Qataris à transformer la barbaque en pognon ; je veux sauver des milliers de petits salaires. D'autant plus que le contexte est chaud bouillant ; plusieurs foyers n'ont pas débouché sur des incendies – en Espagne notamment, lorsque les Indignés ont tenu la rue pendant trois mois, à Puerta del Sol… la Grèce contre toute l'Europe… la chemise du DRH d'Air France… En sauvant 1 000 emplois ici et 300 ailleurs, je fais beaucoup plus que sauver de l'emploi : je maintiens en vie le seuil minimal de confiance dans le gouvernement ; qui n'est pas assez inquiet. « Ça va péter, il faut qu'on se bouge. Il faut tenter plus de choses autrement ça va péter. Si c'est pas cet après-midi ce sera demain matin. Ça va péter. »
— Mais je sais tout ça ! Alors si tu parles, c'est pour convaincre qui ?

Pas ma femme, manifestement – qui s'éloigne beaucoup. C'est pour moi, dans ma tête. Je la regarde, la main crispée sur son verre de vin, sans parvenir à comprendre si la grimace s'est effacée de son visage.

Pour ne pas la voir réapparaître, je ne lui raconterai pas, un mois plus tard, ma deuxième visite à l'abattoir.

3

Céline Aberkane,
conseillère du secrétaire d'État

Ils vont me foutre dehors, ils viennent de le confirmer. Je ne suis pas certaine d'avoir compris ce qui s'est passé dans le bureau, quand le type à qui je demandais de rester a subitement jeté un œil par-dessus mon épaule. Je me suis retournée, il n'y avait que Montville, et il ravalait un geste. Était-il en train de se curer le nez ou de communiquer dans mon dos avec le salarié qui me faisait face ? Je serais le dindon de la farce, et lui, Montville, le complice de cet homme qui avait un slogan débile sur son t-shirt, voire de la dizaine de types présents à ce moment-là… ? J'en suis sortie avec un goût bizarre : est-ce qu'il se fout de ma gueule ? C'était d'autant plus déstabilisant que je venais de ressentir une forme d'évidence, une chaleur ; quelque chose, là, était canalisé par cette situation, et je m'y projetais, j'allais… Et voilà qu'ils me renvoient. « On vous libère. »

— Je vous propose de faire l'interprète et vous me virez ?!

J'échappe à un truc violent et ça ne me soulage pas.

— Je peux vous être utile. Je commence à connaître les gens qui vont rappliquer une fois qu'on saura que vous retenez le secrétaire d'État.

Je regarde aussi le ministre pour comprendre ce qu'il veut.

— On n'a pas besoin d'interprète. Le jour où on en aura besoin il faudra les brûler immédiatement car ce sera le signe d'un truc pourri dans le pays. Ce sera nos mots, ou rien. Et si personne ne pige, on s'en fout ; la pédagogie, c'était hier.

Elle me pétrifie. J'allais dire « Je suis de votre bord, vous pouvez pas me faire ça » mais la phrase ne passe pas le rebord des lèvres, c'est une personne qui ne saute pas dans l'eau depuis ce promontoire qui finalement semble trop haut. La gardant en bouche (« Je suis de votre bord... »), j'ai pu la mastiquer tout le temps qu'ils m'ont fait poireauter dans le hall, avant de me pousser vers le parking et la voiture. Ils vont avoir besoin d'une syndicaliste au moment où ils choisissent un type d'action que les centrales condamnent tout le temps car sans le soutien de l'une d'entre elles au moins ils n'iront nulle part. Ils me renvoient comme si je n'étais pas de leur bord parce que je suis entrée ici dans les pas du secrétaire d'État ?

Ils me renvoient. Je vais me faire démonter la gueule par le cabinet et Matignon. Je porterai seule la responsabilité de cette catastrophe médiatique et politique. Le temps de la séquestration sera celui de mon procès (« Non seulement elle n'a pas vu le piège dans lequel est tombé son patron, mais en plus il ne s'est pas refermé sur elle. Ça sert à quoi d'avoir embauché une syndicaliste si, au lieu d'être dans l'usine pour raisonner les siens, en trouvant les mots, elle est ici au ministère ? »), et la libération du ministre, ensuite, sera un temps de réjouissance ou de soulagement discret, le procès pour incompétence ayant déjà eu lieu. Me pousser dehors c'est commettre une saloperie.

Est-ce qu'on ne me soupçonnera pas, en plus, d'être de mèche avec « les miens » ?!

« Brûler » ?!? Elle a bien dit « brûler les interprètes » ?

— Pourquoi on reste ici ? Je dois prévenir ma hiérarchie, c'est pas possible…

Qu'est-ce qu'il dit ?

— Il faut qu'on se casse, il faut appeler le préfet, Matignon…

C'est l'OS, ou le chauffeur.

> Quand j'ai quitté Youcef il aurait dû être en colère mais la tristesse l'a emporté et plusieurs fois, en m'écrivant, il s'est exposé à des réponses vexantes. À certains moments, pour qu'il me laisse, je n'ai pas résisté à la tentation d'être méchante, indifférente. Je lui ai fait des réponses qui abîmaient nos souvenirs. Il va falloir vivre avec ça.

Quelque chose m'échappe. Adossée à la portière je fixe les deux fenêtres qui sont peut-être celles de la pièce où ils le retiennent. Cette silhouette, c'est lui ? Nous sommes trop loin, impossible d'affirmer qu'il me regarde. Je dois rester ou je suis tétanisée et incapable de bouger ? Qu'est-ce qui est si fort ? Pourquoi transpirer comme ça ? Le chemisier collé, mes fesses… Ça vient vers moi et ça va me rouler dessus… Ou ça s'éloigne, au contraire, et il faudrait que je coure pour ne pas être larguée… ?

Je dois parier qu'elle est intelligente, cette voix qui murmure « Accroche-toi ».

Si souvent je pige tout trop tard…

Là, j'entends une voix qui ne sait dire qu'une chose : « Tu dois rester. » Ma colère se fait dicter une attitude – première catastrophe ? Ma colère ne me donne pas envie de monter dans la voiture et de leur faire un bras d'honneur en les laissant se démerder avec le négociateur de la gendarmerie… ? Aucune réaction d'orgueil ?

Je parie que cette voix a ses raisons.

Je déteste la soumission de cette colère.

J'étais salariée avant d'intégrer le ministère. Je me suis toujours battue quand les emplois étaient menacés. Je suis furieuse parce qu'ils me virent ? Je mets tout dans le verbe. Si un bateau devait virer (de bord) je serais furieuse comme par réflexe ?

Ma colère veut que je me batte mais je n'y vois rien ; tout m'est donné comme la foudre, ça va trop vite. Avec mon intelligence de ruminante je vais chercher à démanteler ce bloc – autrement ça passera pas hein. Et pendant que je mastique, l'autre partie de moi – la vive, accrochée au-dehors – continue de tout noter : je les ai vus appeler quelqu'un pour lui dire de s'installer avec sa caméra, sur le parking, et de commencer à filmer (« Non, je peux pas te dire pourquoi mais tu seras pas déçu ») ; j'ai vu une femme pincer les fesses d'un de ses collègues ; j'ai entendu Montville demander les toilettes, depuis la mezzanine, et j'ai vu les autres s'écarter sur son passage, faire involontairement une haie d'honneur à celui qui va pisser ; quelqu'un revenir en toussant du piquet de grève… Et je comprends que cette urgence – l'éclair, tout – n'est pas en concurrence avec ce qui a lieu ici dans l'abattoir, que c'est la poussée de ce qui a lieu. Leur violence libère un truc pour moi.

Mais leur violence se moque de ma colère.

Mais c'est comme un appel d'air.

— Je téléphone à Matignon.

Pourquoi penser d'un coup qu'il est urgent pour moi de rester là ? Pour le protéger ? C'est idiot. Les critères de mon recrutement par le ministère je les aurais tordus ? « Mettre du liant entre les partenaires sociaux et le secrétaire d'État »…

— Non. Tu attends encore, je réponds à ce connard d'OS.

Youcef est perdu. Je lui balance des critiques sans me retourner pour voir les dégâts mais elles ont toutes une tache noire : je ne comprends pas plus que lui. « Tu me vires pour de mauvaises raisons, et non parce que tu ne m'aimes plus. » La phrase était si bizarre… J'ai rien répondu.

Je viens du salariat, de l'usine, je parle cette langue – celle des conditions de travail, celle des conflits dans lesquels on se lance pour pas crever sans avoir dit un dernier mot, c'est-à-dire sans véritable espoir, juste pour l'honneur, couler la tête haute ou espérer la mettre une dernière fois aux gens de la direction, et bien profond. Je viens de là. Maintenant je dois traduire dans les deux sens, expliquer les salariés au ministre et le ministre aux salariés. Je suis cette poule ou je ne sais quel oiseau qui avale et régurgite pour ses petits, des morceaux qu'ils pourront avaler. Je traduis pour les camarades ? Je vais brûler ? Ce rôle me serait monté à la tête… ? Je me suis imaginée indispensable tout à l'heure dans le bureau, et c'est débile ? Indispensable au ministre, une sorte de garde du corps – avec cette proximité en tous les cas, et cette dépendance. Le corps de l'autre est intouchable et pour cette raison précise tu as le devoir de le toucher, toi, si le besoin s'en fait sentir, pour que les autres ne le puissent pas.

C'est ma présence qui impose cette image. S'ils se sont écartés tout à l'heure, s'ils ont fait une haie d'honneur, involontairement, à l'homme qui allait pisser, c'est en partie car je suis là… Parce qu'un secrétaire d'État ne sort jamais de son bureau à poil, il est toujours avec sa bande. Tout à l'heure ils pointaient l'absence du député ou du préfet, et de la direction, mais j'étais là moi, et ça valait pour tout le barnum. S'ils lui ont fait une haie d'honneur qui menait aux chiottes, c'est que j'étais là, en quelque sorte, je lui permets de pisser royal.

Depuis tout à l'heure je me gratte jusqu'au sang, c'est une réaction entre la sueur et le tissu. Je ne vais pas demander à l'OS de me lire la composition du tissu, l'étiquette du chemisier. Son nez dans mon cou, ses mains écartant mes cheveux, je gerberais tout de suite.

Il n'en peut plus d'attendre mais je n'arrive pas à entrer dans la voiture. Si les salariés de l'abattoir ne me gardent pas, s'ils me rejettent, de quoi m'éloignent-ils exactement ? De son corps ou de quoi ? Ils veulent un homme ou le ministre ?

Si je suis honnête–

— Ta gueule ! On partira quand je le dirai. Je prends cette responsabilité.

— On n'appartient pas aux mêmes administrations. Tu peux prendre toutes les responsabilités que tu veux, ça ne me couvrira jamais par rapport à ma hiérarchie. C'est pour ton cul que j'attends, pas parce que tu me couvres.

J'allume une autre cigarette. Je regarde les volutes ; la beaufferie de ce type qui part en fumée.

— Et c'est qu'une affaire d'minutes, connasse.

J'en allume une troisième.

Je fais le vide. Je n'ai pas entendu l'OS, il n'est pas là, je n'entends pas Chérie FM sur l'autoradio, je fais le vide.

Je pourrais pourtant me « donner » à lui, je le sens.

Une quatrième cigarette et ce serait la nausée. Déjà je transpire. Une secrétaire du ministère m'a dit d'éviter la viscose. Elle m'a fait toucher le tissu de sa jupe.

— Même avec la doublure on transpire pas.

— C'est quoi ? De la soie ?

— Ouuui. Faut vraiment éviter l'acrylique, la viscose.

Je m'en suis emplafonné des maires, toute l'Assemblée nationale ça y est, et des représentants de ci de ça depuis mon intégration au sein du cabinet… Tous les jours au ministère, depuis quatre mois, cent vingt jours… On pouvait s'attendre à ce qu'il devienne commun, le secrétaire d'État, quotidien, c'est-à-dire banal, un peu. C'est pourtant l'inverse ; mon travail fait de lui… Tout converge dans sa direction, chaque jour. Il serait con comme une bille, chaque jour déposerait sur lui quand même une feuille d'or ; ce n'est pas moi qui le fais ministre, ce n'est pas vrai. Je gueule ça sur le parking. L'OS me regarde. « Elle est folle. » Il prend le téléphone de la voiture, je lui colle une gifle.

Je veux rester, je dois rester.

Les destins s'accélèrent et deviennent flous, ils s'obscurcissent.

4

Fatoumata Diarra,
salariée (unité de conditionnement)

Elle a jamais été avec nous.

Quand elle a tenté de nous convaincre qu'elle pouvait aider – elle disait « Gardez-moi, je ferai l'interprète » –, elle a zyeuté Richard, et le ministre, et Richard, et le ministre. Il y avait un truc de femme à la tête perdue, décoiffée, on était dix douze dans le bureau. « Vous avez besoin de moi. » Et à nouveau Sylviane, puis le ministre, et le ministre, puis Richard, comme si tout ça c'était qu'un tribunal unique. Ses yeux demandaient comme des fous qu'on la vire pas, elle voulait rester et c'est bien ça qu'était complètement fou. Christian a dit après : « C'est comme dans ce film, là… Quand la meuf se jette aux pieds du bourreau pour être sacrifiée, elle veut pas qu'on lui rajoute la honte à la souffrance. » On a tous eu le même petit sourire alors qu'on était tendus, hein ; on trouvait tous que c'était ça… exactement.

Et puis surtout, comme elle passait du regard du ministre aux nôtres, nous, très vite on n'a plus été capables de dire à qui elle proposait son aide, à qui elle se donnait : à lui ? à nous ? Qui c'est qu'elle veut aider ? Qui c'est qu'elle va servir ? Ses yeux qui dévissent, voilà tout son dossier, l'acte d'accusation. Juste avant on s'en foutait, elle aurait pu rester ; juste après c'était foutu, l'embrouille était trop claire.

On les a conduits jusqu'à la porte. Le garde du corps marchait devant, on n'avait pas besoin de lui parler. Elle était plus bizarre, elle, et au moment de passer la porte elle a fait ce truc insupportable : elle s'est arrêtée, exactement là. Genre tu sors du cinéma et tu clignes des yeux parce que t'es éblouie. Mais j'ai bien compris que c'était pas la lumière, oh oui j'ai tout de suite compris hein. Et je lui ai donné ce qu'elle voulait, même dix fois plus, j'en avais rien à foutre de faire mal à une autre femme, ou de la voir tomber. Faut pas nous prendre pour des cons. Je parle comme je parle mais faut pas nous prendre pour des cons. Je lui ai donné un grand coup sur l'omoplate, pour qu'elle continue d'avancer et qu'elle sorte de l'usine comme on venait de le décider. J'en suis sûre elle voulait que ce soit nous qu'on la vire, elle voulait pouvoir dire que c'était pas elle qu'était partie. Eh ben je lui ai donné ce qu'elle voulait, un grand coup – c'est bien moi, oui, c'est bien nous qu'on te vire.

Elle était déjà plus là, mais en train de se défendre, au ministère ou je sais pas où.

Te recoiffe pas, connasse, y a pas de témoins.

5

Pascal Montville,
secrétaire d'État

J'arrivais avec quelque chose de bien, aujourd'hui : « On arrête avec le protocole, les deux premières réunions n'ont rien donné ; on parle et on construit ensemble. » Pendant que je leur propose ça, certains employés décident – ou c'était prémédité ? – de me séquestrer.

Résumé comme ça, quelle connerie ! Alors quoi ?

Je me repasse le film : on s'installe, je leur explique l'absence du préfet et de ses girls (je me retiens de dire qu'ils ont certainement des oreilles dans la salle). L'absence aussi de la direction et des journalistes de France 3 Régions, et je dis mon intention : instaurer une confiance qui devrait libérer quelques idées ; il faut libérer la parole de l'homme politique de l'obligation qui lui est faite de garantir le respect de la loi. « Je ne suis pas pour cet ordre-là ; je militais pour des changements radicaux et maintenant que je suis secrétaire d'État j'essaie de les mettre en œuvre. » Ensuite quoi ?... J'ai parlé de la nouvelle frontière constituée par la quête des énergies renouvelables et les changements de paradigmes qui en découlent. Il m'obsède ce discours de Kennedy, mais ils ont réagi, ceux de La Générale. Quand j'ai osé « On est dans une situation tout aussi dingue ! », ils se sont braqués. « C'est quoi cet enthousiasme ?! Il est fou ?! »… J'ai dû les voir se raidir car j'ai enchaîné, récitant : « Je vous dis que nous sommes devant une nouvelle frontière, que nous le voulions ou non. Au-delà de cette frontière s'étendent les champs inexplorés de la science et de l'espace, les problèmes non résolus de paix et de guerre, les poches d'ignorance et de préjugés non encore réduites, des questions laissées sans réponses sur la pauvreté et la surproduction. » Le brouhaha augmente. Kennedy encore, mais en forçant cette fois : « Notre époque demande de l'imagination et de la décision. Vous devez être les nouveaux pionniers de cette nouvelle frontière. » J'insiste sur le mot *surplus* pointé par Kennedy comme le signe de la voracité du système, laquelle doit nous laisser ahuris, et non pas complices. Je rappelle qu'il dit ça en 1960 alors qu'aujourd'hui encore, cinquante ans plus tard, il y a des gens pour ne pas voir cette surproduction comme un problème, ni la recherche effrénée de profits à ne plus savoir qu'en faire, et la consommation en soi, pour elle-même. « Ces nouvelles bottes vont me tenir deux semaines mais on s'en fout je les ai payées 12 euros sur le marché, c'est pas bien grave. » J'ai parlé de la nouvelle frontière et ils ont été plusieurs à vouloir m'en coller une, et ils m'ont enfermé dans ce bureau, ou c'est une salle d'attente.

Dont ils ont masqué les fenêtres.

En fait d'horizon ouvert et de Western : ma gueule se reflétant sur le papier alu.

Je ne vois plus le parking, je ne peux savoir si les gendarmes se positionnent, les journalistes… J'entends des voix dans le hall, la nervosité est bien audible, de plus en plus… Un siège s'organise ? Dehors, mais pas tout de suite – dans une heure, quand l'info sera confirmée –, chacun ira de sa petite phrase :

l'opposition va moquer « l'amateurisme hallucinant de ce gouvernement » : « Je sais de source sûre que c'est le secrétaire d'État lui-même qui a interdit au préfet de Bretagne de mobiliser les forces de police habituelles. Lui-même ! Vous entendez ?! », etc. Ils se moquent, je suis ridicule. Personne évidemment ne trouvera le courage de défendre mon raisonnement étant donné « la suite des événements ».

Pire : ceux qui pouvaient me défendre vont m'en vouloir à mort de les avoir mis dans cette situation. J'ai honte.

Solitude totale, dans ce bureau. Je sais qu'en bas ils parlent de moi mais d'ici je ne les entends pas.

Je viens au-devant de 2 500 employés et me retrouve enfermé dans un bureau. On peut merder avec panache mais se planter de manière ridicule c'est autre chose. Je nourris l'opposition, je fais trébucher mon propre camp et le gouvernement (« Ils ne devinent même plus leur propre base électorale, ceux qu'ils disent vouloir défendre ; le secrétaire d'État qui était la fierté du président s'est jeté dans la gueule du loup. »)

Dans son journal intime, à la date du 14 juillet 1789, Louis XVI a noté « Rien ».

Au moins je ne dessers pas ceux qui me retiennent ; en me retenant ils ne se tirent pas une balle dans le pied. Les ouvriers ardennais qui menaçaient de verser dans la Meuse plusieurs milliers de litres d'acide, oui – la perspective d'une telle pollution avait fait scandale : le désespoir des ouvriers, ok, mais quel rapport avec une rivière, ses poissons, et jusqu'aux nappes phréatiques ? Pourquoi s'en prendre à la terre et tout brûler sur trois ou quatre générations ?! Qu'ils séquestrent un responsable politique ici et maintenant ne choquera vraiment personne…

Puis je ne pèse rien. Ça m'a effleuré, tout à l'heure : « Pourquoi moi ? » Et presque aussitôt, cessant de caresser l'hypothèse qu'une raison pouvait exister, qui me donnerait cette importance, et prenant pour mon théâtre intérieur une voix moins fanfaronne, de celles qui ne font plus barrage à l'explosion d'une inquiétude : « Mais non, pas moi ! Vous vous trompez, personne ne me connaît, je ne suis pas une huile, un gros poisson… Ce n'est pas avec moi que vous allez bouffer ! » Je pointe une erreur de stratégie. « Si vous cherchez un coup d'éclat, prenez quelqu'un qui pèse plus lourd… Le Grand Soir ça n'est pas moi, c'est impossible. »

Et toujours le silence de cette pièce déprimante.

Je m'assois et m'accoude à la table… mais c'est inconfortable je dois encore me tenir droit, ou quelque chose comme ça, alors je me laisse tomber contre le mur, sous la fenêtre. Avachi c'est tout de même mieux.

Dès ce soir 20 h 15 ma gueule sera connue, pour le coup. Le 20 heures des différentes chaînes généralistes et le radotage hystérique des autres leur donneront raison : je suis cet inconnu qui devient célèbre parce qu'on le met à l'ombre. (La définition de la *lose* ? Des ouvriers le retirent du circuit et sa cote grimpe en flèche. Elle était dérisoire cinq minutes plus tôt…)

Trois ans après il était guillotiné.

C'est angoissant.

J'ai tellement aimé rester cet anonyme après avoir été nommé secrétaire d'État… Ce sera fini, je ne pourrai plus la montrer comme ça, dans les bars. Un soir – pour quel concert ? –, il y avait dans la salle une énergie dingue et plusieurs personnes se sont levées pour danser pendant le troisième set, remuer, déchaînées, et le patron ne fermait pas, et les musiciens ont enclenché la double respiration, les cinquième et sixième bras ; je me suis désapé, je m'en foutais total, ou pas complètement mais je m'en foutais : « C'est un privilège spécial du secrétaire d'État à l'Industrie, pouvoir se foutre à poil », aurais-je dit, bourré, à quelqu'un dont je n'ai même pas cherché à connaître l'identité – c'est l'OS qui me l'a raconté. « Personne ne connaît ta tronche, tu peux encore montrer ta bite. »

Le lendemain je ne me souvenais pas d'avoir été celui que l'OS me décrivait. Et ce quelqu'un d'autre que j'aurais été, d'après lui, quelques heures, serait retourné dans les limbes ensuite, où il lui faudrait encore attendre avant de pouvoir s'imposer mieux. Ma part folle, mon truc en plumes.

— Si j'étais ministre des Finances, je serais obligé de la ranger, on me verrait à la télé, tout ça, tout ça. Je serais obligé de la ranger.

***

Je repère un espace entre deux feuilles d'alu. Je les écarte avec un doigt seulement – que dehors ils n'aperçoivent pas cette meurtrière. J'aperçois des employés transformer le devant de l'usine en camp retranché, Céline qui tète sa cigarette électronique en trépignant, alors que le chauffeur est assis, lui, les deux mains sur le volant. Elle semble fixer cette fenêtre… Les CRS ne sont pas encore déployés, ils arriveront peut-être une demi-heure après que Céline sera entrée dans la voiture, mais pour l'heure, à Paris, tout est normal, ce n'est qu'une réunion qui dure mais c'est normal car le dossier est un peu chaud. À Châteaulin. (« Où est Châteaulin ? ») Bien entendu je n'ai aucune idée de ce qui va suivre. Céline passera-t-elle ce coup de fil déclenchant l'envoi du GIGN et de quantité de Robocop, contre ses anciens camarades de lutte ? Au ministère, elle est parfois insupportable, intraitable, sans humour. Elle est possédée par sa colère, elle ne le sait pas. Que veulent-ils obtenir contre ma libération ? De la réponse découlera la durée de mon séjour ici. Quelques heures ? La nuit qui vient ? Plusieurs jours ? Je toque à la porte du bureau comme si je voulais entrer mais je veux sortir, c'est moi qui suis dedans.

Une personne ouvre immédiatement, je vais lui mettre le cul entre deux chaises :

— Je voudrais aller aux toilettes.

Il hésite, manifestement il n'a pas eu de consignes.

— Je vais voir.

À nouveau le silence. Voir ? Est-ce que mon envie de pisser est devenue, sitôt formulée, un sujet de réunion ? Est-ce qu'elle va passer à toute l'usine, pour un vote en session extraordinaire ? Sans aller jusque-là, même s'ils sont douze ou quinze, à discuter de ma vessie…

On aurait pu descendre comme ça, simplement. Il aurait tranché tout seul car il ne peut y avoir de hiérarchie des intelligences dans la société qui naît avec le Grand Soir. La décision qu'il aurait prise de me laisser pisser se serait imposée à ses égaux.

J'ai honte de les imaginer en train de statuer sur la liberté qu'ils pourraient accorder ou non à ma vessie. Ce n'est pas de la pudeur ; j'ai honte de les rabaisser dès le début de l'insurrection. J'aurais dû ne rien demander, pisser dans les fleurs. Venant me trouver, l'un ou l'autre aurait senti l'odeur puissante et sans enquêter il aurait entrebâillé la fenêtre. C'était réglé.

Je tourne en rond. Approchant de la plante verte, machinalement je gratte la terre. Ce ficus est en plastique, la terre est une planche de faux gravier. Ne pas avoir pissé dedans est un soulagement en soi ; je devrais pouvoir patienter encore une heure.

Pour des raisons politiques j'espère qu'ils ne tiendront pas une heure sur ma vessie.

Il revient, il va m'accompagner.

Et de fait il me suivra, il me colle. « À droite, la porte là-bas. À gauche. Non, là c'est les femmes. » Il entre avec moi dans une pièce tout en longueur. Des urinoirs et des cabines. J'entre dans une cabine, j'entends qu'il reste dans la pièce. C'est une autre forme de solitude, mais nous la partageons, celle-là. Pisser debout en visant le clapotis le plus sonore serait prendre le contrôle du mec, je le sais, mais je me retiens de jouer cette carte-là. À nouveau la honte. Je choisis de m'asseoir. La faïence bien froide contre mes cuisses.

Puis je ressors et me lave les mains.

Ils sont nettement moins nombreux dans le hall, et, à la différence de tout à l'heure, tout le monde ne me suit pas des yeux. La même scène qu'à l'aller et j'aurais eu l'impression d'avoir 2 ans, ma famille s'extasiant car je viens de faire dans le pot, c'est la première fois. Ils se seront dispersés pour éviter ça.

Dans un coin, une Noire sur un tabouret. Celle qui m'a hurlé dessus, tout à l'heure, lui défait ses tresses fines.

Je remonte dans le bureau et il referme la porte. Il y a des séquestrations plus dures – tu n'as pas le droit aux toilettes, tu te démerdes. Ce qui figure dans le code pénal au sujet de la contrainte physique me revient maintenant. Se sont-ils écartés pour cette raison ? Ils ne doivent pas me toucher, cela créerait des circonstances aggravantes, ou un chef d'inculpation de plus en cas de procès... Est-ce moi qu'ils respectaient, ou la loi, en me laissant pisser dans des conditions dignes ?

Les minutes s'étirent, ou s'espacent.

Je ne sais comment ça se passe, aujourd'hui, quand un employé de la chaîne veut se rendre aux toilettes. Mais j'ai le souvenir que ç'aura longtemps été le privilège des contremaîtres, d'accorder ou non la possibilité. On disait d'eux qu'ils faisaient chier.

Les salariés de La Générale ne se vengent pas, ils ne seront pas les bourreaux après avoir été victimes.

Je m'agace de tourner en rond, je me rassois et déjà – cela fait une heure peut-être, une heure seulement, que je suis seul – je m'efforce de me couler dans ce temps débarrassé de tout, dans cette lenteur.

Quelques heures ? Plusieurs jours ? C'est exactement ce que je fuis depuis cinq mois. Je n'ai pas été seul une heure durant depuis des mois. J'ai tout fait pour éviter ça, n'entrant que dans des restaurants bondés. Les brasseries, ou au ministère – en retenant alors un de mes collaborateurs contre son gré, « On en profitera pour avancer ».

Un typhon s'approche.

6

Céline Aberkane,
conseillère ou assistante de Pascal Montville

L'OS me casse les couilles pour qu'on donne l'alerte. Il veut s'asseoir sur l'ordre que je lui ai donné (attendre) – autrement c'est lui qui me couvre et prend un risque. Mais j'ai la main sur lui, ses yeux bavent dès qu'ils me voient.

(Elle est émouvante, la fragilité des hommes, mais là maintenant, dans l'odeur des pneus brûlés, c'est la mienne que je voudrais approcher – c'est un oiseau picorant la dalle de béton, je dois inventer des ruses de Sioux pour qu'il ne s'envole pas.)

— On roule, direction Plougastel.

Ils se plantent : ils abîment la fonction au moment où celle-ci les respecte enfin. Pour la première fois depuis longtemps, le mot « tragique ».

Mais comment leur demander de la préserver au moment où ses limites leur apparaissent, où elle s'avère incapable de sauver l'emploi ?!

Et comment leur demander d'épargner la fonction alors que c'était à moi de la protéger ? Je n'ai pas trouvé les mots durant le trajet, de Paris à Châteaulin, pour convaincre le secrétaire d'État de renoncer à son idée (cette réunion informelle).

Ils lui disent : on va vous garder ici.

Pourquoi ai-je eu l'impression que quelque chose se canalisait, prenait forme, devenait évident ?

En voulant protéger la fonction c'est ça que je veux protéger : le fait qu'elle les respecte enfin.

Mais non, ils se comportent comme ces féministes qui ne veulent pas du soutien des hommes, et ça me rend triste mais je ne sais pas bien pourquoi. Ou des Black Panthers qui ne voulaient pas du soutien des rares Blancs à penser comme eux.

— On s'arrête ici. Cette brasserie, là.

L'autorité que j'ai sur l'officier de sécurité fond à mesure qu'augmente la certitude d'être viré, ou dégradé, quand son patron saura qu'il s'est écoulé quatre-vingt-dix minutes entre le moment où on a été sortis de l'usine et l'envoi de nos deux premiers messages à Matignon : il sera viré. Il piétine, il est furieux. Mes seins le font rêver mais là il est furieux. Mes seins le rendent furieux.

— Ça fait la grande gueule pour coucher avec le patron et pis ensuite c'est plus capable de réfléchir.

Je couche avec le patron ?! Je couche avec le patron ? Tu me l'apprends connard !

D'autres pensent comme lui, c'est un ragot qui circule au ministère ?

C'est quoi les signes qui m'ont trahie, ou lui ? À partir de quoi peuvent-ils raconter ça ?

Est-ce que Montville a envie de moi ? Ils ont perçu des signes évidents que je n'ai pas décryptés… ?

Je commande une andouillette, c'est moi le mec. L'OS ne déjeunera pas. À un moment, je perçois de la détresse et décide d'oublier l'insulte. Je me lance dans une explication,

« J'ai été syndicaliste » mais il me coupe en se redressant d'un coup, et il se précipite hors du resto. Il sort fumer une cigarette. Je crois qu'il plie.

La déco a bien trente ans. Quand on regarde la télé on est surpris d'y voir les guignols qu'on trouve dans *Closer* en maillot de bain à la Barbade…

Sur le mur de droite, l'ardoise est encore en anciens francs. Je comprends qu'ils l'aient gardée mais un rapide coup d'œil à la carte d'aujourd'hui m'apprend que depuis trente ans elle n'a jamais changé, et ça m'arrache un sourire malgré le stress.

J'ai choisi ce restaurant au hasard ou parce que j'ai reniflé ça ? Qu'il est hors du temps ?

En débarrassant, le serveur égrène la liste des desserts. Quand il a terminé, parce que rien ne me fait envie, je commande une andouillette, « une autre, oui ». Il me fait répéter pour être certain que ce n'est pas une blague, et se traîne jusqu'à la cuisine pour en parler au chef, sans doute, plus que pour relayer la commande, et ce soir à la maison ce sera pareil : « Aujourd'hui il s'est passé quelque chose… » J'avale la dernière gorgée du verre de bergerac qu'il m'a servi. (« Normalement les filles c'est un chinon, direct ! »)

Depuis combien d'années parle-t-il tout seul ?

L'OS écrase son mégot, il entre dans la voiture. Sur mon cul il tire un trait, il appelle Paris très certainement. Avec ce mot, « syndicaliste », il tiendrait une explication ? Collusion de cette pétasse avec les preneurs d'otage ? Nous entrons dans une zone molle ; puisqu'il va donner l'alerte je n'ai plus rien à faire qu'attendre le coup de fil de Matignon, ou du dircab au ministère. Je leur donne cinq minutes pour faire sonner mon portable, inquiets, furieux ou excités. Quelque chose va s'enclencher, je suis la balle de tennis qui attend le tamis de la raquette.

Ancienne syndicaliste, conseillère maintenant, je ne suis pas la pythie de Châteaulin et n'ai pas deviné que quelque chose allait se produire dans cette usine. Je n'ai pas pressenti qu'ils le séquestreraient, que les gendarmes puis le GIGN, dans une demi-heure… Mais quand je me tords la cheville sur ce putain de parking, et quand je transpire comme je transpirais, tout à l'heure, je suis l'antenne folle de quoi exactement ?

Lorsque j'étais salariée, je n'ai jamais eu peur de bloquer telle ou telle usine. Je les voyais venir avec leurs gros sabots, harnachés, ou leur porte-documents, et ces cravates en soie… Je les voyais pendus à leur cravate. Je n'avais pas peur. Traversant le parking, tout à l'heure, je me dirigeais vers des gens qui n'ont pas peur ? C'est pour cela que je transpirais comme une vache ? Youcef m'a dit un jour que les peurs colossales donnent furieusement envie de baiser ; ce serait une façon de rester en vie. Pourquoi, je ne sais pas, mais j'ai déraillé ; je lui ai demandé, méchante, « Tu me baises parce que t'as peur ? » ou « Tu as peur quand tu me baises ? » mais j'étais celle qui avait peur, à ce moment-là.

Est-ce que j'ai pensé à « ça » sur le parking, la peur s'installant, qui montait… ?

Sur le parking ou même dans le bureau, tout à l'heure, j'étais la marionnette de quoi ?

Je demande à aller aux toilettes pour me calmer mais pendant ce temps… Je suis allée remettre du déo. Ma nervosité n'était pas celle d'une bête qu'on mène à l'abattoir ; elle venait clairement d'ailleurs. Je pue, je ne suis pas class… C'est ça l'urgence ressentie ? Au moment d'être enfermée avec lui : m'accrocher à lui comme une moule à son rocher ?

Ou coucher avec le patron… ?

Remettre du déo.

J'ai quitté Youcef en pensant que le quitter changerait quelque chose à cette plouquerie. Que je transpirerais moins, désirée par un ministre…

Il y a les conversations dans le hall de l'usine, les chariots élévateurs qui vont et viennent dehors pour barricader l'entrée, les conciliabules, les AG instantanées, ce tailleur qui m'irrite malgré la clim. Le goût dégueulasse du thé citron… Il y a la banderole la plus haute qui masque la partie basse de la fenêtre, et ce début de calvitie, chez lui, que je n'avais pas remarqué, et je pense à « ça ». C'est comme ça, j'y ai pensé. Les faits sont têtus, ils ne sont pas débiles.

Je demande à aller aux toilettes – me repoudrer en quelque sorte. Me préparer pour la séquestration.

Un dimanche qu'on était chez nous, Youcef regardait la télé dans le salon et je me suis approchée de lui, et j'ai baissé mon pantalon de survêtement et ma culotte jusqu'aux genoux, et j'ai tenu ensuite d'une main mon chemisier au-dessus du ventre. C'était abrupt, ça sortait de nulle part, mais je voulais me fracasser contre l'amour vu dans ses yeux une heure plus tôt, à table, tout cet amour. Ses lèvres sont venues tout de suite contre les miennes, le soleil entrait comme une lame dans la pièce quand même humide, je suis restée debout jusqu'au moment où mes jambes se sont mises à trembler. J'aurais pu tomber. J'ai posé ma main sur ses cheveux, je lui ai souri, il a levé les yeux vers moi, je me suis rattrapée à la commode, je me suis reculée un peu, et rhabillée. Je suis allée sur le balcon, j'ai imaginé qu'il rallumait la télé mais aucun son ne m'est parvenu. Un quart d'heure a passé et j'ai reçu un texto de lui : « Je t'aime d'amour. »

***

Et là, alors que j'attaque la seconde andouillette, mon téléphone hurle et tressaute sur la nappe en papier. Mais ce n'est pas un appel, non, le signal d'un texto seulement. Un texto de Pascal Montville ! C'est son numéro, sa signature. Je sais pourtant qu'ils lui ont retiré son téléphone puisque je les ai vus redescendre avec – il y a bien une heure et demie maintenant. « Ça va, ne vous inquiétez pas. Je n'ai pas de connexion ;-) Pouvez-vous me préparer un mémo sur *Don Quichotte* ? Court résumé du bouquin, extrait des scènes marquantes, et des trucs autour du livre. S'ils acceptent, vous me le ferez passer. Bises et bon retour à Paris. »

7

Pascal Montville,
secrétaire d'État

J'ai couru, j'ai fui, mais on ne court pas sans s'épuiser. Dans un cauchemar, c'est à ce moment précis que te rattrape le monstre.

En me laissant seul dans ce bureau, ils m'imposent un examen de conscience – ah le vieux style ! – qui n'a rien à voir avec leur combat. Ma gueule boxée par le typhon – si cette confrontation avec mes démons personnels devait durer –, ils l'attribueront à cette séquestration, au capitalisme, aux reconversions industrielles… Ils diront que c'est la preuve de ma culpabilité, ils me verront écrasé par « la prise de conscience ». Elle sera une partie de la fête ou de leur joie, cette blessure.

J'aurais dû m'accrocher à Céline – si je l'avais fermée, ils ne la renvoyaient pas. Mais comment être face à elle en n'ayant aucun dossier à préparer… Elle attend quelque chose de moi… J'ai eu peur de Charybde, je me retrouve seul dans le bureau, Scylla dévorait les marins traversant le détroit de Messine, la porte s'ouvre dans mon dos, un homme me trouve face aux rouleaux d'aluminium dont ils ont couvert les fenêtres – mon image floue.

— Votre portable a sonné trois fois, à chaque fois c'est PSY qui s'est affiché. On a pensé que vous voudriez le savoir.

D'abord je ne comprends pas qu'il me le tend.

— J'avais rendez-vous. Il appelle pour m'engueuler…

L'homme réfléchit, ou il hésite.

— Vous voulez le rappeler ?

Je me souviens d'un crétin de TF1 demandant à Jean-Paul II s'il pouvait bénir les téléspectateurs français via les ondes hertziennes. Bonhomme, le pape ne s'était pas fait prier. Ce qu'un pape accepte, un psy peut-il le refuser ?

— Peut-être, oui. Je ne sais pas.

Il repart. Après l'épisode pipi on touche le fond, là. « Pauvre chou de ministre ! Il a des bleus à l'âme ? Vrai de vrai ? Et nos suicidaires, et nos suicidés, il veut bien s'en occuper aussi, le psychiatre ? »

— Si vous acceptez que je reste dans la pièce, vous pouvez le rappeler. Mais vous ne devez faire aucune allusion à votre situation ici. Rien. Autrement je reprends le téléphone et c'est fini.

Je suis déstabilisé. Cette prévenance est bien luxueuse.

— Je veux bien essayer. Je ne sais pas trop ce que j'oserai dire puisque vous êtes–

— Je n'écouterai pas. Je sais faire ça. Quand vous travaillez à la chaîne vous apprenez vite à entendre sans écouter.

J'ouvre mon téléphone, historique des appels, touche verte.

— Parmi nous y en a beaucoup qui auraient besoin de parler aussi.

— J'ai compris.

— Pour boucher les trous dans la tête. Mais moi par exemple, je sais pas.

Il se tait.

Historique des appels, touche verte.

— Allô, docteur ? Pascal Montville. Impossible d'être là et je n'ai pas eu le temps de vous prévenir. Mais si vous acceptez, nous pouvons peut-être faire ce qui reste de la séance par téléphone… ?

— Entendu. Mais il ne nous reste plus que vingt minutes avant mon prochain patient.

— C'est vingt minutes.

— Alors, comment va notre tireur embusqué ?

Je baisse le volume du haut-parleur. J'aimerais tout de même qu'on n'entende pas les questions, si la conversation doit porter sur ça. Sur ma bite, je serais moins embarrassé.

— Il s'est passé quelque chose de surprenant ce matin. Il était à nouveau sur mon chemin, avec toujours la même hargne. Il m'attendait, il s'était préparé.

Je m'appelle Emmanuel Bronerie, j'ai 21 ans et je te tire dessus.

— Oui ?

— On était en voiture – un déplacement professionnel –, je l'ai aperçu posté à un croisement de Daoulas–

— Daoulas ?

— Oui, à 10 kilomètres de Brest, et à 10 minutes de…

— Et ?

Je m'appelle Emmanuel Bronerie, j'ai 21 ans. J'enregistre cette vidéo pour expliquer pourquoi j'ai abattu le secrétaire d'État Pascal Montville, tout à l'heure, ce matin.

— Et je ne me suis pas réveillé, contrairement à d'habitude ; le rêve a continué–

— Je vous ai suggéré de ne plus appeler ça des rêves.

Lorsque vous le voyez, lorsque vous l'entendez s'en prendre à vous, vous n'êtes pas endormi…

— … La bulle de savon éclate ici, normalement, mais là… Notre voiture a continué de rouler au-delà de l'endroit où il était posté, sans encombre. Je pourrais dire que je l'ai vu rapetisser dans le rétroviseur, si vous voulez. On s'éloignait, il ne s'est rien passé en fait, et je suis arrivé à mon rendez-vous. Je suis passé à travers en quelque sorte.

J'ai tiré sur Montville pour atteindre autre chose, ce à quoi il collabore, qui est un cancer mondial ; et en tirant sur lui, j'ai tiré sur tous ceux qui sont de gauche avec des larmes et des violons, alors que rien ; ils ne sont pas plus de gauche qu'une carpe ou une belette.

— Évidemment vous allez me dire que ce serait trop simple d'imaginer que j'en ai fini avec lui…

— …

— Mais j'ai beau tourner le truc dans ma tête… Enfin, j'exagère, c'est très récent : à l'aube, ce matin. Donc je n'ai pas eu le temps de beaucoup réfléchir à–

— Contre qui jouez-vous ?

Il a quitté la gare de Brest, il a traversé la ville, il a traversé ensuite Plougastel, Loperhet, et il est entré dans un semblant de forêt qui est en fait Daoulas et je l'ai cueilli à l'endroit où sa voiture devait descendre à cause des travaux sur la nationale, où j'avais besoin qu'elle descende pour pouvoir tirer plusieurs fois au cas où mon premier tir ne ferait pas mouche.

Mais ça va, je l'ai « cueilli » avec le doigté qu'il faut pour des framboises ou des myrtilles, c'est-à-dire non : son crâne a explosé comme une framboise pressée entre deux doigts.

— Monsieur Montville ?

— Oui ?

— Contre qui jouez-vous ?

— Je demanderais plutôt « Contre quoi ? ».

— Si vous reformulez mes questions on n'est plus dans le cadre d'une analyse. Et même dans une conversation normale... Parfois tel ou tel dictateur fait passer aux journalistes les questions qu'il veut qu'on lui pose, oui... Mais dans mon cabinet... Ce n'est pas très raisonnable.

— Nous allons devoir nous arrêter là.

— Ça aussi, normalement, c'est moi qui le dis.

— Non mais là c'est quelqu'un qui me l'ordonne vous voyez.

— Ça aussi c'est très intéressant. Nous commencerons par ça samedi prochain.

— Au téléphone à nouveau, peut-être. Je ne serai pas à Paris. Ça m'étonnerait.

J'étais assez content de moi. C'était une astuce de pas grand-chose mais enfin peut-être sont-elles utiles, les astuces, dans une thérapie ?

— Une dernière chose, monsieur Montville : vous n'avez pas d'oreilles. À samedi.

Comment ça « pas d'oreilles » ?!

La voix de mon geôlier :

— Vous pouviez continuer vous savez, je ne vous ai pas demandé de raccrocher...

Une façon pour le psy d'avoir quand même le mot de la fin, cette histoire d'oreilles, ce n'est que ça.

— Je sais. Mais il ne restait qu'une minute et grâce à vous j'avais enfin la possibilité de lui couper l'herbe sous le pied, à ce toubib de malheur, et c'est assez jouissif.

— Ah.

Sans intonation claire, un « ah » comme une information très peu lisible.

— Parce que je l'ai vu venir, il allait me parler de géants et de moulins.

— Ah ça je connais… !

— *Don Quichotte*, oui.

— Pour samedi–

— Non, laissez, je ne l'appellerai pas.

8

Céline Aberkane,
conseillère ou assistante

Avaler deux andouillettes ça doit être le temps qu'il faut à des CRS pour arriver « sur zone » comme ils disent. Alors en déjeunant comme ça, au bord de la nationale qu'ils vont emprunter toutes sirènes hurlantes dans un quart d'heure, je me fais l'effet d'un Arsène Lupin regardant passer les flics en se resservant une coupe de champagne.

Qu'est-ce qui attire le pyromane ? Le feu ou les pompiers ?

Le préfet me rappelle cinq minutes plus tard. Matignon ordonne que je fasse partie de la cellule de crise qui va négocier avec les… ravisseurs ? mutins ? insurgés ? Les leaders du mouvement ? Je connais « le dossier et ses acteurs ». Les « acteurs », vous êtes sûr monsieur le préfet ?

De Paris, l'abattoir est un petit théâtre. Tout est spectacle pour les journalistes et les politiciens.

— Rendez-vous–

— … sur le parking de l'usine, oui.

— Non. Sur celui du centre commercial de Châteaulin. On attend que les CRS arrivent pour pouvoir installer le PC sécurité sur le parking de l'abattoir.

***

D'emblée je vais haïr cet homme. Il nous a conseillé de rebrousser chemin ce matin (« Le climat est explosif »), on s'est entêtés, il a la morgue et la colère du type qui vient chercher son fils à la gendarmerie. Je peux déjà écrire l'histoire de ma participation à cette cellule de crise : il n'écoutera rien de ce que je dirai.

Il attend de moi que je me donne sans compter jusqu'à la libération de Montville, j'aurai « tout le temps de philosopher ensuite ». Un début de sourire vite réprimé est le signe d'un sous-entendu dont il se fout bien que je le saisisse. Je suis en face de lui, je dois l'aider à obtenir la libération du secrétaire d'État mais je n'ai pas de consistance, je ne fais que passer. Le temps d'une connerie et je rends mon badge. Dans sa logique, mes erreurs sont la justification et la plaie de son boulot – il est gagnant sur tous les plans. Les politiques font des erreurs et l'administration répare. Il n'attend rien des autres qui le surprenne ou le bouleverse. Je ne lui demande pas s'il sous-entend que j'ai déjà évidemment perdu mon job, et je ne lui demande pas si l'ordre de l'univers explique son dédain, ou seulement la sociologie – par Matignon ou les RG il doit savoir que je suis entrée dans la vie publique le jour de ma condamnation pour le caillassage de la voiture du DRH de Fiat.

Ce serait une façon de ne pas se perdre dans mon décolleté Princesse tam. tam ? Si j'étais une bagnole j'aurais des pare-chocs en or massif. Perds-toi mon grand, ça te rendra meilleur. Je pouffe, et le laisse égrener dans sa tête l'ensemble des raisons qui pourraient expliquer ce rire mal étouffé.

Non bien sûr, il se fout de ce qui peut me faire rire, ou pleurer. Son dédain le préserve d'être vexé ou parano.

— Mais d'abord est-ce qu'ils ont des armes ? C'est vrai ça… Ils ne vont quand même pas le passer à la disqueuse comme les volailles ?

— Ah mais s'ils l'étourdissent d'abord, c'est très différent hein, c'est plus humain. C'est halal.

— Euh… des couteaux de cuisine par exemple ?

— Ben c'est même pas sûr en fait…

— Les plans fournis par la direction indiquent des cuisines…

— Avec tout le matériel d'un cuistot ?

Simon sort, et revient.

— Pour le moment ils ne savent pas dire s'il y a des couteaux de découpe. Les chefs que l'entreprise invite apportent à chaque fois leur matériel. Le commandant va passer des coups de fil et nous prévenir.

— Bon, bref : très probable qu'ils n'aient pas d'armes.

— Que dit la gendarmerie de Brest ? Y a des armes de poing dans les cités d'ici ?

— Je vais demander.

— Bon, bref. Ce qui est sûr c'est qu'ils n'ont rien pour nous faire peur à nous, aux CRS. Ils peuvent avoir de quoi abîmer le secrétaire d'État, lui refaire le coup du baron Empain, mais tuer quelqu'un au couteau, même quand t'es boucher, faut vraiment avoir un grain… ! Marc, relisez-moi la fiche Wikipédia du baron Empain…

— Hummm… Né en 37 à Budapest–

— On s'en fout.

— Il a 41 ans en 1978 quand il est enlevé chez lui avenue… Il dirige alors le groupe Empain-Schneider… ami de Valéry Giscard d'Estaing qui est alors président de la

République. Ses ravisseurs... l'organisation Noyaux Armés pour l'Autonomie Populaire... L'enquête révélera qu'ils appartiennent en fait au petit banditisme... Au bout de trente-six heures la famille doit aller à la consigne de la gare de Lyon... Ils y trouvent un mot du baron, une demande de rançon, pfiou ! Colossale ! Et... un flacon de formol dans lequel se trouve une phalange de l'auriculaire... du baron.

Je ne connais pas cette histoire et en entendant ça je ne peux réprimer un début de haut-le-cœur. Les costards-cravates de Matignon sont plus jeunes que moi mais ils mettent un point d'honneur à recevoir à la cool cette histoire d'amputation. Même pas mal.

— Tensions entre le groupe industriel, la famille du baron, et la police. Personne n'est d'accord, la famille veut payer alors que la police refuse... Au bout de quatre semaines, première tentative d'échange du baron contre une fausse rançon, c'est à Megève. Mais les ravisseurs ne viennent pas... Au bout de sept semaines, nouvelle proposition des ravisseurs, qui pendant toute une journée vont faire passer l'interlocuteur désigné par l'entreprise (en fait un flic) d'un bar à l'autre de Paris... mais à nouveau ils ne viennent pas... Le lendemain nouvel appel. Rendez-vous sur l'autoroute... Là, cafouillage... Les ravisseurs tentent de voler la voiture contenant la rançon, mais tous les flics en embuscade se mettent à tirer. Un mort, un mec arrêté... Qui accepte de collaborer, de passer un coup de fil, et les autres relâchent le baron le lendemain. Ils sont tous arrêtés ensuite... Je continue ?

— Non, c'est bon.

— Oui, rien à voir.

— On revient à notre affaire.

— Eh bien si on part du principe qu'on n'est pas en Syrie,

face à des tarés shootés au Tramadol, si on se dit que ça ne court pas les rues un homme capable d'en débiter un autre avec un hachoir, la nature du danger auquel est exposé le secrétaire d'État n'est plus la même.

Je mettrais ma main à couper que pour tous les hommes ici présents le danger, désormais, c'est le ridicule. L'affaire va ridiculiser le gouvernement. Ou un autre mot, mais voilà l'idée. Si une vie humaine n'est plus en jeu, ou en danger, la préfecture et « les forces de l'ordre » ne sont plus si exposées.

Marc se lève.

— Où tu vas ?

Qu'est-ce que je fous ici ?

9

Gérard Malescese,
salarié (unité d'équarrissage)

— Je vais rentrer ce soir et ma fille me demandera : « Alors, c'est quoi les perspectives ? » et je vais tellement m'étrangler de rire qu'à la fin on entendra plus que l'étranglement… Je vais lui apprendre qu'on a changé « la façon de se parler » et qu'ça devrait faire apparaître des repreneurs et des salaires. Je vais lui dire : plus de préfet, plus de syndicat, plus de représentant du ministère… Et j'vous parie que c'est même elle qui me dira, quand j'aurai repris mon souffle : « Ils font tout pour que l'entreprise soit votre première famille (ils font peindre des fresques dans vos vestiaires, ils vous offrent à Noël un livre sur la vie du fondateur, ils imposent des horaires trop bizarres et résultat je mange toute seule à la maison…). L'autre famille, la vraie, elle existe plus… et ensuite ils voudraient que vous puissiez vous en foutre comme d'un vieux slip de ce boulot qu'est devenu votre famille »… Ma fille a 17 ans, monsieur le ministre, dans sa bouche il y a beaucoup de slips en ce moment… Quand vous êtes venu la première fois ici, on n'en était pas encore au dépôt de bilan mais vous aviez, vous, deux trois coups d'avance, vous en étiez déjà à la reconversion hein, tout excité. Votre enthousiasme il était peut-être bien dans un autre monde, mais dans ces murs et face à nous c'était bien pathétique. Notre vie, là, nous, le bâtiment, le vestiaire, c'est pas une grille de bataille navale : notre vie c'est une énorme masse humaine à la dérive, à bord de laquelle faudrait remonter hein, comme dans une voiture pour relever le frein à main. 2 500 personnes ! dont les deux tiers sont syndiquées ! 1 550 ! Avec ça tu peux refaire n'importe quelle bataille. Toutes les conquêtes. 2 500 ! Est-ce que dans certains rêves, la nuit, vous arrivez ici et vous serrez la main des 2 500 personnes ? Ou est-ce que vous rendez visite à… 3 500 ou 4 000 personnes dans leurs 2 500 logements ? Sans vous endormir hein, s'il vous plaît – faut pas confondre avec les moutons, on est pas là pour se faire tondre. Mais cette idée de conquête elle te plaît bien pour une raison… Dans ton enthousiasme il y a des morceaux de pourris ; quand vous répétez que y a d'un côté les fonds de pension, et de l'autre ce *job* – t'aurais pu dire ta *mission* mais non, c'est *job* qu'est venu… – que votre *job* c'est nous sauver… On sent que ton excitation elle est pour la bagarre avec les fonds de pension. Seulement notre abattoir c'est une famille qui le possède, qu'a fait un groupe au fil des ans… C'est pas un fonds de pension ! J'espère qu'il vous étrangle, maintenant, cette espèce de sourire que vous aviez, pour vous excuser de pas pouvoir vous occuper de nous, ayant une autre bataille à mener, tellement plus grande.

— Là, c'est bien.

— L'entreprise nous bourre le mou avec sa propagande, elle veut qu'on fasse corps avec elle, elle veut notre corps – et nous on lui donne sans presque réfléchir parce qu'elle est de toute façon la seule à le désirer encore. « Sur le marché du cul », dit ma fille, qui sait pas encore être douce, « tu vaux qu'un vieux slip ». Elle nous essore, elle nous étrangle. T'aimes les contradictions ? J'en ai plein ma gueule : quand les commerciaux de la boîte réussissent à vendre partout les poulets qu'on décapite et jusque dans des pays qu'on connaîtra jamais mais dont les noms, quand même, c'est un peu du rêve (tu dis « Brésil », « Arabie saoudite », tu dis « Sri Lanka »...), comment s'rait-on pas fiers ? Comment ne pas avoir l'impression que notre vie, là – à tout prendre – est plus large, plus vaste que dans une autre boîte ? C'est des éclairs de fierté. Alors quand la télé parle de mondialisation, nous tu vois, on n'a pas toujours l'impression d'être sur le bord de la route. C'est quand même un peu un horizon.

— Là c'est bien aussi.

— T'es peut-être quelqu'un de bien mais vous nous avez pris – oh c'est sans doute pas exprès –, vous nous avez pris deux fois pour des cons. Peut-être c'est inconscient, mais j'en peux plus de trouver des excuses aux gens comme vous, des explications. C'est pas vous qu'êtes malade, c'est nous qu'on crève.

— Tu lui diras ça, d'accord. En croyant l'avoir déshabillé. Tu fais le fier, presque le malin. Attention, tu veux lui reprocher de nous avoir pris pour des cons. Ça te guette de faire la même erreur.

— Si je faisais le fier, Fatou, j'irais un peu mieux tu sais.

— ...

— Autre chose ?

— N'oublie pas que tu parles pour toi. Tu disais le syndicat, au début de ton discours, mais tu dois comprendre qu'il n'y a pas de syndicat ici, Gérard. On a décidé ça sans le syndicat, et tu sais bien aussi que la centrale nous aurait dit d'attendre. Tu es là en tant que salarié, t'es un collègue, pas un représentant. C'est d'après ton nom que tu parles. Ce n'est pas le syndicat qui a décidé l'occupation donc tu n'es pas là pour nous représenter. Et si tu parles c'est pas tant pour l'accuser, bien plutôt pour nous souder hein, qu'on ait tous bien conscience de la fièvre. Quand on l'a aperçu – et c'était pour aller aux toilettes! –, on s'est écartés de lui, c'était comme un corps sacré. Fallait nous voir! Tu nous as regardés Gérard, ou tu le regardais lui, Montville?

— Je fixais son visage. Peut-être je me protégeais, en zappant les collègues… Je veux plus être déçu. Maintenant que vous avez décidé de le garder en otage, je veux plus être déçu. Je tiendrais pas le coup.

— *On* a décidé? *Toi* non? Ta tristesse est bien claire comme de l'eau, Gérard. Si tu veux être heureux ici avec nous va falloir la troubler avec du pastis. Si j'étais ta fille je te balancerais comme ça que ton drame c'est en même temps Montville qui vient sans les guignols, et nous parce qu'on décide spontanément, sans toi ou les autres délégués, sans vous laisser le temps de passer vos coups de fil à vos secrétaires départementaux ou je sais pas quoi. Ta fille elle te dirait: «T'es tout fripé parce que t'es à poil mon papounet?» Dans les deux cas t'es plus l'interlocuteur, le notable de la chaîne d'abattage. Lui sans le préfet et la direction on se demande s'il est encore ministre; toi, si t'es plus tenu en laisse par la fédé, tu te demandes si t'existes encore, tu te tâtes, tu te pinces.

— …

— Fatou, c'est dégueulasse de… Qu'est-ce que vous avez, toutes, à me…

— Mais avec ta fille quand même, c'est dur ou c'est drôle?

— Elle m'épargne rien, elle m'épargne jamais. Elle fait la

dinde. Ses Tampax au moins elle pourrait les jeter ! Mais non, ils restent dans la poubelle. Mais c'est pas grave, c'est comme ça. C'est drôle, oui, mais elle m'épargne vraiment pas.

— Tu m'en passes une ? Mon paquet je l'ai laissé au vestiaire.

— C'est pas grave, je me reposerai plus tard.

— Pourquoi je fais le malin, Fatou ?

— Tu fais le malin car c'est à lui que tu parles, tu veux te le payer comme personne, le mec t'énerve. Ça se sent. Qu'est-ce qui va se passer pour ta colère si tu finis par le trouver sympa ? Un mec sympa et hop c'est tout le système qu'est de nouveau sympa ? Il t'invite dans les bons restos et hop tu prends du bide ? On doit être forts ; on sait que c'est pas le plus coupable ce mec, et c'est ce qu'il représente qu'on va juger. Si on juge la personne on sera pas crédibles parce qu'il est innocent, on le sait. On va juger un innocent, ça va terrifier tout le monde et tout notre boulot ce sera de prouver qu'en fait il ne l'est pas, qu'en profondeur il ne l'est pas et qu'en le jugeant, nous, on sort de la culpabilité. Nous alors on bascule dans l'innocence.

10

Sylvaine Grocholski,
salariée (service de l'hygiène)

Qu'est-ce que je fous ici ? Engagée dans un truc qui nous coûtera cher…

Tu veux que je réponde quoi ?

Une réponse à moi ? T'en as de bonnes, toi !

Je dis, je dis…

Je dis que l'autre jour, dans mon bus… Je viens de Pleyben… J'ai aperçu Claire trois places devant. Je vais la saluer ? Je suis restée assise – les places sont chères hein « et je suis crevée. » Qui c'est ce « je » ? Mais j'ai pas cherché longtemps, c'était une fausse piste, un peu, de vouloir comprendre qui parle. La vraie piste c'était quand même le mot « crevée », non ?

Alors comme je me levais plus, et comme elle me voyait pas non plus, je l'ai regardée, Claire. Les traits de son visage sont fins, ils seraient beaux avec un tout petit peu de maquillage, pour enlever le gris – au travail je la trouvais plutôt jolie. Mais elle a son deuxième garçon, 8 ans, à côté d'elle. Qui était bizarre : il avait sa main dans les cheveux de sa mère, mais pas comme on caresse ; il en avait pris une grande partie, peut-être la moitié, et il enroulait non pas un doigt mais presque tout son bras en montant jusqu'à la racine des cheveux et en tirant dessus et ça n'avait plus rien à voir avec le geste des enfants qui font un doudou avec une mèche. Il tirait dessus et au lieu de lui offrir une résistance le cou et la tête de sa mère venaient avec. Elle aurait été inanimée c'était pareil. J'ai cru qu'elle jouait mais non, pas un sourire ! Pas un regard vers son fils genre « Je fais la poupée de chiffon pour te faire rire ». Et elle regarde droit devant elle mais sans me voir. Est-ce qu'elle va rouspéter ? Rien. Le gosse se lève, les godasses sur le tissu, et il se rassoit et recommence à fourrager dans les cheveux de sa mère qui se laisse à nouveau manipuler comme une grande forme molle. Si ses yeux se rallumaient, elle verrait une attente sur mon visage, une question adressée à personne c'est-à-dire une panique. « Mais réagis ! » Cet abandon, son gamin qui lui grimpe dessus en se servant de ses cheveux comme si c'était des lianes qui lui permettront d'arriver au crâne… Le corps de sa mère est une ruine dans une forêt qui la recouvre et la grignote et en soulève les pierres.

Vous m'avez demandé c'que j'fous ici : j'occupe l'abattoir avec les autres parce que j'veux pas mourir avant ma propre mort. Je suis ici parce que j'ai peur. Je veux pas que ma mort ait lieu avant. Je veux pas que la mort me trouve toute froide, sans plus de sensations. En prison à cause de cette séquestration qu'on a décidée, ou virée sans plus de travail, j'aurais encore l'impression d'être plus vivante qu'hier ou avant-hier dans ce bus de malheur.

— Moi je pense que t'es là pour une autre raison.

C'était la voix de Cyril.

— T'es là aussi parce que notre colère toute cette semaine, t'en as eu peur. T'es coincée entre deux peurs Sylvaine. T'es là parce que tu voudrais empêcher un drame.

— Tant qu'à se retrouver tous en prison, qu'est-ce qu'on aura gagné ?

— T'es là parce que tu penses qu'on peut encore sauver l'emploi.

— Je te dis que je suis là pour rester vivante et toi tu vas m'apprendre que j'ai la trouille en fait ?

11

Pascal Montville,
secrétaire d'État

Entendre, écouter. Voir et percevoir.

Les événements qui pétrifient, on ne les a pas devinés. Les événements dont on ne prend pas la mesure, une vague qui ne nous redépose pas sur la grande plage.

Depuis cinq mois je cours sans me retourner.

Impossible de m'échapper.

Ce ficus en plastique est sans conversation. Même le vernis du bureau fait un miroir. Le dernier gréviste n'a pas refermé la porte. Volontairement ? Pour se faire pardonner d'avoir condamné les fenêtres ? Je transpire – la peur ?

J'entends des voix, ça gueule, c'est tendu. Je passe le seuil et m'avance un peu sur la plateforme. Ce n'est pas tant de la curiosité que… Certains demandent le silence. Je ne vais pas jusqu'à me signaler.

— La lutte des classes ? Mais où ça la lutte des classes ? J'étais chez moi, j'ai reçu une lettre, j'ai passé le week-end tout seul…

— Faut te demander pourquoi tu l'as reçue chez toi cette lettre de licenciement, et un vendredi. Tu vas donc l'ouvrir et la lire en rentrant du travail, alors que tu n'iras pas à l'abattoir ni le samedi ni le dimanche… D'habitude la correspondance avec l'entreprise elle est glissée dans nos casiers du vestiaire. Tu te demandes pourquoi tu l'as reçue chez toi cette lettre ?

— Je te l'demande à toi Mickaël, puisque t'es si malin !

— Qu'est-ce qui se passe quand on a un courrier dans le casier ?

— On en parle.

— Oui, et tout de suite. On est plusieurs à trouver cette lettre en même temps et on en parle tout de suite, et y a une voix forte qui émerge...

Mickaël se tait, il regarde ses pieds. À ce moment-là de l'échange, c'est surprenant. Laisse-t-il à son collègue la possibilité d'y arriver tout seul ? Si c'est l'interprétation, son silence est d'une élégance magnifique : il ne veut pas assommer l'autre avec ce qu'il a déjà compris, il décide que le rythme du groupe sera le seul, il ne prendra pas le pouvoir sur ses collègues.

— Si je suis dans ma cuisine et non dans le vestiaire, c'est à moi seul que cette lettre arrive, et je perds le contact avec les autres. Et comme c'est une lettre de rupture, je perds deux fois le contact avec les autres. Là-dessus ma femme me demande pourquoi je fais cette tête, « C'est quoi cette lettre ? ». Mes enfants arrivent pour dîner et on ne leur dit rien mais certainement qu'ils entendront ensuite, plus tard, peut-être même dans la nuit – et ça les réveillera – la colère noyée de larmes, celles de Cécile, et certainement qu'ils vont nous regarder le visage, le lendemain, pour y trouver une réponse. Pourquoi irritables comme ça ? C'est toi qu'as fait pleurer maman ? Le week-end bon an mal an, mais crispés comme jamais. À ne pas dormir du tout, à tout recalculer par rapport au crédit qu'on a, au chômage qui tombe pendant combien de mois, et le lundi tu n'arrives pas en colère, pour prendre ton poste, mais ahuri, fatalement.

— Imagine que cette lettre soit distribuée dans le vestiaire, et en semaine ? Dans le vestiaire on est quoi ? Cinq cents ? C'est une vaste plaine, un champ de bataille parfait… L'odeur de la sueur, celle du sang qui bat, qui bout…

— Nos lettres de licenciement elles paient pas de mine. Ce qui tue c'est pas les munitions mais l'effet de souffle qui vient après, les déflagrations dans les têtes, ceux qui s'enfoncent, les effets sur le reste de la famille, qui craque, elle se disloque…

Le ton est celui d'une femme qui doit convaincre, poussée par l'urgence. Elle continue :

— Mon mari… L'effet de souffle il dure des mois, ça creuse la solitude, les témoins (les collègues, les amis) sont dispersés. On a peur les uns des autres, de trouver sur nos visages la même trace de poudre que celle renvoyée tous les matins par le miroir de la salle de bains. On est gris. On essaie une autre ampoule on est encore gris. Avec cette peur, cet isolement, on peut plus prendre la mesure exacte. Ça fait plus masse comme sur le parking de l'abattoir toutes les voitures. On est dans notre trou, on sait pas vraiment qu'il y en a d'autres.

C'est la quatrième voix que j'entends. Elles vont dans le même sens, cherchant à convaincre d'autres collègues. Certains se seront étonnés qu'on me séquestre ? Certains ont peur des conséquences ? Les CRS commencent à arriver… Il faudrait les convaincre que la violence est d'abord dehors, à leur encontre… ?

— La liste des drames dans les familles : un père qui tue ses enfants et il se rate – double peine ; ou un suicide sans lettre d'explication car cette nana sait pas elle-même pourquoi elle se jette sous le train.

— Les gens qu'on fréquente ça nous permet de la hauteur, on sent tout le champ de bataille, les piétinements, le souffle, la chaleur des autres. Mais parce qu'on n'a plus le travail et le vestiaire, on voit plus grand monde… On n'a plus qu'un semblant de fierté donc quand on se croise on ne s'avoue pas à quel point c'est dur. Ceux qui voient le gris sur le visage ils devinent, c'est sûr, mais ils respectent le bout de fierté qui reste.

— Il y a des cadavres – qu'on pourrait aller palper, chauds ou froids, mais ce sont que des cadavres si tu vois c'que j'veux dire, il n'y a pas de guerre. Il y a des cadavres mais sans guerre, d'accord, sans lutte des classes. C'est les frappes chirurgicales dont ils parlent à la télé, qui ne font pas de morts injustes.

Il y a quelque chose dans cette unité – ils cherchent une force qu'ils pensent ne pas avoir, mais que réclament les événements. Ce sont des nains qui cherchent à monter sur les épaules du culot monstre qu'ils viennent d'avoir.

— En vrai quand t'es au fond d'un trou tu ne vois plus rien du paysage autour. Tu te dis juste : t'es dans un trou, et ça va pas plus loin. Mais si t'arrives à remonter la pente, alors tu te rends compte : y en a plein d'autres ! Tout autour, des trous pareils, aussi profonds. Plein ! Et tous habités. Tu comprends qu'ça change tout.

— En clair ça donne quoi ?

Une voix de cantinière qui parlerait à un puceau :

— Quand t'es au fond du trou tu crois que c'est toi qui es tombé, que t'as flanché. Tu ne te dis pas : « C'est la terre qui s'est ouverte, sous moi. C'est la faute au sol. » Quand tu comprends qu'y en a plein d'autres autour, tu comprends que c'est des obus qui ont fait ça, que la zone a été pilonnée, qu'il y a une guerre, qu'on est en guerre. Ça y est, tu piges ?

Ils fouillent la zone obscure.

— C'est pas toi qu'es merdeux. Relève la tête : y a pas de maillon faible.

Tout est là pour les yeux : la chose noire qui zébrait le ciel bleu, qu'on avait d'abord nommée *lettre de licenciement*, elle cause tellement de dégâts qu'une autre forme doit apparaître – c'est certain, on s'est trompés – alors on continue de relier les points, 78, 79, 80 et c'est de fait une autre scène qui apparaît ; ce n'est plus la salle à manger où tu as ouvert cette lettre du DRH, mais une scène plus vaste, dans laquelle entre plus de monde qu'en a jamais accueilli ton appartement. Tu finis de relier les points entre eux, 92, 93 et c'est la carte d'une bataille, une plaine, Austerlitz ou Waterloo, où les positions des deux armées deviennent lisibles, et c'est un fonds de pension danois promettant à ses actionnaires qu'ils pourront se bâfrer encore, alors la chose noire qui zèbre le ciel quelques semaines plus tard c'est un obus camouflé en lettre de licenciement ; il ventilera les coûts en éparpillant la production à la surface de la terre, et ce que tout le monde verra c'est l'évidence d'une guerre, entre des retraités de Floride gavés de langoustes et à ma gauche les employés des abattoirs bretons, trompés de bout en bout par la légalité de ce carnage, par ces obus à tête de lettres, en accusé de réception.

Ils relient les cratères, font apparaître des perspectives. Les solitudes commencent à faire corps…

— Donc il faut tenir, on ne renonce plus maintenant.

— Oh ça va… !

Une autre voix :

— Mais on se fatigue à parler, à convaincre. Vous avez peur de faire un truc illégal, vous nous dites qu'on vous a embrouillés ce matin, qu'on avait déjà en tête de séquestrer Montville, et la violence des CRS elle vous choque pas ! Ils vont nous défoncer mais ça vous va, c'est normal… !

— On ne s'engueule pas. On a décidé un truc fort ce matin, on retient le ministre et maintenant les CRS nous encerclent. On peut plus sortir et personne pourra entrer, certainement. La seule question importante, c'est notre cohésion, et ce qu'on va en faire. On dit qu'il y a la guerre dehors, on a dit ça. On décide que nos morts et les boîtes qui ferment, et les commerces, et les appartements qui sont saisis, on décide que c'était pas de la malchance mais bien des morts injustes à pleurer très bruyamment.

— Vous vous souvenez des notes de service publiées par la direction de France Télécom avant que des employés commencent à se suicider ? Les directives qu'avaient fuité… comme elles étaient dégueulasses… Tu te souviens ?

Je m'avance un peu plus, jusqu'à la balustrade, et avant que je commence il y en a déjà qui lèvent la tête mais je ne les regarde pas et je dis :

— Quand j'ai eu 17 ans, grâce à une bourse…

Je m'oblige à les regarder. J'ai commencé à parler sans les regarder et ce n'est pas possible. Ils n'en reviennent pas – vont-ils prendre ça pour une provoc ?

— … je suis allé un mois dans une famille du Kentucky. Sur le bord d'une petite route de campagne j'aperçois un panneau qui dit NO DUMPING. Je connais l'expression « dumping social » par les journaux et la télé, donc je ne comprends pas et je demande au père ce que ça dit car entre les questions économiques françaises et cette route de campagne qui mène à une distillerie de bourbon il n'y a pas de rapport. L'Américain m'a répondu en simulant le jet de sa canette de Coca par la fenêtre de la voiture, sur le bas-côté de la route où il y avait un petit fossé. L'expression « dumping social » a explosé dans ma tête : jeter les gens comme des clopes ou des canettes. Tu ouvres ta fenêtre, tu dégueulasses le paysage mais tu t'en fous car au volant de ta voiture t'es déjà loin. Tu ouvres la porte de ton usine, tu lourdes 500 ou 1 000 personnes, comme ça, avec la même indifférence à tout, à la vie de chacun de ces employés comme à celle du paysage qui va les voir revenir en larmes, ou effondrés, ou bien furieux, ou écrasés, honteux.

L'Américain a cru que c'était les lacets de la petite route qui m'avaient donné mal au cœur. On s'est arrêtés, il m'a tenu le front mais je n'ai pas vomi et j'ai gardé en bouche le reflux acide tout le reste du voyage. C'était dégueulasse. J'ai pas su lui expliquer qu'ayant – depuis trois ans disons – cette expression en tête, je me sentais comme quelqu'un qui aurait hébergé un criminel de guerre caché sous une autre identité, portant des postiches. Avec qui j'aurais bavardé, échangé, fumé mon premier joint, et perdu tous mes pucelages. Acide.

La situation est gênante ; à cause de cette balustrade, je les surplombe et ça ne doit pas durer. J'aurais voulu me reculer mais ça n'aurait pas eu de sens. Je ne vous provoque pas en descendant.

— C'est comme « junky ». On trouve le mot bien cool mais « junk » ça veut dire « déchet qu'on met à la poubelle », genre « détritus ».

— Il nous fait quoi là ? Des leçons d'anglais ?

— Ouais, sur les faux amis, et ça lui va bien.

Je retourne dans ma cage avant qu'ils ne me l'ordonnent. Je referme quasiment la porte. Prendre la parole n'a pas été calculé. Il fallait que je sorte de cette pièce et que je parle à quelqu'un. J'aurais pu raconter une histoire belge.

Je rentre dans ma cage. Être sorti, avoir parlé, n'a rien changé à la salle d'attente. Je reviens dans cette pièce et j'ai l'impression d'être à nouveau mangé par elle. Elle me reprend, elle me recrache, c'est un chat qui joue avec un oiseau qu'il n'achève pas.

Faire durer l'effroi.

Il y a cinq mois je me suis immédiatement barricadé pour ne pas être emporté. En sortant tous les soirs, en ne dormant plus que ivre et seulement dans le petit appartement de fonction du ministère, ou à l'hôtel aussi parfois mais plus jamais chez nous.

Les événements qu'on ne veut pas mesurer, qu'on veut simplement fuir.

J'ai cherché à ne pas sombrer d'abord, reportant à plus tard mon examen de conscience, mais il était bien là, le typhon que je fuyais : ai-je ou non une responsabilité dans cette catastrophe intime. Je me suis barricadé en dînant dehors tout le temps. Frais, congelé, chinois, avec ou sans gluten. Pizza Truc ou McMachin, j'ai mangé n'importe quoi ; qu'il y ait quelqu'un, des gens à regarder ou une conversation à écouter. Quand on est comme ça, n'importe quelle conversation est une gorgée d'eau fraîche en plein désert. Dans les brasseries, je m'abrutissais devant chaque télé qui me permettait de faire la fermeture. En silence je leur disais ma gratitude.

Jusqu'à ce matin.

L'effroi. Il y a foule en bas mais je suis enfermé ici, séquestré, livré par eux à une violence dont ils n'ont pas idée car elle est différente de celle qui les tue, eux, depuis presque un an ; leur catastrophe collective n'a pas encore éclaté en myriades de drames individuels ou familiaux.

Et ce drame intime, le mien, est inaudible et impossible ; il ne me décharge pas de mes responsabilités dans ce qu'ils endurent.

Puis, le silence de ce bureau ne fait pas immédiatement penser à un typhon tandis que le bruit de la chaîne, oui, est la bande-son d'une catastrophe qui très lentement les broie. Leur tragédie a plus d'autorité que la mienne – à mes propres yeux déjà.

Le patrimoine professionnel de l'homme le plus fortuné de France (selon le classement 2015 du magazine *Challenges*, je crois) représente 34,6 milliards d'euros. Il faudrait à un smicard 2,5 millions d'années pour gagner cette somme. Au cours de l'année 2014-2015 sa fortune a augmenté de 7,6 milliards d'euros, soit de 28 %.

12

Cyril Bernet,
salarié

Ensuite j'ai dû aller relever Thierry. C'était mon premier tour de garde. On savait que les CRS se déployaient et pendant un bon bout de temps ceux qu'on relevait près de la grille ne partaient pas. Angoisse et curiosité. On est cinquante dehors, à tenir le piquet de grève tandis que les camions arrivent, deux, cinq, douze, dont les mecs sortent au pas de charge. Pendant dix minutes je vais me chercher une contenance – les autres autour de moi sans doute aussi. On regardait les CRS sans trop savoir quoi faire alors qu'ils sortaient des camions en finissant de s'harnacher, de s'armer, de transmettre les ordres. Leur équipement et leurs vêtements… ça leur fait une armure souple, des guerriers. Les plaques d'abdominaux sculptés, en résine. Ils ont quelque chose des mannequins torse-poil au bord d'une autoroute dans le désert, ou d'une piscine à Taïwan avec une fille-panthère à côté d'eux, les muscles en démonstration. Ils te fileraient les mêmes complexes, oui. Je n'imagine pas les filles-panthères murmurant aux CRS « Oh baise-moi, baise-moi encore », mais enfin, même sans elles, tu complexes. Tu te vois, toi, avec ton jean et ton K-way, et ce corps que tu connais tout nu aussi, pas plus épais qu'un portemanteau, ou certains autres que tu sais bien gras, parmi les collègues… Tu fais face à Musclor avec la crainte de te faire bouffer tout cru s'ils décidaient de charger. On a notre colère pour nous, c'est sûr, mais elle tient combien de temps contre des lacrymos et des camions béliers ?… Une fraction de seconde je les ai vus charger et je me suis dit : « Face à eux, on n'aura qu'une arme : l'odeur du poulet partout, qu'on a sur les cheveux ou sur la peau, et jusque dans les fringues – même celles qui passent la journée dans nos casiers. La viande froide ça pourrait les dégoûter. »

— Ils ont des masques tu sais, ils nous sentiront même pas.

Pour penser à autre chose j'ai cherché à voir si le GIGN se déployait aussi. Je n'imaginais pas les repérer mais au moins me dire : « Ah oui, tiens, ils pourraient se mettre là – bonne vue sur l'étage des bureaux. Ou là, sur le toit de la STM – ils surveilleraient l'entrée et même le portail sud. » Et c'est à ce moment-là qu'on a entendu le bruit d'un hélicoptère, avant de le voir, suivi par deux autres, se poser sur le parking. Des ninjas en sont sortis, qui ont disparu tout aussitôt. J'ai eu les jumelles pendant une minute, mais ils allaient trop vite et je les ai perdus.

Alors j'ai tout passé au filtre de ma peur : les journalistes installaient leurs caméras sur des trépieds et l'ensemble faisait une rangée de canons ou de fusils braqués. Les perches des micros étaient des épées suspendues au-dessus de nos têtes. « On n'est pas des stars, je ne sais pas ce qu'il faut dire. Je dis une connerie et j'abîme tout le groupe, tout ce qu'on vient d'oser. Avant, dire une connerie ne me gênait pas et je ne pensais pas dire des conneries. Le groupe te pousse à chercher l'intelligence. »

Ils continuent de se déployer. Flics et journalistes. Et plus ils arrivent, engorgeant le parking, plus les cratères qu'on a décrits deviennent visibles. C'est une guerre.

Des pompiers arrivent aussi, qui construisent une tente où on doit pouvoir entrer à vingt. Les grands moyens : 1) parce qu'ils sont idiots ; 2) parce qu'ils ont un plan qui inclut beaucoup de violences sur les personnes ; 3) parce qu'ils nous pensent capables de cette violence ?

Les jumelles continuent de passer de main en main. La plupart s'en servent pour scruter les toits. La crainte d'être en joue dehors influera-t-elle sur les décisions qu'on prendra dedans ? Est-ce qu'à l'intérieur aussi on aura l'impression d'être dans le viseur d'un tireur d'élite ? Pendant les pauses-sandwich, au moment du coucher, tout le temps... Aux toilettes, à se chier dessus.

On se regarde discrètement les uns les autres, on se pose des questions de rien – pour entendre la voix des collègues, et c'est tout. Est-ce que celle-ci ne tremble pas un peu, comme je sens que la mienne pourrait trembler ? Mais il faut se parler ; plus ils se déploient, fil de fer barbelé autour de l'abattoir, plus notre sol devient bourbeux. Il faut se parler, il faut se dire les choses, pour qu'il redevienne celui sur lequel on n'a pas eu peur de s'avancer, de s'installer. On s'est dit ce matin : « On peut rester, ici c'est bien, et on fait ça, on garde le cador, avec nous, et ça va pas nous tuer de nous charger d'un tel poids lourd, ça ne va pas nous enfoncer – c'est même le contraire, non ? » On se parle, des mots comme « Oui ? », des mots comme « T'as vu là-bas ? ». Des mots pour secouer les mouches, les peurs faciles, et se dire qu'ils n'oseront pas. Ils affichent leurs muscles mais ils vont pas oser entrer pour tout casser, nous taper dessus. Nos corps tout rachitiques, ou pleins de mauvaises graisses venues de plein de mauvaise bouffe, ne fixent pas crânement les Robocop d'en face, mais tout de même il y a cette certitude : les lentilles des caméras de la télé dressent entre eux et nous une paroi de verre façon papamobile ; elle nous protège d'une évacuation par la police ou par l'armée, cette paroi invisible. Entre deux mauvaises images (*un secrétaire d'État séquestré ou la troupe contre des pauvres*) le gouvernement va préférer attendre un peu. Ils ont négocier d'abord...

— Ils vont tenter de nous enfumer.

Voilà, c'est comme ça. Tout ce qui nous entoure maintenant, le cordon de sécurité, les barrages, c'est de la force inerte. Nous qui sommes dans le bâtiment, on est en mouvement. Eux non. « Oui ? » « T'as vu là-bas ? » « T'as quelle heure toi ? » On est peut-être même intouchables ; il y a les caméras, on est des grenades dégoupillées.

Pas de bavure médiatique, ils n'entrent pas, ils ne viendront pas chercher le secrétaire d'État.

Nos pauvres corps incandescents, nos corps qu'ils vont devoir manipuler « comme si c'était de la nitro ».

Hervé sourit mais je ne fais pas le malin, ce n'est pas ça : j'essaie de me hisser à la hauteur du truc qu'on a tenté en décidant de garder l'autre zozo.

— Y a qu'à voir : tout l'monde l'appelle « monsieur le secrétaire d'État ». Il a dormi roulé en boule contre la machine à café, on l'a tous vu, mais on l'appelle encore avec ce respect-là. Certains sont écrasés par ce qu'on a fait, ça se lit dans leur regard et c'est bien moche, qu'il puisse y avoir un tel écart entre nous et les élus. Mais est-ce qu'on va tous voter, nous ? Dans les cent cinquante qu'on est, aujourd'hui, est-ce qu'on fait bien gaffe à maintenir cet écart tout petit, en allant voter ?

— Si on avait tous été voter, tu crois vraiment qu'il y en aurait plus pour l'appeler avec son nom et son prénom ?

— En tout cas, on s'écarterait pas comme ça sur son passage, comme devant une vache sacrée, oui ça c'est sûr.

— Tu sais que les mecs qui ont buté le Premier ministre, en Italie, à la fin des années 70, eh ben ils ont passé quoi ? quarante ou cinquante jours avec lui ? Eh ben ils continuaient de l'appeler avec son titre, je sais pas c'est comment en italien… Pas avec son nom, ou pas « connard » ou pas « traître capitaliste ». Mais président, président de son parti.

— Tu parles des Brigades rouges ?

— Eh ben à la fin les brigadistes ils l'ont quand même exécuté, Aldo Moro. Donc le nôtre tu peux l'appeler « monsieur le secrétaire d'État », ce s'ra pas une façon d'le remettre en liberté.

On rit tous les deux, on la répète à ceux qui n'ont pas entendu ou qui n'ont pas compris.

13

Céline Aberkane,
conseillère de Montville

De retour sur le parking de la zone industrielle, je vais flotter sans me sentir légère. Passer tout l'après-midi entre l'enclume et le marteau. Sous la tente (cellule de crise et PC opération) je vais faire mine d'être à la fois ailleurs et là. Dans une réunion de desperados je serais celui qui laisse les autres parler avant de se retirer sans avoir dit un mot alors que le coup fumant qu'ils sont en train de préparer devrait aussi me rendre fou. Les autres paniquent en me voyant dédaigner ce plan génial ; qu'ai-je vu qu'ils n'ont pas vu ?

En réalité je suis paralysée, le mépris du préfet m'a désarmée. Je ne suis qu'une mouche, je veux échapper au marteau et trouver un meilleur perchoir que cette enclume : le secrétaire d'État m'a demandé un mémo sur *Don Quichotte* alors on y va – dans la tête j'ai posé mes santiags sur le rebord de la table – et entre deux réunions ils vont apercevoir sur mon iPad les portraits de Cervantès, des gravures et des peintures avec le chevalier, la gueule d'un Américain, Welles, qu'a voulu adapter le roman espagnol au cinéma. Ils ne comprennent pas.

Moi non plus mais je fais semblant.

Ce serait ça, un meilleur perchoir, la croupe d'un cheval

qu'a pas bouffé d'avoine depuis des semaines ? Mais aussi pourquoi rendre service au secrétaire d'État alors qu'il m'a vendue, tout à l'heure – j'en suis presque sûre (ces gestes dans mon dos quand je plaidais pour qu'on me renvoie pas) ? Qu'espérer encore de ce bureau pourri qu'est sous le regard permanent de toute l'usine et des compagnies de CRS, maintenant, voire de ce GIGN dont les yeux percent les murs pour repérer les corps à la chaleur, dégagée… ?

Sa froideur, c'est bien tout ce qu'ils auraient pu repérer avec leurs scanners thermiques… Alors comment clarifier dans ces conditions quelque chose de nos rapports ? Ou de ce que Montville représente pour moi ?

Est-ce que je ne dois pas rester ? La vexation ressentie tout à l'heure, quand ils m'ont exclue de l'endroit où ça se passe, où quelque chose se passe, quelque chose de fou… Certainement je dois rester. Le préfet pourrait me désigner médiatrice et me demander de m'assurer en premier lieu qu'il est correctement traité, Montville… Mais je dois savoir que dès mon retour sous la tente le préfet et le commandant de police me harcèleront de questions sur les salariés présents à l'intérieur. La direction leur ayant déjà fourni les plans des bâtiments, je devrai leur dire comment ils sont organisés à l'intérieur et ce qu'ils ont l'intention de faire. C'est ça qui va se passer ? Bien sûr que oui.

Alors quoi ?

19 h 30. Tout le monde se chauffe.

— Et puis pitié, hein, épargnez-moi toute allusion aux raisons qu'ils pourraient avoir, à la colère du petit peuple ou je ne sais quoi. C'est un problème de droit commun, strictement.

> Pourquoi vouloir les sauver du fait divers dans quoi tout ça pourrait basculer alors qu'ils m'ont virée comme une ennemie de classe ?! Car on y est, c'est ce que visera le préfet – par fidélité à ce dédain qu'il a peut-être hérité il empêchera toute lecture sociale de l'événement.

— Ils ont changé Montville de pièce. Les gendarmes ont compris ça grâce aux jumelles. On ne sait pas où il se trouve. Il y a maintenant beaucoup de journalistes.

— Il faut préparer le point presse qui suivra le premier contact avec leurs représentants. Ils ont dit « en début de soirée » et nous y sommes.

Et rien.

20 h 30. Les chaînes généralistes espéraient quelque chose pour le 20 heures, sont furieuses. Les chaînes d'info continue jubilent ; elles auront la primeur de l'événement.

> Pourquoi avoir quitté Youcef ? J'étais heureuse avec lui. Qu'est-ce qui m'a poussée à partir ? Quand est-ce que j'ai décidé ça ? En février, en mars ? Quand j'ai intégré le cabinet ?

21 h 30. Le préfet s'agace. Matignon exige un appel tous les quarts d'heure mais tant que l'usine ne bouge pas, à quoi bon ? Oui nous sommes prêts, oui nous avons imaginé des scénarios, en concertation avec une unité de secouristes et la police, oui. Oui nous avons bien compris qu'une intervention

des gendarmes serait une seconde catastrophe médiatique. (Pour l'heure, ce n'est que le scénario n° 4.) Autant scier la branche soutenant la majorité. Censée la soutenir, oui monsieur le Premier ministre.

— « Où la majorité a posé son putain d'cul », on est d'accord monsieur le Premier ministre.

Les promesses de la campagne (« L'ennemi est la finance ») n'ont pas été suivies de mesures ; si en plus de ça on envoie la troupe tabasser des ouvriers désespérés, cette gauche n'aura plus qu'à hiberner jusqu'au retour du Christ ou de Batman. Le préfet récite sa leçon au téléphone, nous récitons la même. Je pense à Don Quichotte, comme on bafouille une leçon j'essaie de jongler avec les quelques éléments chopés sur internet. Je suis tentée de surfer sur ma tablette pour en lire plus sur cette histoire de moulins ; en réunion Montville répète assez (ici, partout) que les multinationales et les fonds de pension n'ont parfois que le pouvoir qu'on leur attribue. « Regardez Monsanto… Est-ce qu'ils feraient des procès aux petits paysans cherchant à faire pousser de vieilles semences si elle était sûre de sa puissance cette multinationale cotée en Bourse ? Ils nous suivent à la trace et nous taclent dès qu'ils peuvent. Ils paient des lobbyistes, ils soudoient des membres des cabinets ministériels pour savoir ce qu'il s'y prépare. Ils tremblent pour leurs comptes aux îles Caïmans. Cette morgue est une façade et un coup de poker ; ceux qui y croient ont la partie perdue. Ces firmes ne sont pas des géants, mais des épouvantails, etc. Nous sommes les seuls à parler de guerre mais ne vous y trompez pas, ils savent parfaitement que notre première victoire serait de choisir enfin une autre place où se tenir. Ils nous voient entre le marteau et l'enclume ? À nous de leur montrer que nous sommes l'un ou l'autre, "le marteau qui cogne ou l'enclume qui s'en cogne". Etc. Quand ils consentent à parler de guerre économique c'est en désignant leurs semblables – d'autres firmes – mais ils savent très bien que le billard est à trois bandes et que nous sommes potentiellement plus inquiétants. » « Les géants », « les épouvantails », est-ce que c'est pas comme les moulins de *Don Quichotte* ?

Voilà. Ça, depuis quatre mois, je l'ai entendu peut-être toutes les semaines. Faut-il vraiment que je lise tout le roman – deux tomes sur Amazon – pour comprendre sa demande ? Peut-être est-ce tout simple : il utilise cette image depuis longtemps et veut vérifier qu'il ne dit pas de bêtises. Il n'y aurait pas de sens caché, ni dans le texte de Cervantès. Il veut ce mémo pour pouvoir continuer à tenir ce discours.

Alors quoi ? Une chose me pousse vers Montville dans l'abattoir. Si c'est politique, je ne veux pas trahir. Mais j'ai trahi Youcef en quelque sorte… Est-ce que ce n'était pas me trahir, ça ? C'est le discours de Montville qui m'a donné l'impression de respirer ?

14

[Une salariée ?]

Qu'est-ce que je fous là ? Tout à l'heure je n'aurais pas su répondre. Mais dans le hall j'ai aperçu un bas de pantalon violet avec une broderie, un fil argenté ou quelque chose comme ça, un peu beau et un peu moche. « Je connais cet ourlet, c'est celui de la cintrée. » Je lève les yeux, c'est tout un visage et des cheveux – une frange multicolore, t'imagines pas ! Sur les côtés – au-dessus des oreilles – tout est rasé. La tête que ça lui fait ! C'est qu'on porte des masques en tissu et des charlottes, tous – alors dès le début je les ai appelés Charlotte, tous mes collègues, et j'ai même pas mal fait rire avec cette blague, les deux premières semaines. Mais là, avec son visage seulement, et sans sa charlotte, j'étais moins à l'aise : c'est Sylvie, oui, assez forte, et bien barrée, mais à l'intérieur, pour moi, j'ai eu envie d'ajouter « sans doute », ou de revenir à cette broderie au bas des jambes du pantalon, pour m'en assurer et pouvoir dire « C'est bien ma collègue de l'équarrisseuse ». Pour moi, c'est plus elle que lui. Tu comprends pas ? Cet ourlet c'est plus elle… On m'aurait dit ça il y a quinze jours, j'aurais nié, complètement. Mais là ça m'a choquée. En fait, quand on bosse, concentrés sur ce que font nos mains, et sur le rythme du tapis pour qu'il les avale pas, ce qu'on a dans le champ du regard c'est les pieds à côté de nous. Je connais de ma collègue tous les ourlets de pantalon, tous les ourlets de jupe, tous les vêtements qui dépassent des pans de sa blouse.

Aujourd'hui je suis ici parce qu'on bosse pas, je suis ici comme j'irais au loto de la salle des fêtes : pour découvrir le visage de mes collègues. Si elles sont sexy ou si comme moi elles ont lâché l'affaire *en profondeur*. J'en ai marre de les ramener à des fringues, peut-être en ai-je marre de mes propres fringues aussi, et je voudrais que mon imagination puisse enfin les déshabiller. Je voudrais en trouver une ou deux sexy et m'accrocher à elles comme les poissons ventouses. Mais pour ça il me faut des visages, des cheveux, un bout de tatouage qui dépasserait. Et en même temps donner le mien, mon visage. Le donner à tout le monde. Donner mon visage. Le donner comme les jours où t'as 100 balles et tu décides de les brûler en offrant des coups à tout le monde, et il y en a un ou deux qui te tripotent, et de t'acheter une tarte au citron « 8 parts » mais tu vis seule et ce sera tout pour toi, et le lendemain tu te sens forte plutôt que migraineuse. Donner ton visage exactement comme ça, sans attendre pour voir si y a quelqu'un qu'en veut. Donner son visage comme les jours où on se protège pas du vent.

15

Montville,
secrétaire d'État

Je tourne mon café avec une nonchalance panique, et une touillette sur laquelle je découvre des traces de rouge à lèvres. Elles sont peu à en mettre, je pourrais presque retrouver la bouche où elle est d'abord entrée, quelle langue, et quelles lèvres l'ont sucée.

Je lève les yeux de temps en temps. Ils valident ma présence. Je reste assis sans rien faire.

Remonter lentement chercher une feuille de papier et un stylo.

Je reviens m'asseoir au même endroit.

La description des cratères creusés par les lettres de licenciement a laissé beaucoup de traces dans le groupe. Ils la rouvrent sans cesse. Quelqu'un a cité le réquisitoire du procureur contre les salariés d'Air France qui ont déchiré les chemises des deux cadres qu'ils ont chopés en train de discuter, durant le comité central de la compagnie, d'un immense plan de suppression d'emplois (2 900) : « La nudité et l'humiliation des cadres n'ont jamais créé d'emplois. » Cette phrase m'a mis la tête à l'envers, instantanément.

Mais c'est Gérard qui la répète maintenant, le représentant de la CGT. « Les camarades se font écrabouiller au tribunal, *La nudité et l'humiliation des cadres*… » Je les écoute. Gérard se rend-il compte qu'il cite le procureur en accordant à cette idée une évidente autorité ?

Les cratères s'agrandissent dans la tête de chacun, ce ne sont plus des trous dissimulés.

— Elle veut dire quoi cette phrase, en fait ?

Celle qui pose la question a une idée de la réponse.

— Elle veut dire que–

— Lacérer le costume d'un DRH, ou sa voiture, ou la chemise d'un PDG, ou d'un ministre, ou d'un actionnaire–

— Ça ne changera rien au système. Tu retires une pièce du système, oui, mais il s'en fabrique tellement, tous les jours, qu'ils sont tous remplaçables immédiatement.

— Des clones.

— Des robots.

— Décapiter Louis XVI n'a pas fait pousser le blé en plus grande quantité, ça n'a pas été la solution à la famine de 1788 et 1789.

Je ne suis pas mécontent de mon image.

— Voilà.

— Et mettre à la retraite Le Pen ou Zemmour ne changera rien à la dégueulasserie du débat public, il y en aura toujours d'autres pour se glisser dans le costume du porc de service.

Personne ne dit plus rien.

— Pourtant cette phrase du procureur est bel et bien immonde.

Ils me regardent, ils sont peut-être surpris. De m'entendre dire ce qu'ils étaient en train de se formuler.

— Oui le système n'a pas de visage. Mettre hors circuit un PDG, un journaliste, un idéologue, ça ne changera pas ce qui les fabrique. Mettre le feu au siège social de Goodyear ou de Monsanto : pareil. Mais comme le système est une entité abstraite, on ne peut lui parler ou lui faire peur qu'en passant par les courroies de transmission. Le procureur fait semblant de ne pas le savoir. On a l'impression d'entendre tout le système qui s'esclaffe en s'essuyant avec le revers de sa manche : « Vous êtes bien attrapés ! Ah ah ah, vous êtes bien attrapés ! »

— Le système n'a pas de manche.

— Mais il a une lame.

— Alors, c'est juste une affaire de quantité ; si désaper un DRH n'a pas de sens, parce que chacun est à son poste pour hurler au crime, au scandale, alors il faut déchirer deux cents chemises, trois mille, dix mille.

— Il faut l'imaginer avec la même tête que le Joker, les mêmes sarcasmes, les mêmes grimaces !

— Dans *Batman* ?

— Sauf que dans ces films il y a une illusion : le Mal est incarné par une personne, une seule. Si tu bousilles le Joker, ou les autres, la communauté est libérée. Là, tu peux toujours mettre une tête de cheval mort dans le lit du procureur…

— Hein ?!

16

Witeck Grocholski,
salarié (unité transport)

Cette question («Toi, pourquoi t'es resté?») ils ne me la posent pas. Ils pensent me deviner, ils ont répondu pour moi. «Il est là que pour sa gueule. Dès qu'il pourra ouvrir la porte aux flics il le fera.» Qu'est-ce que je fous ici alors qu'ils me regardent mauvais, alors qu'ils n'ont plus confiance? «Balance un jour, balance toujours.» Je sais qu'ils se sont tapés dessus à mon sujet, ce matin. Je sais qu'Hervé a demandé qu'on me sorte en même temps que les ingénieurs et les bureaux. Je suis un danger, je vais leur prouver que je suis pas le danger qu'ils croient, ils seront obligés de reconnaître. Je vais être utile. Ma colère c'est pour le pot commun. C'est de la rage. Il faut brûler la honte, celle des riens du tout, de ceux qu'on écrase – à longueur de temps. Celle que j'ai ressentie dimanche dernier, tiens.

Mais quand même, qu'est-ce que je fous ici? S'ils me posent la question, malgré tout, je raconte quoi? Je raconte le déjeuner de dimanche dernier, en famille.

Ma sœur cadette a «réussi», disent mes parents, nos parents… Certains la connaissent peut-être car elle a travaillé six mois au conditionnement.

Elle a réussi en épousant un «presque pilote». Je sais pas

ce que c'est « presque pilote », mais par jalousie et par timidité je lui ai jamais posé la question à lui directement, ou à ma sœur, et lui ne me parle pas de son boulot. Quand on se voit, ça tourne qu'autour des gosses. Mais y a six mois il m'a raconté un truc, c'était donc la première fois. Ils venaient de décoller, ils avaient même passé la première couche des nuages quand le pilote s'est mis à souffler, à sourire, à étendre les bras, à se masser les cheveux, à sourire. Il disait « Bordel, c'est quand même dingue », il disait « Oh là là, quel pied ».

Mon beauf s'est demandé : « Est-ce qu'il parle du ciel bleu, des nuages qu'on traverse ? Ou d'un truc qu'il aurait fait au sol avec une hôtesse ? » Mais le pilote a continué : « Même les oiseaux ne viennent pas ici ! C'est tellement irréel. »

Il s'étirait, ou il se sentait tiré. « C'est géant », il riait. Christophe était de plus en plus gêné, c'était la première fois qu'il assistait il m'a dit, à une « crise d'enthousiasme » ; il s'est mis à transpirer, avec une montée d'angoisse, il a plus lâché le pilote des yeux. Et là il ajoute, presque à mon oreille :

— J'ai honte mais ensuite j'ai fait un signalement car vraiment ça pouvait être un délire, un truc mégalo qui lui ferait perdre les pédales et il ferait des conneries avec l'avion.

— Pourquoi « honte » alors ?

— Peut-être qu'il voyait ce qu'on voit plus à cause de l'habitude – on fait ça tous les jours. Peut-être qu'il trouvait ça beau et dingue. Et moi, parce qu'il trouve ça magnifique, je le signale comme un dangereux fou…

J'ai compris ce que me racontait mon beauf mais immédiatement je me suis demandé : « Pourquoi Christophe m'a-t-il raconté ça ? » Trois ans de déjeuners de famille et hop, il trouve un sujet qui permet qu'on se parle ? Il a eu le sentiment qu'en étant honteux il pouvait enfin me parler, me trouver ? Qu'il était redescendu sur terre et bien dans la merde où je me trouvais moi, en étant manut à l'abattoir crotté, honteux… ?

Ou c'est un hasard, et il aurait pu aussi bien me parler d'un truc glorieux… ?

Il est gentil, je sais que ça ne tient pas qu'à lui mais d'un coup c'était violent le retour d'image. Jusque-là je savais que j'étais qu'un ouvrier mais on l'est tous ici et j'avais ma femme et mes deux gosses donc j'avais le sentiment d'une réussite. Et là – venant de la famille en plus – d'un coup c'était à la honte que j'étais attaché.

Voilà c'que j'fous ici. Je suis pas dans une grève normale, je parle avec vous et à distance avec mon beauf et tout près, genre bouche-à-bouche avec la honte. Et voilà pourquoi je vous dis depuis trois mois que les discours de l'affreux ils m'intéressent quand même un peu, voilà pourquoi, oui, quelque chose me retient dans ce que dit Montville.

Maintenant peut-être on pourrait dormir non ?

17

Hamed M'Barek

J'ai beaucoup hésité au moment de choisir. Je savais que je devais me décider tout de suite. Alors en l'espace de cinq minutes j'ai remué tout ce que je pouvais. Quand je viens ici je mets des œillères et des bouchons d'oreilles. (Je fais une image, là...) Mes collègues me font peur. Un jour ils ont validé ces murs, ces néons, tous les tuyaux, le ciment, le lino, les plaques d'aluminium – ces mots déjà me font un courant d'air froid, dans la bouche. Mes collègues me font peur. Ils sont ici comme des poissons dans l'eau. Personnellement, je peux que frissonner – un mélange de peur et de dégoût. Le ventre tendu. J'arrive jamais à chier ici, je rentre tous les soirs crispé et c'est seulement le lendemain matin que je me débarrasse de ce que j'ai mangé la veille.

Toute la semaine je garde ces œillères. Je réponds quand on me parle, bien sûr. Mais à l'intérieur je suis recroquevillé, barricadé. Pourtant j'ai fini par dire « Je reste » – j'aurais pu m'évanouir quand j'ai entendu ces mots sortir de ma bouche. Mes week-ends je les passe en forêt avec Katia, à renifler des mousses, les arbres, le granit, les champignons, les fougères, la bruyère, les genêts... Disant « Je reste » je savais que je ne reverrais pas tout ça avant longtemps. J'aurais pu tomber, oui.

Pour une histoire de cigarette je n'ai pas su immédiatement qu'on retenait le secrétaire d'État. Je venais de dire « Je reste », j'avais besoin d'air frais. C'est après qu'on m'a dit pour le ministre. Ça m'a soulagé : on restera pas longtemps alors. « Je reste » mais heureusement les CRS vont nous virer bientôt. Je reste car je comprends l'importance pour les collègues, mais le vital pour moi c'est la forêt, les animaux, et retrouver ça le plus vite possible. Je ne suis pas un aristocrate ; quand je dis qu'ils me font peur il faut comprendre ça dans un sens que je peux pas mieux expliquer qu'en restant ici, enfermé et avec eux.

Sans doute ma décision en a surpris parce qu'il doit y en avoir pour me trouver lointain. Mais je les ai vus ils n'ont rien dit quand Sylvie-la-cintrée a répondu qu'elle restait aussi alors que je le sais, ils ne l'aiment pas. J'ai arrêté d'imaginer ce qu'ils pouvaient se dire à mon sujet.

Ensuite j'ai vu tout le monde changer lentement au fil des heures. Je les voyais sortir d'une espèce de sommeil qu'était lié à l'évidence, pour eux, de ce décor si dur. Les gestes qu'on fait ici, d'habitude – tous les mêmes toute la journée – on n'a plus à les faire maintenant. Mais quand on n'est pas en AG certains se tiennent curieusement dans les parages de leur poste de travail. Certains vont même jusqu'à s'occuper les mains en jouant machinalement avec les boutons de commande qui sont les leurs quand l'abattoir fonctionne. Ils continuaient à les faire dans leur tête je crois – et moi aussi (pour être honnête) – mais le corps, lui, est en train de ralentir tout ça, et ça fait comme une toupie. Quand elle ralentit, la toupie commence à plus se tenir droite, sur son axe ; elle a les flancs qui penchent et ça lui fait un bide qui apparaît – elle gagne en graisse, elle perd en grâce – et elle tombe.

Au sol, couchée, ça n'est plus qu'une forme lourde, un pantin tout désarticulé.

On n'a plus nos blouses aussi, et ça joue beaucoup. On n'a plus nos calots, les filles ont de beaux cheveux qui tombent sur les épaules, et des mèches qu'elles remettent souvent en place. Tout ça n'est pas normal donc même la façon de se parler elle se défait, comme si on savait plus trop comment faire entrer l'autre dans ce qu'on dit.

J'écoute les discussions, je passe d'un atelier à l'autre.

Je vois chacun essayer de mesurer comme moi la nouvelle distance. Sans tous nos gestes automatiques et sans nos blouses ça aurait du sens maintenant, de poser sa main sur l'épaule d'un autre car le reste du temps on se touche pas. Mais en même temps on est à vif alors cette main c'est déjà de trop, carrément. On est tous en train de ralentir, de tomber, on est tous nus.

Ce qui se passe est beau. Si j'étouffe quand même parfois – quand ça ne va pas j'essaie de penser à certaines de mes promenades et c'est l'Ariège en 2013 qui revient le plus souvent, avec Katia déjà – c'est de moins en moins souvent car les choses belles sont en train de gagner. Quand ça va pas j'ouvre la porte sur le côté. On n'est pas à vue, on va fumer à cet endroit. L'air est tranchant, la lumière du jour fait un bien fou. Je pourrais prendre des tours de garde près de l'entrée car alors je passerais deux heures dehors et ce serait pas mal car de l'entrée on voit cinq arbres, et le talus de la nationale (de l'herbe et des buissons). Mais la confrontation avec les CRS et les fusils pointés tout ça c'est trop pour moi. Puis ils n'ont pas besoin de moi à ce poste-là ; depuis mercredi il y a de plus en plus d'inscrits pour les quarts de surveillance. Si ce n'était que pour prendre l'air on serait plus nombreux sur les deux portes latérales... Non, sans doute est-ce pour la même raison que moi, pour la lumière aiguë, pour l'air qui soulève les cheveux... il s'agit plutôt d'échapper à une chose qui est de l'ordre du rêve, de la part vénéneuse qu'est dans les rêves. Non pas tant défier les flics en face, ou se montrer, que les voir, pour que tout ça reste concret, et que l'atmosphère de l'usine ne perde pas toute signification, grosse barque à la dérive.

18

Christiane Le Cléach,
salariée (à l'étourdissement)

Il est peut-être 19 h 30, ou carrément l'heure du journal. Trois tables sont installées dans le hall et c'est comme un pique-nique. Certains tartinent, c'est une occupation. Tout le monde a le dîner en tête mais on fait que passer, personne pour se poser. Le stress ou l'angoisse ça donne envie de manger pourtant – c'est le drame des pauvres – donc i'doit y avoir aut'chose… Il doit y avoir autre chose. La crainte de roupiller ensuite, une fois le ventre plein, quand bien même tu l'as rempli avec un sandwich au pain ? On veut rester alertes. La lumière tombe, le hall est éclairé mais les bureaux de la mezzanine par exemple, ils sont mangés par l'ombre, ça y est. La nuit menace. Alors comme tous les animaux on sert les rangs, on s'assoit côte côte contre la salle d'entretien, il y a de la place, et les néons n'éclairent pas c'pan d'mur. J'ai b'soin de souffler. Je m'assois, je ferme les yeux… Je commence une boîte de maïs. Je regarde les mains du mec à côté de qui je me suis assise et je sursaute à l'intérieur. C'est le ministre. Lui aussi est au maïs et ça c'est bon. Il a senti comment j'ai frissonné mais il essaie de rester cool. Quand quelqu'un se crispe tout près de toi c'est difficile, et pour moi c'est la beauté de la vie. Quand tu vois les fleurs s'ouvrir le matin, t'as envie de t'ouvrir aussi, et quand tu vois un CRS sur le parking de ton usine t'as envie de le matraquer, c'est dans la peau on est reliés.

D'abord je vais finir mon maïs et puis pour me donner une contenance je vais laisser tomber la conserve sur le sol, presque balancée.

Si j'étais un mec, je roterais, simplement pour vous indisposer, monsieur le ministre.

Mais non, je vais te remercier, tiens, je vais te remercier alors que dans les yeux qui te regardent, là maintenant, y en a bien plus pour te mettre sous la décapiteuse. (Les gentils ça fait jamais une grosse armée.) Quand t'as dit qu'on est des illettrées t'as dit un vrai truc alors merci pour ça. Pas toutes évidemment, y en a qu'ont leur brevet – et quand on se blague c'est toujours la plus grosse carte : « Hé oh la pouilleuse, j'ai mon brevet moi madame ! » Puis, y a aussi toutes celles qu'ont pas connu l'école d'ici, mais seulement au bled… Vous, je disais, les politiques, vous dites jamais rien de blessant autrement vous savez qu'on votera plus pour vous – jamais se griller ! Alors vous marchez sur des œufs tout le temps. Donc moi quand j'ai entendu ça, notre a-nal-pha-bé-tis-me, j'ai tendu l'oreille tu penses. Ah ah ! Je me suis dit : il est passé à la vitesse supérieure et il écrase des poules. J'étais en train de gueuler sur mon fils mais je me suis arrêtée, j'ai tendu l'oreille. C'est mon jules qu'était devant la télé – il s'occupe jamais du fils, quand faut lui apprendre la vie c'est toujours moi. Du coup le fils a de la haine pour sa mère et il méprise son père. Oh pour ça on l'a soignée, son éducation ! Il t'écoutait mon jules, à la télé, et il te voyait, lui. Moi je n'avais que le son, ta voix. T'as articulé « Elles sont illettrées pour la plupart » et je me suis dit : « Tiens, il a bien écouté c'qu'on lui a rapporté la dernière fois. » T'as dit « Elles peuvent donc pas apprendre le code, et donc elles peuvent chercher du travail qu'autour de leur maison ». C'est pas tes mots exactement mais j'ai entendu les ressorts du fauteuil s'écraser un peu plus, le jules est devenu plus lourd. Subitement il a un poids sur les épaules, de me savoir à la maison pour cette raison et pas une autre. Si on est encore une famille c'est pas pour l'amour, ou que je suis contente de ma vie avec cet homme, mais parce que je sais pas lire ou pas vraiment, et donc j'ai pas l'permis. Tu t'es pas demandé si j'avais l'argent pour le passer ton foutu permis, non t'as tout de suite choisi une seule explication : celle qui fait mal. Si t'avais dit « Elles ont pas l'argent », ça m'aurait fait moins mal (la faute aux salaires qui sont pas des salaires mais des blagues à Toto). Alors que « pour reprendre le chemin de l'emploi » t'as continué, ces femmes, il faudrait qu'elles puissent chercher « dans un rayon plus grand ». J'ai pensé à la différence entre un petit Casino de centre-ville et un immense Leclerc où on trouve tout, c'est vrai, et j'ai éclaté de rire – tu vois, la force des mots ça marche même avec une illettrée ! Pffffffff ! Bon je sais qu'on doit pas rire aux blagues qu'on fait, c'est plouc hein c'est ça ? Tu vois, on a du savoir-vivre et des jeux de mots à Châteaulin ! Eh ben tu sais ce que j'ai senti à ce moment-là, en allant dans la cuisine ? (J'avais pas fini avec l'ado mais là j'avais la tête farcie avec tes mots, alors c'était plus possib'.) J'ai senti toute ma misère, qu'elle était là, entière et grise – dans ces trois ou quat'mots. J'suis pas con tu sais, je comprends les collègues quand ils disent « La mobilité que vous nous servez tout le temps c'est de l'Aspégic pour supporter des conditions de travail encore plus dures, en ayant du trajet en plus, et des frais de voiture, qu'on aille où est le boulot (par exemple, et peu importe si notre vie elle est à gauche, ou nos parents, ou les écoles des mômes) ».

Vous en avez marre de m'entendre ? On n'est jamais assez puni.

Mais j'me fous bien, moi, de c'que vous avez pu dire exactement, et avec quelle mentalité ou quelles idées. La seule chose qui m'intéresse c'est c'que ça m'a fait. Eh ben là, « illettrée », et « voiture », et « chercher plus loin », tout est entré dans ma tête et c'est descendu sur le cœur, sur le ventre, et ça s'est mis à peser lourd… ! Tu peux pas imaginer. Y avait toute ma misère oui, dans cette phrase-là. Si j'avais eu l'permis peut-être je l'aurais quitté mon jules, peut-être j'aurais quitté les deux, même, voilà ce que je me suis dit. Je les aurais laissés entre eux, incapables de s'parler, de s'regarder – alors qu'ils se disputent même pas pour moi hein, c'est même pas un combat de coqs ; mon mari il est tellement bas qu'il me baise plus depuis longtemps… Ça m'est tombé d'ssus, j'étais sortie d'la chambre de l'ado, j'étais dans le couloir : je suis illettrée et ça fait que j'reste, et ça me cloue à ce quartier comme le cadre que je sens derrière mon crâne est cloué au mur de ce couloir, avec la rage de mon jules cognant toujours bien trop, cassant des clous – je sais pas si vous voyez… Et ça fait que je reste, et ça me fait pas un cercle autour de la tête comme pour les saintes mais la tête au carré, mise en boîte, en cabane.

Merci pour ça Ducon, monsieur le secrétaire d'État. Merci bien pour la tête au carré. Pour notre humiliation et vot'courage. Parce que j'ai compris un ou deux trucs. Je serais même pas partie de chez moi tellement c'était fort ce qui m'est tombé dessus, dans le couloir du fils. Mais il y a ça maintenant, ici dans l'usine, avec vous. C'est partir sans partir alors c'est parfait, ici, maintenant. Hier j'ai vu les gosses du ravitaillement, là, tout le cirque, eh ben vous savez quoi ? C'est pas de suite que j'me suis demandé, pour mon fils. Est-ce qu'il aura envie d'venir ? Parce que bien sûr, si le jules et le fils comprennent que je vis encore avec eux parce que j'ai pas l'permis de conduire, ça va faire des ravages hein, s'ils en viennent à se dire ça, s'ils mettent des mots – les vôtres tiens, par exemple. Et tous les deux ils l'ont ce papier rose, leur permis, donc ils pourront s'enfuir, ils pourront décider. Alors voilà, je disparais avant. Ici et maintenant, avec les collègues.

Où l'on apprend comment un croissant peut faire perdre toute contenance à un préfet de la République (vivre ce n'est pas s'excuser)

19

Vanessa Perlotta,
salariée (unité conditionnement)

Quand on a ouvert au préfet, à 6 heures du matin, c'est toute la fraîcheur de l'aube qu'est entrée dans l'abattoir. Ça m'a fait une minuscule saoulerie instantanée, le matin qui s'engouffrait comme ça. Mais sa tronche à lui sentait tellement le renfermé qu'il a vite effacé l'air pur.

On lui a ouvert et l'intox a fonctionné, merveilleusement. Nos corps si mal foutus, face aux muscles tendus sous la chemise, du sur-mesure évidemment, peut-être con c'est sûr, mais prétendant à la belle bête... Nos corps si dépareillés ont tous fonctionné ensemble, si bien que c'en était jouissif, et il a fallu – au bout de cinq minutes – que je morde mes lèvres, et d'autres en même temps que moi, ou alors on se tordait les mains dans le dos pour pas sourire. On était quatre-vingts à lui faire face. Par recoupements il savait certainement qu'on était un certain nombre à l'intérieur mais quatre-vingts ou cent personnes qui vous toisent, et tous ceux qui vous snobent en restant dehors... Et lui, presque tout de suite – comme il a dû s'en mordre les doigts ! – il va détourner les yeux. Là je pense qu'on est beaucoup à l'avoir vu, ça, et à s'être dit qu'on venait de marquer un point. Ensuite, mortifié, il a tenté de se remettre en selle en recommençant à nous dévisager mais déjà il n'y avait plus cette tension dans nos yeux qui aurait pu lui faire croire que la première manche était encore ouverte. 1-0 mec. Ses yeux traînent partout ensuite : les travées… L'arrière des machines… les différentes portes menant où… Puis il est monté à l'étage et s'est retrouvé sur la plateforme. « Maintenant qu'il est en haut, regarde comme il prend son temps pour nous défier… Guignol ! » « Il cherche les matelas. » Cette collègue avait certainement raison : il se renseigne, il photographie avec sa tête. Il cherche à comprendre, déjà, comment les cent cinquante personnes présentes ont pu passer la nuit dans cette usine. Si nous sommes organisés, si tout a été préparé, si les négociations seront dures. Pas de matelas visibles, non. Et pas non plus de visages hagards. On n'a pas les tronches fripées de ceux qui ont veillé, ou qui auraient dormi à même le sol.

— Pour le rendre fou il faudrait qu'on prononce le mot « souterrain ». Mais quasiment à propos d'autre chose, seulement pour qu'il l'ait en tête et qu'il y vienne tout seul. Ce s'rait parfait, il n'en dormirait plus. « Des souterrains partant de l'usine, servant à l'approvisionner en cas de siège ?! ? Ils dormiraient tous les soirs chez eux ? »

En fait le seul visage hagard c'était le sien. Notre petit truc avait fonctionné. Il était resté éveillé toute la nuit, somnolant quand même peut-être un peu – mais c'est jamais assez. Ils ont quoi ? Des chaises de jardin ? Ou à l'arrière de sa voiture… Et c'est à ce moment-là qu'on a décidé de l'appeler pour une première rencontre – là aussi on a marqué des points.

— Tout le monde n'était pas d'accord.

— C'est bien qu'on s'engueule, ça permet de faire le tri.

— Entre ceux qui pensent comme toi et puis les cons ?

— On a marqué des points, on s'est amusés.

— Oui !

— J'te parie qu'ceux qui ne voulaient pas d'cette première blague sont les mêmes qu'en ont eu marre, cette nuit, des gloussements, et de ceux qui jouaient à se chatouiller ou à ronfler.

— On était dans le noir, tu peux pas être certain qu'c'était les mêmes.

— Mais c'est tellement la même gêne… Tu les entends pas répéter « C'est pas sérieux, c'est pas sérieux » ? Et l'autre : « Faut qu'on dorme, autrement on sera cramés. Ils nous boufferont. » Moi j'échange mes heures de sommeil contre des heures d'adolescente. Dormir m'a pas empêchée de déprimer depuis cinq ans et de me faire bouffer par mon travail. J'ai 47 ans, je mise tout sur les chatouilles.

Applaudissements, vivats.

— Si retenir le ministre là-haut ça ne déclenche pas de l'excitation alors vaut mieux laisser nos têtes sur le billot, et attendre la scie sauteuse qu'on utilise pour nos poulets !

— La question est celle de la colère, pas celle du sérieux. Contrairement aux apparences, c'est pas la même.

Pendant toute la réunion, Corinne a la parole. Ça dure trente minutes, l'énumération de ce qu'on refuse. Et les raisons de garder l'otage. Au début le préfet veut commenter chaque point mais Corinne va gueuler plus fort, et chaque nouvelle raison fera comme un coup de marteau sur la tête du clou. Il se met à chercher un truc pour se raccrocher, il voudrait pas disparaître. Le préfet s'essuie la bouche avec la main alors je bricole à toute vitesse « Pourquoi tu t'essuies t'as rien mangé », mais il faudrait dire « vous » – c'est une règle qu'on a votée – et là ma phrase elle marche plus. Une baffe avec un gant ça laisse pas de trace et moi je voudrais qu'il rentre chez lui avec. Finalement je reviens dans le silence. Aussi parce que je vois leurs yeux glisser de Corinne à moi, qui ne dit rien. Ils se demandent quand est-ce que je vais parler. C'est dans les regards, ça les démange cette fille qu'est là et qui dit rien, qu'on a peut-être des raisons… dont il faut se méfier hein. Corinne parle mais je suis peut-être la vraie meneuse… Comme tous les gens de droite ils doivent penser qu'il y a un chef, cette vieille société qui meurt et dont nous sommes les clowns, ou ceux qui s'invitent méchamment aux enterrements pour narguer la douleur des autres… Alors à la fin il craque, le préfet, il a besoin de savoir exactement, comme on veut qu'un flic ou un bandit abaisse son arme, autrement c'est impossible de respirer – mes yeux revolver.

— Et votre collègue, oui, elle… Pourquoi est-elle là ?!

Corinne, dans le même souffle que la onzième exigence, comme si depuis le début elle s'était préparée à répondre du tac au tac à cette question :

— Vanessa ? Elle fixe la foudre, connard.

20

Céline Aberkane,
conseillère de Pascal Montville

Chaque fois que l'un d'entre nous réveillait les autres avec un ronflement plus fort que les précédents, les yeux demandaient à tâtons : « Qu'est-ce que je fous ici ? Et toi, qu'est-ce que tu fais dans ma nuit ?! »

Mais c'est la même nuit. Je passe des nuits avec ces mecs-là, j'ai basculé.

On bâille, on se redresse peu convaincus. « À quoi ils jouent ces cons ? » On est des cow-boys se méfiant des signaux de fumée. Si quelques heures plus tôt il y en avait eu, sous la tente, pour être excités par la situation exceptionnelle, à 4 heures du matin ils commençaient à bien le masquer.

Et mes petits énarques, est-ce qu'ils se posent la question dans l'autre sens – dormir avec cette plouc – ou est-ce que mon cul ajourne la lutte des classes ?

Quand le préfet a été appelé – vers 6 heures ! – on s'est dépliés. Des cigarettes sont apparues, pendues à des lèvres que j'avais jamais vues fumer, aspirer, le corps reprend sa forme, il se défroisse et retrouve les points d'appui qu'il avait la veille au soir. Sur l'espace autour, ses prises. Un chauffeur est missionné : il doit revenir du PC des CRS avec un litre de café. J'ai passé une tête hors de la tente pour voir tous les journalistes se presser à la même fontaine. « *La CRS is the new bar-tabac.* » Au bout de quinze minutes on a vu le préfet ressortir, on est allés au-devant de lui mais les caméras, les photographes et les micros vont nous devancer et former, ça y est, une barrière infranchissable. C'est encore un mauvais point car il apparaîtra seul à la télé, sans autre soutien que trois gendarmes. Pas de civils. Ces petites choses foutent les communicants hors d'eux ; dans les réunions ils peuvent gueuler comme des putois : « On se démène pour quoi, toute l'année, si en deux minutes vous foutez tout par terre ?! Ce genre d'image, ça envoie le plomb ! » Bref. Que dit le préfet ? Des conneries très certainement, mais sa gueule parle à sa place : il n'est pas rassuré. Le ministre va bien, « il a été correctement traité. Il a même bien dormi ».

— Vous pouvez répéter ?

— Le point presse de 9 heures pourrait avoir lieu à 10 heures.

Tout le monde comprend qu'il n'est pas le maître du temps. Il veut maintenant nous rejoindre mais les journalistes ne s'écartent pas, ou avec mauvaise grâce et parce qu'il joue des coudes. Certains hurlent une dernière question. J'entends : « Ça n'a jamais eu lieu en France, pensez-vous que ce soit le signe de quelque chose ? » Il parvient à s'échapper, on s'engouffre sous la tente. Il ne s'assoit pas.

Ses yeux demandent : « On n'est que nous ? »

Il lâche :

— Ils ont des viennoiseries !

On reste suspendus aux lèvres du connard, une autre info va suivre… et en fait non. Le luxe aurait changé de camp ? Se faire plaisir, quand bien même le méchoui se ferait avec des moutons de poussière ? Le reste du temps ils n'achètent pas de chocolatines. Ils en ont ce matin. Et lui maintenant il tourne en rond. Trouve-t-il ça dingue ? Est-il honteux de trouver ça dingue ? Il ne se tairait pas, là, maintenant, s'il n'était pas embarrassé. La mesquinerie va mal aux gens de pouvoir, c'est comme un aveu ; de la même façon qu'il se fout d'être compris quand il fait un trait d'esprit, il aurait dû se foutre de les voir jouir comme il a la possibilité de le faire, lui, tous les matins, dans son appartement de fonction.

Paris a pris feu à cause du mot « brioche », en 1789. « Chocolatine » est plus long ; avant la fin on en a déjà assez. « Brioche » était nettement plus dangereux ; avec cette lettre qu'est comme mangée, à la fin, c'est comme si on te la retirait de la bouche, cette brioche.

— Céline, vous êtes avec nous ?

Je me suis mise à rêver : cette toute petite chose, le préfet, allait se fendiller, et peut-être au fil du siège il se décomposerait. J'ai senti en moi, tout à coup, une curiosité pour lui, qui m'a fait sursauter intérieurement.

C'est bien à moi qu'il s'adresse :

— Vous mènerez les négociations. C'est leur seule demande. Ils n'ont pas voulu répondre sur le reste. En l'état je ne sais rien de leurs intentions.

Silence. Tout le monde digère l'info.

— Comment sont-ils organisés ?

— Rien vu. De mon entrée jusqu'à maintenant j'ai eu tout le groupe face à moi ou dans le dos, peut-être quatre-vingts personnes. Mais je n'ai pas un seul visage de leader à décrire. Et ils ne sont pas fatigués du tout.

— Quatre-vingts ?!

— Oui, les vingt-quatre voitures comptées sur le parking hier nous ont trompés.

— Il y a un arrêt de bus, à 100 mètres.

— Et vous ne l'avez pas signalé !?

— Il faut vous apprendre qu'un smicard ça prend le bus ?!

Aurais-je répondu comme ça quelques secondes plus tôt ? Peu importe, mon scud lui passe au-dessus de la tête sans le décoiffer car il enchaîne, subitement absorbé par ce qu'il vient de comprendre :

— C'est lui qui est sorti sur le perron de la mezzanine. Ils ne m'ont pas fait entrer dans la pièce où il était en m'attendant. Il est venu au-devant de moi !

Simon n'a pas digéré la première info :

— Céline est médiatrice ?!

Le type est inquiet. Il a fait l'ENA et tout ce qu'on lui promettait là-bas est démoli par notre égalité hiérarchique au sein du cabinet : la plouc est conseillère de ministre, comme lui. « Une ancienne syndicaliste chargée de négocier la libération d'un secrétaire d'État avec des jusqu'au-boutistes… ça nous retombera dessus », voilà ce qu'il doit penser. Aussi pour toi c'est ploucs et compagnie, tout ça, pas vrai ? Un jour il m'a vue remettre du déo dans les toilettes d'un restaurant. Son regard m'a transformée en blatte… Je ne suis pas retournée à table. Par texto j'ai envoyé une excuse bidon et je suis sortie par les cuisines.

Montville serait libre de circuler à l'intérieur de l'usine.

Simon se jette sur son portable et quitte la tente. « Il faut savoir ce que dit la télé à l'heure qu'il est. »

La réunion est suspendue. J'essaie de garder une respiration régulière, je savoure et je panique sans savoir ce qui me réjouit ni ce qui me fait peur. Une chose m'échappe : les salariés me virent avant de me faire revenir par la grande porte. Faire la nique aux autres conseillers ça n'a pas de prix mais je ne peux m'empêcher d'être irritée, quand même, par cette demande qu'a traversé la rue et le parking. Ils regrettent de m'avoir virée, tout à l'heure ? Ou bien c'est le truc « informel » du ministre qui continue d'agir… Quand tu verses de l'acide sur une surface, tu as beau laver ensuite, à grande eau, l'acide va continuer son œuvre. La brèche est maintenant une faille, dans laquelle on avance même s'il fait noir à l'intérieur. Je demande conseil au préfet. Je fais des allers-retours entre ce qu'il dit, ou les autres, et mon for intérieur. Je prends des notes. Ils me « connaissent » moi, ne connaissant pas les autres. M'ont-ils choisie parce que ça les rassurait ou parce qu'ils m'ont jugée manipulable, transparente ? Est-ce que je vais réussir à effacer un certain sourire de connivence quand je serai de nouveau face au ministre ?

> Flash, Youcef. C'est à Youcef que je pense, là, maintenant son visage sur la toile de tente, très grand. À nos vacances passées près du cap de la Hague. Le Cotentin c'est magnifique.

Je cligne des yeux : « Évidemment monsieur le préfet. »

Puis je ne veux pas me retrouver prise en otage par un truc que je ne cautionne pas politiquement – mais je n'ai pas le choix des armes, c'est ça ?

— Qu'est-ce que vous ne cautionnez pas ?

Je sais répondre à ça ?

Je ne sais pas répondre. En bonne vieille syndicaliste je suis fâchée parce qu'ils se détournent de la négo, ils choisissent la violence alors que toute l'histoire sociale est là pour nous apprendre que la violence se retourne contre les ouvriers, toujours – c'est ça ?

Simon réapparaît en arrachant les écouteurs raccordés à sa tablette.

— Écoutez, ça donne le ton.

Je vais mettre du temps à comprendre. Ils sont nombreux sur le plateau de télé, et d'autres arrivent en cours de route. Ça gueule, ça digère mal, alors ça éructe. Les spécialistes, les chroniqueurs, les éditorialistes, les hommes politiques… Ils remplissent le studio mais ceux qui étaient là ne cèdent pas leur place, comme on les voit faire dans les soirées électorales. En fait ils s'entassent car ils se réfugient sur le plateau de TF1, c'est leur cave ou leur station de métro, des vaches sous un arbre pour s'abriter de l'orage, ou des rats qui se protègent de la lumière. Flippettes ! Ça caquette et ça meugle. Cris de gorets, angoissés : « Quel énorme scandale ! », « Atteinte à la République ! » dit l'un, « Aux valeurs humanistes ! ». Barbarie, syndicats… « Syndicats = barbarie organisée ».

— Connard !

Ça m'a échappé. Mais personne ne conteste ma réaction. Ça me rassure. Puis ça m'agace : ils sont d'accord avec moi ? Ils sont d'accord pour dire que les syndicats ne sont pas ces dangereux-là ? Je me gratte. J'étouffe.

21

Sylvaine Grocholski,
salariée

— Redites-moi un peu depuis combien de temps vous êtes là…

— Là ?

— Ministre.

— Secrétaire d'État.

— Secrétaire d'État.

— Depuis cinq mois.

— Et vous avez fait quoi pendant cinq mois ?

Il va se taire pendant une minute au moins.

— J'ai pris mes fonctions un jeudi. On m'a présenté les membres de mon cabinet provisoire et des secrétaires. Puis on m'a donné mon agenda… Qu'est-ce que vous faites ?!

— Vous êtes parti pour parler un bout alors je retire mes grolles. Si l'odeur vous gêne, c'est pareil.

— Qui vous a dit quoi que ce soit pour l'odeur ?!

— Continuez.

— C'est insupportable d'être caricaturé !

Monsieur le ministre, vous faites connaissance avec Gérard. Il est en pleine forme – vous allez vite comprendre.

— Continuez, lui ordonne Gérard-le-cabot.

— C'était mon emploi du temps pour le jour même et les deux semaines à venir.

— Et ?

— Eh bien il était quasiment rempli. Sur les quatorze jours ouvrés (en comptant les samedis évidemment) j'avais peut-être cinq ou six heures de libres, au ministère. Une journée commence à 8 heures, elle se termine à 20 heures.

— C'est pour dire quoi que vous dites ça ?

— J'entrais dans les vêtements d'un autre, je remplaçais quelqu'un qui avait une équipe et des rendez-vous que j'allais devoir honorer ou si ce n'est son agenda et ses rendez-vous, c'était celui du secrétaire d'État qu'il avait été, que j'étais désormais. J'ai réalisé que j'avais naïvement imaginé que le job venait à moi, à mes compétences ou à mes convictions, mais c'était l'inverse ; je l'avais rejoint, je me coulais dans une forme au lieu de l'adapter à ce que je voulais.

À nouveau une pause.

— Je fais revenir la secrétaire et elle m'explique : certains des rendez-vous ont été fixés avant que je sois nommé ! Je dois les recevoir, je dois ça à l'entreprise qu'ils représentent, ou au lobby, ou à l'association, etc. « Puis-je poliment les envoyer promener ? » Difficile, compliqué. « Puis-je dire que je suis leur otage ? » Médiatiquement dangereux. « Est-ce qu'on va me laisser travailler ? » Pas sûr. « Est-ce qu'on veut que je travaille ? » Tant que je n'ai pas dit clairement que je ne ferai rien : non. Au bout de trois semaines comme ça j'ai compris la chose suivante : soit tu arrives préparé, soit tu es foutu. Un an avant tu te mets au travail intensément pour bâtir tout un programme d'action, sinon tu es foutu. Et ensuite, une fois ministre, tu suis le programme que tu as bâti. Autrement c'est foutu.

— Mais on ne sait jamais un an avant qu'on sera ministre.

J'étais contente d'intervenir « de manière constructive ».

— Non.

— Et vous n'étiez pas préparé…

— Cela fait dix ans que je travaille sur ces questions de développement durable et d'économie verte. Dix ans ! Mais pour faire des recherches, intervenir dans des colloques, ou conseiller des politiques sur des points précis. Quand tu connais parfaitement une route (le paysage, le tracé et tous ses panneaux de signalisation), tu dois encore apprendre à piloter. Là j'ai dû comprendre les procédures, rencontrer les collègues du gouvernement concernés par les mêmes dossiers, ou que je voulais impliquer, et voir comment j'allais pouvoir bosser avec leurs administrations. Et je fais comment pour les rencontrer si j'ai l'emploi du temps que je viens de vous décrire ?!

— Mais c'est là qu'il faut du courage ! Vous demandez pas la permission à la secrétaire ! Vous les envoyez chier et puis c'est tout.

— Ça ne se passe pas comme ça.

J'étais bien contente qu'il rabaisse le caquet de mon ex. Pour lui, tout le monde est lâche, y a que lui qu'a du courage. Mais moi je sais pourquoi il en fait trop, ici et maintenant, et les autres aussi, ils sont pas dupes. Tout le monde se souvient de son attitude il y a quatre ans, pendant la dernière grève. C'est là qu'on a divorcé, parce que je l'ai dénoncé aux amis du syndicat. Eh ben je regrette rien du tout.

— Mais si ça se passe autrement il ne se passe rien !

Il continue !

— C'est faux. Regardez avec vous, ici : je suis rentré dans

le tas au début, pour que les choses aillent vite. Vous avez été blessés, et furieux.

— Vous mélangez tout. Si aujourd'hui on vous retient prisonnier c'est parce que le dossier est au point mort et que le moment du requin la gueule ouverte se rapproche de nous.

C'est Fatou qui s'en mêle.

— Vous êtes malhonnête madame.

— Je suis malhonnête ?! Regarde-moi dans les yeux !

— Vous oubliez à quel point mon désir d'aller vite vous a heurtés au moment de la première réunion, et à quel point le changement des formes habituelles de discussion, hier ou avant-hier, vous a énervés. C'est à cause de ça que vous avez décidé de me retenir en otage. Et si je passe mon temps à être pris en otage, par vos patrons dans mon bureau, et par vous dans leur bureau, là c'est certain, je n'en foutrai pas une.

Amertume 1.

— Au moins vous serez sur le terrain.

Amertume 2.

— Vous m'avez appris ce que vous me reprochez maintenant : on ne fait pas de la politique en essayant de passer pardessus les gens.

Gérard se baisse, il remet ses chaussures. Montville reprend :

— Les premières alertes m'indiquant de ralentir m'ont agacé. Je me suis mis à trépigner mais elles se sont multipliées, ces alertes, et comme un taxi-brousse se charge de plus en plus de voyageurs et de colis, il a bien fallu que je renonce à aller vite. Que j'opère une révolution interne : urgence et vitesse c'est pas des synonymes, elles ne sont pas liées nécessairement. Conducteur de ce taxi-brousse que j'adore lancer à toute berzingue, je finis par entendre qu'il y a des passagers, dans mon dos. Je ne peux pas piloter le combi comme si j'étais seul, et m'énerver à chaque coup de poing sur les portières me signifiant que quelqu'un voudrait descendre. La bonne vitesse, pour un taxi-brousse, c'est celle qui permet de transporter les gens, pas celle qui permet d'aller vite aux dépens de ces clients que tu ne vois pas sur le bord de la route, en train de te faire signe.

Silence. Montville continue :

— Dans un tableau, la manche d'une veste ne se détache pas de l'arrière-plan ; elle est contaminée par lui, qui est presque bu, on peut dire, par le velouté du tissu.

Gérard se lève et se dirige vers la porte.

— Vous vous en allez ?

— J'ai fini mon maïs.

— …

— C'est surtout que j'étais venu parler de ma survie et vous me parlez chiffons.

***

— Tu aurais pu me soutenir.

— Moi, te soutenir ?!

— Oui toi ! Toi !

— Tout le monde, et moi la première… Tout le monde ici se méfie de toi, tu pourrais faire entrer la peste, comme y a quatre ans, et il faudrait que j'accoure quand monsieur fait le coq, parce que l'autre il t'a volé dans les plumes ?

— Alors c'est ça ? Vous me voyez comme un danger ? Quelle connerie ! Et c'est parce que vous me voyez comme un danger que vous ne voyez plus les autres ? Vous faites une haie d'honneur à la vessie du ministre mais vous pensez que le danger il viendra de moi ! Je me marre ! Vous allez vous faire croquer, la direction ou bien les flics vont vous croquer et je ne les aurai pas aidés. Qu'est-ce que je fous ici ? Si vous n'aviez pas enlevé le secrétaire d'État peut-être que je serais pas resté – il y a nos gosses hein. Je suis resté pour que vous ne vous fassiez pas avoir. Parce qu'il va vous endormir comme le serpent, dans *Le Livre de la jungle*. Il va vous chanter « Aie confiance, aie confiance ». Il vous poussera vers les choses molles, il va diluer votre colère… Ce type n'arrête pas de répéter qu'il veut nous défendre, nous aider. Vous pensez que je peux vous trahir alors que vous alêtes capables de le faire tout seuls, comme des grands cons. Je suis plus radical. Aucun compromis, aucune discussion – ni avec lui, ni avec les flics. Il faut que tout vienne de nous. Si ça vient de quelqu'un qui « épouse » notre cause, ce quelqu'un bouffera l'argent du ménage. T'es séduite par des abdos et cinq ans plus tard, le bide est rond et gras.

— Tu sais de quoi tu parles !

Il ne relève pas.

— … Quand les pauvres laissent des bourgeois parler pour eux, ceux-là finissent par dire tout autre chose, leurs mots sont plus stylés – ils puent moins des chaussettes et ils ont l'haleine plus fraîche, leurs mots.

22

Céline Aberkane,
assistante du ministre

À voir sa tête et les émotions qui passent sur son visage, comme des ombres ou des fantômes, je peux dire que les deux nuits de veille ont perforé l'armure. Des émotions se font la malle hors de ce crâne-cachot monsieur le préfet, que vous avez – le tien, oui –, posé sur cette colonne-balai. Si j'ai fait une connerie en ne protégeant pas Montville comme je devais, elle apparaît si grosse, désormais, qu'il ne peut plus se défausser sur moi sans en prendre un peu sur lui.

Le dernier à l'avoir lue repousse au centre de la table la transcription de la conversation captée par les micros du GIGN. Et il y a un souci.

— Nan mais allô Houston quoi !

Je le fais exprès, j'adopte les façons de l'homme en me foutant qu'il comprenne l'allusion, ou les autres. Il lit et relit cette transcription, sa tête préfectorale est en plein bug. Je fixe le chef du GIGN. Et relis le bout du dialogue qui tétanise tout le monde, là maintenant, sous la tente où malgré septembre il fait une chaleur de four – va comprendre. Ou c'est qu'on cherche tous à changer de braquet, intérieurement, à connecter d'autres parties du logiciel – on n'était qu'en préchauffage.

— Il faut qu'on écoute l'enregistrement lui-même !

Ils comprennent que j'ai des doutes quant à la capacité du logiciel à transcrire aussi l'humeur de la conversation, la façon de dire les choses. Un demi-silence de plus entre deux mots et ce qui était une blague devient l'idée terrible qui fait hésiter ceux-là mêmes qui la profèrent. On m'a recrutée pour traduire, je vais le faire. Les silences je les connais, le bruit de la chaîne, celui de la ventilation, celui du pas des salariés qui enfilent ces protections bleues, et celui de ceux qui viennent de les retirer. Je connais les paroles qu'on n'entend que dans les AG, faites pour que les camarades relèvent la tête. Leur marge de… J'ai parlé cette langue exagérée, qui peut réchauffer les morts. Quand ils citent Aldo Moro, ces deux salariés qui montent la garde à l'entrée de l'abattoir, quand ils racontent que les Brigades rouges ont pu donner du « président » au prisonnier, et l'abattre froidement après cinquante jours à l'appeler comme ça, peut-être le font-ils de manière légère – et c'est alors une blague (pour jouer aux durs) – et peut-être nous lancent-ils sur une fausse piste – à nous d'entendre que leur rire est un peu forcé, qu'il dissimule mal, en fait, le piège à gogo où ils voudraient nous voir tomber. Il nous…

— Et s'ils savent qu'on les écoute à distance, ils sont plus avertis qu'on ne le croyait !

— Non, t'as ce genre de choses dans toutes les séries qui passent à la télé. Il suffit qu'il y en ait deux pour regarder, je ne sais pas… *Les Experts*, ou *The Wire*…

— Il n'y a pas ça dans *Les Experts*.

— Tu m'emmerdes.

Le colonel nous invite dans son PC de campagne pour écouter – et non plus lire – les deux minutes de la conversation enregistrée. Dans notre dos, deux officiers travaillent sur un autre passage, ou ce qui se dit en ce moment même devant l'entrée, de l'autre côté du feu de palettes. Il y a aussi l'ingé son de la gendarmerie... Notre écoute des deux minutes n'est pas du tout sereine, il y a toutes ces voix dans notre dos, elles me donnent l'impression qu'il y a le feu à la maison, ça y est, moins de trente-six heures après le début de la séquestration.

— D'un côté ils s'en prennent à lui en tant que secrétaire d'État, de l'autre ils voudraient l'appeler par son prénom, c'est...

— Eh bien ?!

Ça m'a échappé. Je me fiche de le vexer comme ça, c'est autre chose ; je voudrais qu'il me laisse approcher, pour l'observer. Quelque chose lui résiste, il ne comprend pas. Ça m'intéresse, ça m'intrigue. Je le regarde dans les yeux, j'essaie de comprendre où est le scandale (vouloir appeler Montville par son prénom, ou s'en prendre à un membre du gouvernement ?). Dans les deux cas peut-être le scandale est-il le même, peut-être qu'il est scandalisé par le fait que le ministre ait un vrai corps, qu'il soit possible de le toucher. Le préfet ne fait pas de la politique, c'est un religieux, un prêtre de l'État. Son problème, actuellement, n'est pas de sauver le secrétaire d'État. Depuis dix minutes, son problème est d'être confronté à l'existence d'un corps, d'un vrai. Le secrétariat d'État ne peut pas mourir, mais Pascal Montville oui. Je suis sûre qu'il fait partie de ces personnes qui auront été fascinées par les images des derniers instants de Kadhafi, sur cette route en plein cagnard, barbouillé de sang, ou par la vidéo volée de la pendaison de Saddam Hussein, très sombre, elle. Par ces images improbables qui ont fait surgir le vrai corps de ces deux noms qu'on voyait plus souvent en 4 par 3, immenses, ou statufiés. Ces mains profanes auront fasciné le préfet en osant toucher celui qu'on ne touchait pas, qu'on n'avait jamais touché, celui qui jusque-là donnait un corps aux autres, en les faisant transpirer, en les condamnant à l'éloignement, à la décapitation, au peloton d'exécution. Sa paupière était un couperet, le tressautement nerveux du pouce une condamnation… Les vies de Kadhafi et de Saddam impliquaient à tout instant que tu puisses perdre la tienne. Cette inviolabilité, ce halo d'intouchabilité, voilà qui a dû longtemps vous faire bander monsieur le préfet !… C'est cela qui lui semble fou, soudainement : qu'une telle fonction puisse être retenue dans un corps qui aura dormi par terre, contre la machine à café. Dans un corps qui sentira, bientôt. Et qu'on puisse maintenant – merci les micros – envisager de le tuer, c'est-à-dire non plus seulement le circonscrire et l'enfermer mais s'en prendre à lui, entrer en lui, ou l'amputer, ou le diminuer, et que tout cela ait lieu précisément parce qu'il est secrétaire d'État… Qu'on tue Untel ou Unetelle pour une histoire de cul ou une dette de jeu, et qu'il s'avère ministre ou président de la Cour des comptes, oui, c'est possible. Mais qu'on cherche à tuer un secrétaire d'État parce qu'il a cette fonction-là… Impensable, impossible, et je le vois, le préfet se fendille. Est-ce qu'il panique ? Il n'avait pas compris que la situation était si folle.

Il s'enfonce dans un territoire où il n'a plus aucun repère, une sorte de monde inverse.

Il est ahuri.

Je décide de demander au piquet de grève une nouvelle réunion. Je veux par moi-même comprendre si c'est une blague, ce parallèle avec l'Italien qui allait devenir Premier ministre ou président quand il a été enlevé. La tête du préfet laisse maintenant voir la ligne des écrans de contrôle alors qu'elle les masquait il y a une demi-heure – il s'affaisse.

— C'est impossible !

— En 78 ça l'a été… Et les gens ne sont pas moins désespérés qu'en 1978 !

— Ils le sont beaucoup plus, et c'est précisément pour ça qu'un tel truc est impossible.

Le préfet se révolte et valide ma demande. Je laisse les cons à leurs échanges, et lui propose d'annoncer cette nouvelle réunion à Matignon, ou bien c'est Charles qui le fera, mais Charles est bête. S'ils me laissent entrer, il y aura certainement, quand je ressortirai, tout un aréopage de spécialistes missionnés pour nous reprendre le dossier. On a merdé.

Je ressors de l'abattoir avec quelque chose d'énorme ou je suis grillée.

Ils ne savent pas encore clairement ce qu'ils veulent en échange du secrétaire d'État, j'en suis certaine.

Je dis tout le temps « ministre », comme le préfet, comme « les us et coutumes de la République » nous autorisent à le faire, mais Charles par exemple, et Valérie, et Slimane disent « monsieur le secrétaire d'État »…

Je dis « monsieur le ministre » parce que c'est plus rapide.

Si.

— Donc il nous faut le GIGN. Immédiatement. Il y a les toits, là et là. Ils se déploient dès qu'ils arrivent.

23

Hamed M'Barek

Je me suis accroché à cette lumière du matin, je me levais plus tôt que tout le monde pour me *précipiter* dehors et voir le ciel, depuis le piquet de grève. On m'a reproché « Tu manques toutes les réunions » et j'ai répondu « Vous en parlez tellement entre vous que je sais tout ». « Mais tu n'y prends pas la parole... » Oui, je ne parle pas moi-même, mais sur les cent trente qu'on est ici, comment imaginer que c'que j'aurais pu dire ne sera dit par personne ? Je suis solitaire et pourtant je sais que le plus important est qu'on soit bien nombreux... On fait les mailles d'un filet, mais très serrées. Plus t'es nombreux, serrés, et moins quelque chose peut échapper (à ce filet).

Mais c'était pas sans irriter. Quand elle m'a vu installé comme ça, l'oreille collée à la conduite, cette collègue, par exemple, a dit tout haut : « C'est pas un coquillage, t'entendras pas ta mer. » Et j'ai d'abord eu envie de grogner ou de la baffer car cette moquerie ne visait pas seulement ma nature. Mais je n'ai pas bougé. « Elle a raison, c'est ce que je fais ! » J'écoutais cette espèce de bruit profond de l'aération en y cherchant la rumeur de l'océan. Pas tant celui des vagues qui s'effondrent sur elles-mêmes qu'une sorte de souffle, continu, ce bruit qui n'en est pas, qu'on entend à l'entrée des gouffres, la rumeur – énorme ou étouffée – de la terre, un bruit de cataracte.

Je me suis accroché à cette lumière du matin, aux quelques arbres et au talus (de l'herbe et des buissons). Mais certains jours je n'aime que la lumière de l'aube et celle du soir qui tombe. Ces jours-là, le temps passe très lentement. « Tu penses à quoi ? » Je pense à ce qu'il y a sous cette dalle. Mes collègues du piquet de grève parlent beaucoup de « notre histoire » – qu'est pas notre histoire mais qu'est notre histoire. De ce qui s'est passé il y a six mois, il y a deux ans, il y a dix ans, à Rennes, à Lille, à Grenoble, à Milan en 1976… alors moi – c'est ma tête, c'est mes pensées, faites comme ça – j'imagine pour chacune de ces dates ce que je faisais et si j'étais ici comment c'était. L'abattoir de La Générale existe depuis 1991, ils l'ont construit ici car il n'y avait rien, la zone industrielle elle commençait, il n'y avait que le goudron des allées pour délimiter chaque parcelle. Les arbres : enlevés. La végétation, les buissons : plus rien. On avait recouvert le petit cours d'eau, la Cline, qui ressort plus loin, à Mazières. J'imagine la zone avant le début des travaux de terrassement, j'imagine l'eau. Le débit n'est pas dingue mais c'est tout de même une source, une petite rivière avec sa population, une zone humide. Grenouilles et libellules, alevins, et des têtards à la fin août – orgie pour tous les prédateurs. Toute cette vie qui grouille exactement sous nos pieds, sous la dalle de l'abattoir… Dans la journée, quand la lumière devient grise, terne, je VOIS ça. C'est un travail mais au bout d'un certain temps, comme l'échauffement des muscles, je finis par voir cette eau qui circule sous nos pieds, la zone en 1980, ou en 1976 quand à Milan… les vers de terre, les taupes, les racines qui viennent cogner contre la dalle, et qui parfois trouvent ou creusent une faille, et ça donne dans la cour une petite touffe d'herbe, toute cette vie minuscule mais grouillante sous la dalle alors qu'en surface on tue des bêtes et avec tous les produits on traque les bactéries, le moindre champignon microscopique. « En fait t'es pas vraiment là ? » J'ai presque eu envie de pleurer quand il m'a dit ça tellement c'était injuste par rapport à tout ce que je prenais sur moi pour être ici… J'aurais voulu trouver les mots pour lui expliquer à quel point j'étais bien là, donc avec eux, et ce qu'il m'en coûtait, mais les mots s'accumulent et se battent pour sortir et donc il n'y en a aucun qui sort. Est-ce qu'il attendait une réponse, de toute façon ? Quand j'ai réussi à chasser l'image de ces mots engorgés, il n'était plus là – mais c'était Éric ou Yacine ? Yacine est là, Éric n'est pas là. Yves est là…

C'est à Yacine que j'ai décrit la Cline, sous la dalle ?

Peut-être était-ce Éric car le lendemain il est venu me trouver. « Tiens, j'ai quelque chose pour toi. » Il m'a montré son smartphone. « C'est une appli récente… Elle fonctionne avec la géolocalisation. Le truc relève ta position dès que tu l'ouvres, et… » Sur l'écran, des étoiles, des galaxies, mais quelque chose me chiffonne… « Ce n'est pas le ciel au-dessus de nous maintenant. C'est le ciel de l'autre côté du globe, c'est-à-dire justement celui qu'on ne peut pas voir. » Si on pouvait traverser la terre de part en part, on ressortirait de l'autre côté avec la tête sous ces étoiles. Éric me sourit, il me laisse son téléphone, « si tu veux jouer un peu avec », et il retourne dans le hall. Je le fourre dans ma poche, je ne sais pas bien ce que je vais en faire.

Mais je vais y penser, tout au long de la journée. Il y a dans ma poche une trouée de ciel, un souterrain secret dont on vient de m'indiquer l'entrée et je vais pouvoir fuir, m'échapper, et ressortir à l'air libre, sous Orion, Alpha du Centaure, sous Mercure et puis Saturne, sous la Voie lactée, les cheveux décoiffés par un vent qui vient de ces sphères-là, qui déposerait sur mes cheveux non pas la crasse huileuse des jours de pollution mais une fine poussière d'étoiles…

24

Sylvaine Grocholski,
secrétaire dans les bureaux

Il a eu l'air effarouché. J'hésitais moi aussi mais il prenait son café sur le seuil de la pièce, adossé au cadre de la porte, et elle était ouverte. Est-ce que ce n'était pas une façon d'engager la conversation ? Un nuage a promené son ombre.

— Je voulais vous poser une question–

Un truc rapide, très rapide. Ensuite un deuxième visage est apparu, moins fermé, presque accueillant.

— Bonjour.

Je vais trop vite.

— Vous avez eu des… comment dire ? On est plusieurs à avoir entendu ce que vous avez dit au préfet, ce matin, et on est plusieurs à pas comprendre. Parce qu'il s'est passé quelque chose non ?

Voilà, j'ai posé ma question. Mais je suis nerveuse – pourquoi sourire comme ça ?

— Il y a un contentieux. Il n'a pas apprécié que je l'écarte de la réunion de ce matin. Il contestait l'idée même de cette réunion « informelle », il a voulu me mettre en garde. Tout à l'heure je me suis donc énervé parce qu'il s'est permis de faire le malin en me disant grosso modo que si je l'avais écouté…

— Ah.

— D'ailleurs vous êtes d'accord avec le préfet sur ce point puisque vous avez décidé de me retenir quasiment à cause du caractère informel de–

— C'est idiot de dire ça, et je suis sûre que vous le savez. Quand le préfet n'aime pas ça, c'est pour d'autres raisons. Ce serait trop simple, et vous êtes pas un martyr.

Je lève le camp.

Pourquoi saboter si vite la tentative de lui parler ? Parce que l'air de rien beaucoup de collègues nous observaient ? C'est l'avertissement de Witeck : dans une guerre, quand tu commences à croire à la sincérité des gens qui sont en face, certainement tu cours un risque. Je ne l'ai plus assumé, ce risque, ni pour moi, ni pour les quarante qu'on était à ce moment-là, dans le hall, et subitement j'ai coupé court – c'est bien ça ?

Je vais déjeuner.

Faire amie-ami avec Montville pour énerver Witeck ? Il veut se payer le ministre… je chercherais à l'isoler, à « le mettre en minorité »… ? Ou simplement je suis une merde et je fais encore les choses en fonction de l'ex-mari… Pour dire le contraire, seulement ça, et non parce que j'ai un avis sur la question… ?

***

Il y a deux tables, on a mis le pain, les salades de riz qu'on vient de préparer, le Coca et les Kro. Ça pourrait être une kermesse malgré ceux de dehors qui se dépêchent de retourner à leur poste. On est contents de déjeuner. C'est la magie de ces moments-là. Deux types sortent une caisse de bouteilles de vin et c'est des « Holà ! », des « Ouais ! ». Même ceux qu'en boiront pas une goutte ils sifflent ou battent des mains – juste pour accumuler de la joie.

— La sincérité de Montville, on s'en fout ; c'est le secrétaire d'État qu'on séquestre.

Je dis d'accord, d'accord. De fait je comprends mieux.

Je mange ma salade de riz qu'est pas bien bonne, aucun goût, mais on s'en fout. J'ai des mirages de fatigue : on pèle Montville avec un économe et au bout d'un certain temps on ne voit plus que le secrétaire d'État. Ou l'inverse (peler le secrétaire d'État et trouver Montville à poil, en dessous). Ivre de fatigue je ne sais plus ce qu'il faut faire, qui des deux il faut déshabiller, et quelle peau il faut jeter. Si tu–

Quelqu'un :

— Regardez, c'est dans *Closer* : « J'ai perdu mon âme à un moment. (...) J'étais obsédé par le fait de monter vite, de séduire. (...) Ce qui manque en politique c'est le concret, on brasse du vent, on fait du buzz, mais on ne change plus rien. »

— C'est lui, c'est Montville qui a dit ça ?

— Non... Wauquiez, Laurent Wauquiez.

— C'est qui ?

— Ancien ministre ils disent.

— M'étonnerait ! Connais pas.

Ensuite il y a embouteillage à la machine à café, on est vingt tout de suite. Ce que l'autre voit, et il propose alors qu'on utilise aussi l'autre machine, celle qui n'a pas été sortie du petit local.

— C'est dans ma chambre, mais à la guerre comme à la guerre.

Je pourrais lui demander : « Humour de chambrée ? »

Et puis Corinne abandonne son rang dans la queue pour

le café ; elle cherche Jean-Louis qui m'a répondu sur la sincérité. Il est bon dernier :

— Il est secrétaire d'État dehors, pour ceux qui veulent le récupérer et pour les journalistes qui ne savent dire que le prix des choses. Qu'est-ce qui empêche d'écouter Montville, ici, ce qu'il a à dire ? En plus il est pas dans les négociations, alors… C'est pas comme s'il pouvait parler avec la médiatrice et lui souffler des consignes pour nous embobiner…

Quelque chose dans l'argument de Corinne nous libérait.

— Parce que quand même : c'qu'il a dit pendant la deuxième réunion, c'était clairement un scud pour décapiter la direction, ça personne peut dire le contraire. Il disait pas « C'est vos salaires qui coulent la boîte » ou « Les charges qui pèsent sur les entreprises », c'était pas ça, non. Il visait bien le PDG. Et ça nous a assez fait rire, pendant quelques heures, ça nous a suffisamment réjouis, non ?

— Vrai que la famille régnante a fait une drôle de tête, à ce moment-là.

— Ils ont dit quoi ?

— Rien tu parles, qu'est-ce que tu vas répondre quand t'es cueilli à froid comme ça–

— Non mais l'autre, Montville… C'était quoi son scud ?

— … et en plus par un ministre ! Qu'est-ce qu'il a dit ? Il a dit que nos problèmes c'était tout pour la direction. Que depuis 2005 ils savent – et c'est pareil pour Tallo-Sibcy à Guerlesquin – que l'Europe va supprimer les aides à l'exportation pour les poulets français. Depuis 2005. Et ils ont fait quoi pour préparer ça ? Ils ont fait quoi pendant sept ans, SEPT ? Ils ont fait rien. Ils ont continué à empocher les aides, à toucher les dividendes. Les dettes de l'entreprise, ils auraient pu les rembourser, mais non. C'était comme regarder s'agrandir les fissures des murs en confondant les craquements du bâti avec le bruit des glaçons dans leurs verres à whisky.

— Mais pourquoi aussi l'Europe tout d'un coup arrête ces aides !?

— Parce que, si je peux me permettre...

C'est lui, c'est Montville !

— D'abord ce n'est pas « tout d'un coup ». Sept ans pour se préparer et trouver des solutions ! Ensuite voilà pourquoi : depuis des années les ONG réclamaient ça, en quelque sorte, en réclamant la fin de cette concurrence déloyale. Si l'Europe aide ses entreprises à exporter, vos poulets deviennent concurrentiels même dans les pays en voie de développement, alors qu'en fait chaque poulet vous coûte plus cher – mais les aides à l'exportation vous permettent de vendre à perte. Vous êtes donc les champions des prix et pas un homme ou pas une femme ne peut devenir volailler dans ces pays. La misère des plus pauvres est pour ainsi dire entretenue, consolidée. Ils n'ont aucune marge de manœuvre, en grande partie à cause de ces aides.

Il y eut un silence, alors qu'on était nombreux à connaître le mécanisme – notamment ceux qui avaient bossé le dossier de l'usine et du rachat. Il y eut un silence alors que cet argument continuait d'être un scandale. J'avais envie de boxer Montville.

— Si c'est pour nous jeter à leur place dans la misère...

— Les deux misères sont pas les mêmes, vous le savez très bien. Et ce n'est pas « pour » ça, ce n'est pas pour vous ramener à un seuil identique à celui des Camerounais, non évidemment ; c'est pour casser un système qui entretient les plus pauvres dans la misère. C'est pour rééquilibrer les rapports, pour qu'on arrête de piller les pays pauvres. Pardon de vous le dire comme ça mais c'est une mesure nécessaire et... que je trouve fantastique. Oui, pardon pour ce mot, et tant pis : il me coûtera ce qu'il me coûtera, d'incompréhension, entre nous, mais je ne vais pas me renier.

— Ah je m'en fous moi du Cameroun !

Montville aurait voulu continuer mais il s'est tu. Comme par respect. Alors qu'évidemment la remarque de l'autre, tu pouvais la tourner dans tous les sens, et dire que sa femme à lui est au chômage déjà, que ses gosses il les a pour dix ans encore à la maison, c'était quand même compliqué, évidemment. Que le secrétaire d'État respecte une remarque aussi douloureuse ça nous a impressionnés. Ouria a tout compris de ça, et elle a pris peur, j'imagine, donc elle a voulu casser cette pente – si on peut casser une pente.

— C'est pas parce que vous êtes contre la direction que vous êtes avec nous. Si vous venez nous provoquer avec des mots comme « fantastique » pour dire la merde dans laquelle on sera bientôt, on vous retient pas !

Des gens qui toussent, d'autres qui rient, et lui qui va mettre une bonne minute avant de comprendre que l'expression « On vous retient pas » sonnait bizarre.

— Je vous l'ai déjà dit, ou vous n'étiez pas là et je répète : ceux qui confisquent l'argent en se foutant du reste du monde, voilà, ça c'est mon ennemi. Des comme ça il n'y en a pas tant que ça. Disons qu'il y en a 200 000 dans le monde. Vous voyez, c'est pas beaucoup. Eh bien ceux-là font tout, chaque jour, pour que vous soyez au chômage, ou très peu payés, et pour que la Malaisie reste très pauvre, en payant les Malais avec des baffes. Etc. Moi, mon militantisme, depuis plus de dix ans, c'est de mettre fin à ça. Je ne suis sans doute pas assez armé, et c'est pas prendre le combat par le bon bout. Dans une guérilla urbaine, impossible de viser l'Élysée tout de suite ; tu te demandes d'abord comment passer le périph avant de voir comment parvenir à l'Élysée ou au siège de la télé. Donc je ne m'en prends pas aux 200 000 assassins. Je sais que c'est contre eux que je travaille, qu'ils sont à l'horizon, mais depuis dix ans je fais du porte à porte en quelque sorte. Chaque brèche dans leur système, j'y vais. Et à force, j'en suis certain, on inversera le mouvement ; si tu corriges toutes les saloperies, une à une, t'arrives à inverser le sens du courant.

« Quel connard » je me suis dit. Il continue de se présenter comme un Robin des bois alors que justement notre dossier il n'avance pas : aucune solution, personne pour nous racheter.

— Vous avez dit que ça ne fait pas de moi votre ami. On n'est pas obligés. Quoi qu'il en soit je veux continuer de lutter contre la pauvreté liée aux saloperies industrielles, aux politiques néolibérales décidées par de vrais assassins. Et puis ceci encore parce que tout est lié : si on arrête de piller le Sud, comment faire pour qu'on ne s'effondre pas, nous, ici. Donc tout mon temps, avant d'arriver au ministère, tout mon temps je l'ai passé à examiner au cas par cas comment l'économie doit être bricolée pour trouver des trucs qui tiennent, vertueux, des constructions qui ne reposeront pas sur un crime, au départ. La réunion d'aujourd'hui avec vous c'était pour lancer ça, avec vous. Vous le savez depuis notre première rencontre, qui s'est mal passée déjà, mais sans doute par ma faute, des idées, des pistes, j'en ai plein. Mais je m'y suis mal pris la première fois, aujourd'hui je voulais tout reprendre de zéro et le faire avec vous. Je veux profiter de–

Mais le froid, le silence venaient peut-être d'ailleurs. Passé la surprise de l'entendre tenir des propos qui étaient aussi nos convictions et comment elles nous semblaient d'un coup plus fortes, ces convictions ; passé, aussi, tout ce qu'un tel sentiment avait de malheureux, je crois qu'on a levé autre chose à mastiquer dans ce silence. Une espèce de honte, de gêne, de fureur, à être une fois encore – nous les misérables – rendus responsables de quelque chose. De la misère des autres, encore plus misérables. Il est avec nous ce type, je veux bien, mais dès qu'il l'ouvre il ne fait qu'augmenter la fureur et le désespoir. Dès qu'il l'ouvre on se découvre encore plus nus qu'avant. La prochaine fois on y verra les os, les cartilages.

— Je veux profiter de ma propre séquestration.

25

Marc Galuzeau,
conseiller spécial du préfet

— Il s'est passé quelque chose.

— Où ?

— Entre la grille et l'entrée qu'ils gardent. La grande bâche.

— Eh bien ?!

— Un coup de vent et elle s'est soulevée. Les types ont eu le temps de voir une cuve – mais il y en a peut-être une seconde derrière – entourée de jerrycans reliés à elle par des fils de cuivre.

— Deux cuves ? Des jerrycans ?

— Sur les photos prises quand on est arrivés il y avait des briques pour tenir la bâche au sol. Est-ce que le piquet de grève en a dégommé plusieurs pour qu'on voie cette cuve, ou c'est un vrai coup de pouce du vent… ?

— Demandez tout de suite un scanner thermique.

— Parce que ?

— Pas certain qu'il y ait vraiment de l'essence. Ou plutôt : faut savoir s'il y a du mazout dans les cuves. Le sol, il est comment ?

— Je vais voir.

Il revient.

— Les types viennent de regarder tout le périmètre, ils n'ont pas vu une tache d'essence. Ils ont regardé devant, à gauche et à droite. Rien. Mais évidemment ils ne peuvent pas se prononcer en ce qui concerne la zone qui se trouve derrière la cuve. Il faudrait survoler, et photographier.

— Ils ont regardé comment ?

— Avec leurs jumelles, toutes neuves. Elles permettent de faire du centimètre carré. J'ai regardé un peu moi-même.

— Impossible qu'ils aient transporté les cuves pleines. Quelle contenance ?

— Genre 6 000 litres. Celle que j'ai dans le Morvan–

— Impossible qu'ils les aient transportées pleines, j'ai raison. C'était trop lourd. Ils n'ont pu que les remplir une fois posées là. Mais s'il n'y a aucune trace d'essence au sol c'est qu'elles sont vides.

— Ça tient.

— Décommandez le scanner thermique.

— Non. Les gars insistent : il faut encore qu'on sache ce qu'il y a dans les jerrycans car il peut y en avoir beaucoup, toute la bâche ne s'est pas soulevée. Le fil de cuivre, tout ça. C'est quand même du boulot. Il faut être certain. Imaginez le carnage…

— Quand est-ce qu'on l'aura ?

— Est-ce qu'on fait reculer la barrière de presse de combien ? 50 mètres ?

26

Sylvie – celle qu'est cintrée,
salariée (unité équarrissage)

J'ai pas dormi de toute la nuit alors évidemment… Mon corps déjà bien pourri, à ce régime, comment tu veux qu'il tienne ? Vers 10 heures j'ai piqué du nez, autour de minuit ensuite. Pour le déjeuner j'ai avalé que deux concombres avec du sel, histoire de pas charger la mule, et j'ai un peu perdu le contact. Malgré tout. Dans l'abattoir, il faut dire, t'es pas aidé – j'ai compris ça. Chez moi le soleil se lève dans la chambre et il se couche dans la cuisine. Ici aucune fenêtre. Combien de fois sur le parking j'ai pu être étonnée de voir encore le jour, ou bien déjà la nuit ? Les collègues disent que les CRS ont des cachets pour lutter contre le sommeil. Nous rien, les jours normaux, et seulement la joie, depuis hier ou avant-hier, pour rester d'attaque. Un retour de fierté – où elle était passée cette pute ?

Tout ça me va. Je tire sur la corde mais ça me va (et pour les autres je vais prier, je vais chanter). Alors quand il y a eu cette alerte, dans l'après-midi, ces matelas qui arrivaient, ça ne m'a fait ni chaud ni froid. Je ne me suis pas laissée enfermer par les flics dans l'abattoir pour m'y faire une chambre ou un confort. C'est pas les matelas qui m'ont réjouie mais le bordel, la panique des CRS. On recevait le soutien des employés municipaux, certainement de la CGT. Ils étaient quelques-uns apparemment. Une partie des CRS s'est précipitée pour les bloquer. Notre piquet de grève était sur le qui-vive car une autre partie des CRS pouvait décider d'en profiter. Grosse tension, les camions font mine d'avancer malgré le barrage. Ils nous apportent les matelas en mousse des gymnases de Châteaulin et de Pleyben. Ça palabre hein, et ça dure, mais là encore, à cause des caméras, la cellule de crise va reculer. Sans doute le préfet aussi a-t-il validé cette aide, en se disant « C'est une façon de les endormir ». Et comme ça notre bonne forme ne le choquera plus. Parce qu'il refuse l'explication magique, ce petit soldat dérisoire. C'est à cause de ça que tu vas perdre, cher petit soldat, et parce que tu crois qu'en recevant des matelas nos corps vont rentrer dans le rang.

En attendant ce n'est pas lui qu'on a dans l'abattoir, mais une quinzaine d'employés municipaux. Ils regardent autour d'eux avec curiosité alors nous, fièrement, on leur fait le tour du proprio en expliquant toutes les étapes de la chaîne.

— Vous la connaissez par cœur on dirait.

— Mieux que ma femme !

— Mieux que mon homme !

À l'éclat de rire je me suis dit qu'ils étaient peut-être mari et femme, ces deux-là que j'étais pas sûre d'avoir déjà croisés, mais certains disaient la même chose en laissant des larmes leur noyer la gorge, tandis que d'autres encore se sont mis à exploiter le filon des rires (« Elle couine pareil que ma femme », « La mienne, je trouve jamais le gros bouton STOP ») et pendant cinq minutes peut-être on a eu ce tableau étrange : certains riaient tandis que d'autres pleuraient en déroulant le fil d'une vie bien enchaînée. Certains avaient honte de se marrer alors que d'autres pleuraient, et d'autres étaient gênés de leurs larmes alors que leurs collègues se dressaient pour respirer. J'ai eu sous les yeux cette humanité que la honte rendait un peu grimaçante sans toucher à sa beauté. Ça aurait pu durer, ce n'est pas moi qui ai demandé qu'on se calme – ils ne m'écoutent jamais. L'abattement ou la colère, ou les blagues, auraient fini par égorger le dragon, ça aurait pu durer. Mais la visite devait prendre fin. Alors il y a eu cette salve d'applaudissements, dans le hall, pour saluer tous les municipaux – ils avaient pris un drôle de risque, après tout, une heure plus tôt ils étaient prêts à se battre avec les CRS – comme s'ils venaient de boucler un tour du monde, ou de survivre à un coup de grisou, au fond de la mine. Ou c'était pour nous tout aussi bien, pour nous purger un peu des émotions accumulées (peurs, doutes, colère et joie) et continuer. « On lâche rien. » J'ai médité pendant une heure et vers 23 heures, une partie d'entre nous est allée se coucher sur les grands matelas en mousse. C'était quelque chose ces trucs, à cause du souvenir des cours de gym, à l'école, qu'on aimait pour ces matelas profonds dans lesquels on adorait se jeter, se vautrer, rendant le cours du prof certainement aussi informe. On faisait de grosses grappes de filles, des mecs se jetaient dessus du plus loin qu'ils pouvaient, en essayant les figures les plus tordues, on s'éparpillait en piaillant. Du coup, ce troisième soir, on a eu droit à notre moment bien régressif, avec ces matelas, on a tous eu 15 ans une seconde fois, cette nuit-là, et c'était magique ! On avait quelques duvets, quelques draps, deux couvertures, mais personne n'est resté sérieux d'abord : c'était une colonie de vacances, les couloirs d'un collège. Serrés les uns contre les autres c'était pareil que cette enfance. Il y a eu des blagues, des débuts de batailles d'oreillers imaginaires. Il y a eu des tapes sur les fesses, des tirages de bretelles de soutien-gorge, des fous rires et des messes basses. Moi j'ai voulu dormir par terre encore, à côté des matelas. Pas longtemps, un peu. Tous ces rires c'était comme un feu de camp, à l'automne, et des bières qu'on pisse très vite.

On était loin, très loin. Je n'ai pas parlé des puissances de la nuit car ils me rient à chaque fois au nez et je ne voulais pas que les rires changent de nature ; qu'on revienne aux moqueries ordinaires, non, je ne voulais pas. Il fallait que ce beau rire reste tourné vers le dehors de l'abattoir, vers les flics.

Je crois que le lendemain certains ont passé la journée sous l'influence de cette troisième nuit.

Si tu ne bats pas le poulpe sitôt pêché, sur le bord de ta barque ou sur le quai du port, il sera dur comme un pneu, immangeable. Mon homme est ce poulpe-là. Il est colère. Je n'ai rien à lui répondre. Je suis d'accord mais j'ai souri à tous les rires donc c'est qu'au moins une partie de moi n'est pas d'accord. Cette part de moi n'est pas la seule, évidemment ; sur les cinquante qu'on était couchés à cet endroit, il y en a eu pour trouver ça débile.

— C'est un camp retranché ou un week-end d'intégration avec léchouilles et bizutage ?

Ils nous ont parlé du lendemain, qu'il fallait être en forme pour les négociations si on ne voulait pas se faire rouler dans la farine. (À ce moment-là Kimba s'est écriée avec une gourmandise surjouée : « Rouléééééeee dans la faariine ? ! ? Moi petite escalope dans tes gros doigts ? » On a tellement ri que les rabat-joie n'ont plus osé aucune remarque.) Six ou sept se sont relevés pour aller fumer avec ceux qui étaient de garde, à l'entrée, affirmant qu'ils reviendraient quand les plus excités seraient endormis, mais on ne les a jamais revus, en fait, ils sont allés dormir ailleurs, ou ils n'ont pas dormi. L'ego vraiment ça rend débile, c'est un agent infiltré pour te faire déjouer, et t'envoyer dans le mur.

Je n'étais pas à la fête, d'abord, mais les grincheux, ceux qui voulaient dormir (ils disaient « reprendre des forces »), ils m'ont virée, poussée dans les bras des glousseurs, je les ai vus me pousser. Mon homme. Je les voyais s'énerver, s'agacer, et j'ai trouvé cette colère laide. Ils me poussaient dans les bras de mon amoureux du collège. Que j'ai vu lui aussi comme je vous vois, agacer des bretelles de soutien-gorge – il travaille au pôle congélation.

Alors quoi ? Je fais quoi de mes sourires et comment dit-on aux flics qu'ici, dans l'abattoir, ça va ; vous faites pas de bile pour nous.

La suite a été un peu étrange car au matin les enfants sont arrivés avec les cartons de bouffe et ils en étaient, les deux miens. C'était gentil de la part de leur père, qui n'avait pas répondu à mon texto. Je voulais que mes gosses voient qu'on refusait de se faire tondre. Qu'on se dressait contre les monstres. Nos enfants, on ne sait jamais quelle image ils ont de nous, peut-être parce qu'ils en ont plusieurs. Je voulais qu'ils aient celle-ci de moi : l'archange saint Michel avec sa lance plantée dans la gueule du dragon, et le pied maintenant la bête, cette gueule ouverte qui ne peut plus mordre. J'étais triste en les voyant, comme si j'allais mourir, et heureuse de leur laisser cette image-là. Il faut toujours rester calme. C'était une brèche dans le quotidien, je tenais à ce qu'ils l'explorent. Non pas des gargouillis de sang dans ma gorge mais des rires étouffés ? Je meurs de quoi si je meurs ici ? Je leur ai fait visiter l'abattoir très rapidement. Le vestiaire, avec leur photo sur mon casier, mon poste de travail, et tout ce qui n'appartenait qu'à l'occupation : les matelas, les douches bricolées, les restes de petit déjeuner, l'odeur du café fumant. Parce qu'elle en a vu blaguer, la petite a demandé : « Vous jouez tous ? » Elle a dit « jouer » et Simon s'est mis à fixer les gens que regardait sa sœur, ils ne m'écoutaient plus. Ils ont paru désarçonnés ; le truc que j'expliquais depuis dix minutes, à quoi ils ne comprenaient rien, ce truc qui retenait leur mère ne semblait plus si grave, et certainement très vite ils m'en voudraient : « Si c'est pour jouer, pourquoi tu reviens pas jouer avec nous à la maison ? » Je les imaginais déjà faire ce récit tordu à leur papa, qui n'y croirait pas évidemment, ayant vu les CRS dehors, et à la télé, et tout le bordel médiatique déclenché par la séquestration de l'autre, mais une autre partie de lui le recevrait : dans sa partie blessée d'amoureux que j'ai abandonné, où toute la mauvaise foi du monde peut se loger, grandir et s'épanouir – celle où on ne fait du mal qu'à soi.

Sur tout ça j'ai décidé de passer l'essuie-glace : mes gosses ils comprendront plus tard.

Est-ce que c'est la confiance nouvelle, ça ? J'en sais rien et je m'en fous. Parce que je vais mourir ? Je ne sais pas non plus. Parfois l'essuie-glace est la chose la plus vaine du monde ; la vue est encore plus crade après qu'il soit passé sur le pare-brise. Quand dans la soirée – la troisième, c'est ça ? – on est allés se coucher – un nouveau groupe toutes les deux heures –, le secrétaire d'État était encore en atelier (celui que certains avaient exigé, sur les reconversions individuelles). Et ensuite encore il est resté longtemps parler avec Alpha, et Christine. Quand ils sont descendus, ils ont cherché un truc à grignoter, mais pour que l'usine ne devienne pas vite dégueu on s'est obligés, dès le premier repas, à tout ranger au bout d'une heure et demie. On peut se servir entre 20 heures et 21 h 30 mais après il faut aller soi-même piocher dans le frigo et ressortir les cagettes ou les conserves, voir ce qui reste comme salade. Ils sont donc passés par le dortoir. Nous, on n'a vu d'abord que trois collègues venant se coucher, mais avec la lumière du frigo, on a compris, on l'a reconnu, lui, parmi les ombres. Avec une vigilance d'animal, vraiment, tout le dortoir s'est tu. Personne n'a chuchoté que la surgé nous écoutait, ou quelque chose comme ça. Peut-être est-ce passé par des gestes, mais l'extraordinaire, alors, c'est que personne cette fois n'a pris ça pour des chatouilles. Tout le monde a tout de suite compris que ces nouveaux pincements et ces coups de coude voulaient dire tout autre chose : silence parmi les bêtes comme à l'approche d'un prédateur ou d'un danger.

Pourtant, après soixante-douze heures passées à le laisser se rapprocher de nous, on savait à quoi s'en tenir : c'est pas un grand fauve, et tout le monde ou presque avait validé quelques heures plus tôt le fait qu'il suive les ateliers et les réunions – hors négociations évidemment. Alors quoi ?

Mais voilà pourquoi je disais le pare-brise encore plus sale : à la lueur du frigidaire j'ai vu sur son visage un embarras terrible. Je l'ai vu figé au milieu des duvets. Est-ce qu'il entendait le silence après les fous rires ? Ça n'a pas duré longtemps, juste une éternité. Une sorte de panique, le désir de parler, de s'adresser à nous dans la panique. Que cela cesse tout de suite mais quoi ? Qu'est-ce qui te panique monsieur le ministre ? Cette minute si pleine c'est Alpha qui l'a crevée en demandant au ministre, à voix basse, s'il voulait du pâté avec son pain, ou du gruyère.

Le lendemain je suis allée le voir, je devais avoir l'air fatiguée car il m'a dit que j'avais la tête de qui a fait des mauvais rêves. Je lui ai servi un café.

— J'aurais bien pris ce café-là dehors, le dos contre le mur, au soleil, avec le froid du matin…

— Vous me chipez mes répliques.

— Quand vous êtes venu chercher à manger, hier soir, je vous ai vu…

— Et…?

— Ça va?

Il est surpris, il se tait.

J'allume une cigarette.

Il m'adresse un sourire embarrassé.

— Vous vous rendez compte?! Soixante personnes qui rient, qui se racontent des trucs, qui se touchent, et j'arrive et tout se fige?! C'est horrible!

Il enchaîne en balbutiant:

— Je pouvais quand même pas vous dire: « Mais continuez, continuez… » C'était foutu, j'avais tout cassé.

On est restés silencieux. Je m'en foutais. Autour de nous, la même agitation, toujours, mais dans nos deux têtes un silence bien épais. Lui pleurait peut-être carrément, à l'intérieur, mais je m'en foutais aussi. Et sur ce gros silence épais comme je sais pas, Pin-Pon prend la parole à sa façon bien personnelle: plantée au milieu du hall elle commence à parler, sans avoir demandé le silence, ni même annoncé « Je vais raconter un truc ». Elle a commencé. J'ai regardé le ministre en coin: ahuri – sans doute le look de Pin-Pon, son air hystéro-pupute qui tranche beaucoup avec nos façons à nous, les autres filles.

— Pourquoi l'appelez-vous Pin-Pon?

J'ai fait la vipère :

— Une collègue du conditionnement. En vrai, elle veut qu'on l'appelle Britney mais en vrai de vrai elle s'appelle Solenn. On sait pas si elle est folle ou si c'est de la liberté mais si elle est libre alors c'est jusqu'à la dinguerie – ça veut dire : en mettant plus que ce qu'on met nous, tous les jours, dans ce mot de liberté. Voilà, ça. Je peux le dire. Parce qu'elle est brûlée, faut r'connaître.

Tout le monde s'est arrêté, ils font vite un arc de cercle autour de la blonde. Je ne suis pas pressée de l'écouter, ni qu'il morde à l'hameçon en l'écoutant, Montville.

— Plusieurs, ça je le sais, auraient préféré ne pas être enfermés avec elle pour l'occupation de l'abattoir, mais personne n'a rien dit, personne n'a chanté « C'est elle ou moi » pour que cette fille – qu'est toujours trop maquillée – soit rejetée, pour qu'on lui propose par exemple d'être « active à l'extérieur », un « soutien logistique ». Vous avez déjà participé à une occupation comme ici ?

— Non, pas exactement.

— C'est ça la grande beauté : tu te lances dans une action et y a plus d'place pour les saloperies ordinaires.

Elle parle de sa grand-mère, Pin-Pon ?!

Je me penche à nouveau vers le ministre jusqu'à pouvoir lui manger l'oreille.

— Vous avez vu ? Ce que je vous disais, tout à l'heure… La bretelle de son top… Vous croyez qu'elle la remettrait sur son épaule ? Elle la replace pas, ou faudrait qu'on aille lui demander. C'est dingue ça ! À quoi elle joue ? Vous avez vu *L'Été meurtrier* ? C'est pour ça qu'on l'appelle Pin-Pon…

— À cause d'Adjani ?

— Oui.

— C'est pas plutôt l'acteur, qui s'appelle Pin-Pon ?

En fait elle ressemble plus à la blonde tombée dans un ravin, la fille d'une autre actrice, avec les mêmes seins… Vous voyez qui j'veux dire ? Déjà quand la chaîne fonctionne, elle pose que des problèmes ; et le vestiaire, quand elle y entre, t'as l'impression que c'est de la lave qui passe la porte, ou des morceaux de lune qui tombent du ciel, tout blancs, phosphorescents.

— … et c'est à ce moment-là qu'elle a fait une très grosse dépression. Elle a été dépressive pendant trois ans, très lourdement. Mon grand-père a fait venir dans sa ferme, près de Cheverny, un tout jeune médecin dont les gens parlaient, qui dirigeait un tout petit asile près de là. Dans un hameau qui s'appelle Saumery.

Trois phrases seulement, et déjà, ça ne va plus. Une brûlure dans le dos, des ventouses qui le tirent, notre ministre, vers l'arrière. JE LE VOIS. Il veut quitter la salle, se réfugier près de la machine à café, ou dans le bureau à feuilles d'alu, JE LE VOIS. Mais c'est impossible à ce moment-là, sauf à passer pour fou.

Pin-Pon parle de plus en plus fort ou c'est nous qui ne faisons plus du tout de bruit autour de la fille folle qui nous raconte un peu sa life.

— C'est vers 1950, avant 1955. Les familles qui plaçaient des fous dans les trucs psychiatriques elles les abandonnaient, parfois. Pas mon grand-père, il n'a pas abandonné sa femme : il le répétait tout le temps, et elle aussi.

Une fois par semaine il lui rendait visite. Et ensuite il aimait parler avec le directeur de cette petite clinique. Et c'est devenu de l'amitié malgré une importante différence d'âge – le directeur avait à peine 25 ans, il n'avait pas fait d'études de médecine mais son culot et son intelligence valaient tous les diplômes. Au bout de trois ans de présence, il est entré en conflit avec les propriétaires du petit château. Je sais plus dire pourquoi. Il a mis sa démission dans la balance, qu'ils ont acceptée, et ils ont recruté un ponte de l'hôpital Sainte-Anne. Mais quand le vieux barbu est arrivé, le jeune mec l'a giflé dans la cour de la clinique, et il l'a raccompagné à coups de pied jusqu'à la porte, nous dit Pin-Pon. Elle revit le truc, ou elle ajoute en inventant, mais peu importe.

Le jeune mec n'avait peur de rien. Qu'allait faire l'huile de Sainte-Anne une fois de retour à Paris ?

— Il se fout pas mal de ce que le vieux peut contre lui. Ce qui l'occupe immédiatement : sauver les malades de l'asile et des toubibs normaux. Sur les trente-sept malades, il en compte trente-trois de valides, dont ma grand-mère. Les deux infirmières qui travaillaient avec lui vont le suivre, et une autre qui va devenir sa femme, ou qui l'est déjà – elle est encore vivante, tous les ans je lui envoie une carte. Il va fuguer avec ceux qui peuvent marcher, il emmène les malades, il vide la clinique ! Dans la vraie vie de tous les jours des petites saloperies ordinaires, les directeurs partent avec la caisse, ou avec leur maîtresse ; lui c'est avec le fardeau qu'il va partir, dont tout le monde cherchait à se décharger.

J'écoute Pin-Pon, je vois le ministre contenir son envie de ne pas la regarder, de creuser la terre pour fuir son charme, JE LE VOIS ! Je vois aussi l'étrange cortège des malades et du jeune homme passer sous le porche de la clinique, ou passer un portail, une grille, et se retrouver sur une route de campagne, peut-être un chemin de terre. Je vois des arbres autour. Certains malades doivent écarquiller les yeux, d'autres se remplir de l'odeur des champs ou de la forêt. On écarquille les yeux pareil, en écoutant Pin-Pon. Des gosses qui écoutent une histoire, la bouche ouverte, en s'oubliant complètement.

— En 1950, les fous c'était quelque chose disait mon grand-père. Les médicaments n'existaient pas encore. Il faut imaginer que dans ces trente-trois malades il y en avait qui étaient impossibles à approcher vraiment, ou par des stratagèmes que seuls devaient connaître les infirmières ou le toubib. Et en même temps, aujourd'hui…

Elle revient à l'histoire, au cortège :

— Il n'avait aucun point de chute. Il improvise, il donne un coup de hache dans le quotidien en se disant « Le quotidien c'est ce qu'on en fait ; le cours des choses je le décide, il ne s'impose pas à moi ». Il faut sacrément se faire confiance non ? Il n'a que ses convictions sur la vie avec les malades, avec les fous.

Pendant trois semaines ils vont errer dans la campagne. Un soir ils dorment dans une grange, le lendemain ils sont accueillis par des bonnes sœurs ; un soir dans un hôtel, un soir dans une maternité désaffectée, etc. Deux soirs dans la ferme de mon grand-père. Pin-Pon raconte chaque jour et chaque nuit, en fabulant c'est obligé, mais peu importe : cette lenteur est nécessaire pour faire comprendre, à rebours, les journées s'enchaînant, le geste magique et dérisoire de ce jeune type qui, une fois trouvé l'endroit pour la nuit à venir, et réglée la question de la bouffe, remonte sur sa moto à la recherche d'un bâtiment où ils pourraient faire accoster la nef des fous et mettre fin à l'expérience nomade.

Pin-Pon est comme la fille des *Mille et Une Nuits*, elle nous fait entrer dans la nuit. Pin-Pon est Schéhérazade !

Au bout de trois semaines – sans être jamais inquiété ni

par les familles ni donc par la police – l'étrange cortège s'échoue dans un château un peu abandonné. Très vite le jeune psychiatre trouve la trace des propriétaires : ce sont de vieux rentiers installés à Blois, ils lui vendront le château pour presque rien. Il va fonder là une clinique connue.

Elle ne donne pas son nom.

— Elle existe encore. Et lui, il est maintenant très vieux mais on dit qu'il continue de travailler avec certains malades…

On dirait qu'elle a fini. Elle se tait. Il y a comme une torpeur à secouer. Elle n'attend rien, pas de commentaires ou des applaudissements ; elle est ailleurs, elle est avec l'étrange cortège, et nous aussi. Elle est en fait sous le charme – mais ce n'est pas le bon mot hein – de cette histoire. La vision agitée par Pin-Pon sous nos yeux l'agite elle aussi : trente fous arpentant cette campagne des bords de Loire baignée par une lumière très douce, délicate mais qui enveloppe peut-être les corps souffrants guidés par ce très jeune type capable d'inventer une chose qui n'avait pas d'exemple, un allumé quoi, créant une situation qui allait perdurer jusqu'à nous comme si l'errance de ces fous s'était prolongée jusqu'en Bretagne, comme si nous avions à les héberger ce soir, dans l'abattoir, où nous n'avons que des matelas de gaudrioles, et ce serait comme si on partageait le pain, et des portions de pâté en boîte, comme s'ils se mêlaient à nous, et surtout l'audace du jeune type refusant qu'on lui oppose quoi que ce soit dès lors qu'il avait estimé la situation inadmissible, mais tout ça comme le jaune de l'œuf se mêle au transparent pour l'opacifier et le durcir. Le jeune type qui invente, qui crée de toutes pièces un truc pour s'arracher à une chose qui lui semble inadmissible, on essaie de lui faire une place au sein du groupe, on essaie de bouger comme lui, pour que ses propres mouvements ne soient pas des coups, des baffes. On essaie de l'accueillir sans lui demander de bouger moins, d'être moins fou.

— Pin-Pon…

— Oui?

27

Pascal Montville,
secrétaire d'État

— Céline Aberkane est encore dans le sas…

— Si c'est pas pour reprendre l'activité, qu'est-ce qu'on fait ? Et qu'est-ce qu'on dit aux éleveurs ?

Au ton de sa question je peux deviner que Gérard Malescese a produit un effort pour s'arracher à une chose lourde, tellement lourde. Qu'il renonce à la rancœur, cette chienne qui étouffe à peu près tout. Transformons la colère, je ne suis plus l'obstacle à écraser, le secrétaire d'État n'est plus l'ennemi.

Il veut que je l'aide – lui seulement peut-être, sinon tout le groupe.

Je suis si capable de m'enfoncer dans une rancune vexée que j'ai toujours eu de la gratitude pour les gens qui ne laissent pas la glace congeler à peu près tout.

Qu'est-ce qu'on fait ?

— Ce n'est pas à moi de répondre évidemment, mais je peux donner quelques exemples de reconversion : aujourd'hui – en voilà un – il est possible de construire des appareils capables de récupérer l'énergie par cogénération, des microgénérateurs. Il faut un moteur de voiture couplé avec un alternateur, le tout installé dans un coffrage métallique. Les compétences sont les mêmes que dans une chaîne fabriquant des voitures donc si telle ou telle marque doit fermer telle ou telle usine, les élus concernés doivent se battre pour récupérer les lieux, les machines, pour réembaucher les employés, etc. L'intérêt le voici : la cogénération diffuse permet de passer d'un rendement énergétique d'environ 40 %… à 94 %. Elle économise donc l'énergie fossile et elle n'émet pas de CO_2, ou beaucoup moins. C'est une reconversion de ce type que vous pourriez envisager.

Ils me sont encore une fois tombés dessus.

— Ici on cuisine des poulets, on fabrique pas des voitures !

Leur colère à mon égard est sous la peau, juste sous la peau. En embuscade.

— En Ouganda, il y a de l'érosion dans une vallée parce que les gens coupent des arbres sur un coteau, pour vivre de la vente du bois. Des sédiments tombent dans la rivière et cela fait perdre 8 % de production à l'usine hydroélectrique qui se trouve en aval, ce qui rend plus coûteuse l'électricité de la ville la plus proche. Remontons toute la chaîne : on replante des manguiers sur le coteau de façon à ce que leurs racines fixent la terre – la centrale hydroélectrique est prête à investir dans cette plantation en fonction du résultat pour elle. La ville proche, qui verra sa facture d'électricité baisser, peut donc elle aussi investir sans crainte. En haut de la vallée, les manguiers exploités par une coopérative créent aussi de l'emploi et des exportations. Enfin, si les investisseurs de départ ont pris soin de faire « certifier carbone » ce bassin-versant, ils pourront revendre leur crédit carbone dans sept ans et investir ailleurs. Tout cela existe !

Je les regarde, l'Ouganda ce n'est pas bien clair, manifestement ! Ceux qui ont grimacé en entendant « Je me fous du

Cameroun » quelques heures plus tôt, la veille ou l'avant-veille, ne peuvent plus me défendre. Cet exemple de trop devient le symbole d'un décalage : les politiques sont plus au fait du tiers-monde que du quart-monde. Deux jours durant, ils vont me le renvoyer à la gueule. Je ne voulais pas les mobiliser pour l'Ouganda ou le Cameroun, mais qu'on adopte ensemble une logique bien différente. Je voudrais faire apparaître les mécanismes qui font que si tu détruis l'Ouganda tu détruis aussi – très concrètement – la vie des Bretons. Tu n'es pas responsable de leur misère mais tu es dans la boucle et si tu as peu d'argent c'est complètement lié. Les mesures éthiques c'est aussi à toi qu'elles servent immédiatement.

J'avais aussi un exemple bien local, je l'ai balancé pour me rattraper :

— Les millions de Saint-Jacques pêchées ici sont envoyées en Chine avant de revenir dans l'Hexagone. Pourquoi ? Parce que les Chinois nettoient ces coquilles pour presque rien, évidemment. Ils ont donc remporté le marché. Elles reviennent ensuite en France pour être garnies et vendues. Les collectivités ont réclamé la relocalisation de l'activité de nettoyage – vous avez entendu parler de ça… ? La communauté de communes… Je n'ai plus son nom mais c'est par ici… Elle s'est emparée du truc : ils ont trouvé un bâtiment détenu par la collectivité où l'atelier de décorticage pourrait être installé. Le maire de Saint-Quay-Portrieux et l'interco ont proposé de faire appel à quatre travailleurs handicapés pour rendre l'opération viable économiquement, et le projet pourrait bénéficier d'aides européennes pour que la collectivité puisse investir dans l'outil de nettoyage qui coûte près de 150 000 euros.

— Des handicapés ? s'est étranglé quelqu'un.

— Ce n'est pas du cynisme. Les handicapés ont besoin de travailler aussi, c'est du lien social, c'est lutter contre l'exclusion. Vous pouvez n'y voir que du cynisme mais ça n'est pas ça. Vous pouvez décider que la centaine de personnes ayant travaillé sur le dossier sont des salauds et des cyniques mais alors vous serez responsables de cette vision-là. Et ces quatre emplois aidés ne seront pas seuls, il y aura d'autres embauches, peut-être une douzaine de CDI traditionnels.

— Et pourquoi qu'ils ont des aides européennes alors qu'on nous retire les nôtres ?!

— Mais ce ne sont pas du tout les mêmes : les vôtres ce sont des rustines sur un dysfonctionnement. Sans ces aides le système s'écroule. Au contraire, financer l'achat d'une machine c'est aider une boîte à se monter ; une fois le travail commencé, tout est calculé pour que l'entreprise de décorticage fonctionne sans subventions, sans aides publiques.

C'était inaudible, je venais de les attaquer.

— On est responsables qu'on a une vision négative des choses ? Tu te fous du monde ou quoi ?! On va tous crever la gueule ouverte – parce qu'après nos huit ou douze mois de chômage évidemment on trouvera rien – mais on est encore, EN PLUS !, responsables de voir les choses en noir ?!

Il a été applaudi. Cette fois pourtant ils ne se sont pas approchés de moi.

— Je comprends plus. Votre histoire de Far West... Vous parlez de l'Ouganda, vous dites qu'on est liés à eux. Ça fait bizarre mais ok. Je sens mon corps qui s'agrandit, ok. Le geste que je fais, que je le fasse de la main gauche ou de la main droite il aura des conséquences en Ouganda c'est ça ? De la main droite et ils crèvent, de la main gauche et ils vivent ?

— Et vous aussi. Il faut juste le courage de–

— Mais Saint-Quay-Portrieux?!

— Ce n'est pas le Far West, c'est ça?

— Ben pas vraiment. Dans l'affaire on perd quand même le Brésil, le désert, La Mecque, les chameaux...

— Les gens qui vont bosser sur les coquilles, à Saint-Quay, ils inventent un autre rapport avec l'Ouganda. On sort de la guerre en n'étant plus dans la boucle qui vous asservit et l'Ouganda. On sort de la guerre en ne se tuant plus pour des actionnaires ou des familles possédantes comme ici, ou des retraités de Floride et des fonds de pension. Vous menez une vraie guerre, dans l'abattoir assiégé par les flics, mais vous la menez pour sortir de cette guerre cachée dans laquelle des gens vous utilisent comme de la chair à canon sans vous le dire. Est-ce que vous savez que le patrimoine des 1 % les plus riches de la planète a dépassé l'an dernier le patrimoine des 99 % restants? Et qu'il l'a dépassé avec un an d'avance sur les prévisions des économistes? Est-ce que vous savez que les dix familles les plus riches de France ont vu leur patrimoine grossir de 57 milliards en 2014? 57 milliards c'est presque trois fois le budget des allocations familiales et du RSA réunis... Que les soixante premiers milliardaires possèdent autant de richesses que les 3 milliards de personnes les plus pauvres? Qu'en 1980 il y avait seulement 40 % des bénéfices des entreprises qui étaient reversés aux actionnaires alors qu'aujourd'hui c'est 85 % de ces bénéfices qui ne vont pas dans l'augmentation des salaires – ça bien sûr tout le monde a fait une croix dessus – mais pas non plus dans les investissements pour l'entreprise? Le capitalisme ultralibéral c'est ça : c'est tout plein de tiques sur le dos d'une bête puissante, qui lui pompent le sang et très vite en fait la tuent. Les boîtes meurent de leurs actionnaires ! Il faut inventer une activité qui balaiera tout ça, et la chape de plomb qui vous écrase – le poids d'un âne mort !

Rien que des châteaux

28

Fatoumata Diarra

Au début j'ai patiné vraiment beaucoup. Quelque chose comme ça : « Ils vont pas me laisser parler. » J'ai voulu me dépêcher d'abord : « Tu viens de dire ça et ça et je me demande... » Mais ils m'ont interrompue car ils voulaient qu'on se présente. « Mais dis, toi, pourquoi faut s'présenter ? T'es sûre qu'c'est pas une perte de temps ? On s'connaît tous... Ah mais si c'est pour lui c'est pas la peine non plus !... » Ils prenaient le ministre pour un idiot tu vois. « On n'a qu'à lui demander ! Hé monsieur le ministre, je m'appelle comment ?... *Fatoumata*, bravo ! Tu vois bien qu'il sait... » Et là seulement j'ai pu poser ma question. Enfin.

— Bon monsieur le ministre, vous dites qu'il n'y a pas de repreneur du tout c'est ça ?

— Aucun qui promette de sauver l'emploi. Les seuls dossiers qu'on ait, pour l'instant, sont–

— Des boîtes qui s'engagent à reprendre quelques centaines de personnes sur les trois mille ?

— C'est à peu près ça.

— Donc on vaut rien et pour la famille du patron c'est la cata ?

— Oui, une cata.

— Donc on rachète.

Là tu vois il y a eu un silence, et toute une foule dans ce silence : des sourires, des regards éberlués, des yippee de cow-boys qui pouvaient dire « Et allez, encore un coup de Fatoumata ». J'ai continué, j'avais la main chaude.

— On rachète pour rien évidemment, puisque personne ne veut de nous. On leur fait baisser le prix jusqu'à l'euro symbolique et on rachète ensemble.

— Une SCOP !

Prononcer le mot, juste ça, presque en criant, prononcer le mot lui a fait cet effet dingue ; c'était comme s'il venait de croquer le soleil, un bon gros bout. Sur le visage de Montville y avait le sourire qu'on se fait l'été avec des tranches de pastèque ou de melon.

Je l'ai quand même remis en place.

— Oui, on sait : une coopérative ouvrière.

Là y en a un qu'a levé la main comme à l'école et je me suis tournée vers lui.

— Oui monsieur le copropriétaire ?

Tout le monde a éclaté de rire mais je suis sûre que c'était une jouissance extraordinaire d'entendre cette blague parce que pour moi déjà c'en était une. D'aller aussi vite. En faisant cette blague tout de suite, et pas dans une heure, je faisais apparaître la chose avant même qu'ils en aient rêvé. Comme un miracle. Un miracle ça te déborde, sur les tableaux ils sont toujours surpris.

— On rachète l'usine et on relance l'activité ?

Te décrire le brouhaha, je vais pas y arriver – faudrait un poète –, c'est-à-dire la grosse pelote des phrases, tous les regards qui font dans la pièce cent directions, les rires de sérieux et les rires de moquerie, ni la grosse pelote de questions posées à son voisin et de regards perdus avec des larmes tout juste au bord. Ma blague venait de briser cent trente œufs de Pâques et chacun ramassait les morceaux tombés à ses pieds, et chacun regardait le ventre de l'œuf, et chacun cherchait « t'as quoi dans l'ventre ? », ou « t'as l'estomac bien accroché ? ».

Le ministre regardait ce bordel, à vrai dire je pense qu'il ne comprenait pas. Il était abattu de voir qu'on voulait reprendre l'activité comme s'il avait pissé dans un violon à chaque fois qu'il nous avait parlé de malbouffe, de reconversions et de tiers-monde.

Alors j'ai aperçu Gérard. Lui je sais ce qu'il pense depuis le début. C'est le repré de la CGT, il se sent exclu, mis à l'écart. Il veut qu'on revienne autour de la table des négociations, il est certain qu'on va se faire bouffer. (D'habitude c'est les patrons, ou le député, qui veulent qu'on revienne à la table des négociations.) Tout ça me fout en rogne mais je vais lui donner une dernière chance d'être avec nous :

— Tiens Gérard, toi tu connais les Fralib, t'es allé, l'autre fois, à cette réunion où ils étaient.

Il n'aime pas cette histoire non plus, pour les mêmes raisons qu'il n'aime pas la nôtre, mais le fait que je lui passe la parole c'est comme du chocolat, le fait que je le présente comme celui qui sait et peut encore nous apporter… Gérard se lève, ne peut s'empêcher d'attendre le silence – il n'a pas compris que désormais la parole circule différemment.

— Pour ceux qui connaissent pas je reprends tout depuis le début. Il y a Unilever. Unilever c'est quoi ? C'est plus que La Générale Armoricaine hein, c'est carrément plus fort, c'est un géant mondial. Presque 200 000 employés dans le monde. Ils font surtout des glaces, et du thé. Il possédait cette usine près de Marseille, où étaient fabriqués les thés Lipton, Éléphant et je ne sais plus. Mais ils ont voulu délocaliser, pour augmenter encore les profits. Foutre en l'air tout ça malgré la rentabilité, les voilà les casseurs : c'est les patrons, et les actionnaires qui manipulent ces mêmes patrons. Donc les salariés sont sortis de leurs gonds – faut dire que plus injuste c'était balèze. Ils ont été une petite centaine à se dresser contre le groupe.

Je suis une putain de maline : j'ai forcé la main de mon collègue qui se retrouve à décrire comme un truc héroïque ce que l'heure précédente il refusait ! Je me retiens de faire un petit feu de joie.

— Pendant trois ans et plus ils ont bataillé. Trois ans ! Ils ont occupé l'usine, ils ont dormi dedans comme nous maintenant. Ils ont supporté la présence d'une société de sécurité qui faisait travailler des mercenaires ayant combattu en Irak, qui étaient là pour leur pourrir la vie, armés – des armes de seconde catégorie… Vous voyez le stress ? Ils n'ont jamais faibli, ils ont inventé à chaque étape judiciaire ou administrative les moyens qui allaient leur permettre de combattre encore, de rien lâcher. Je connais cette phrase par cœur, d'Olivier Leberquier : « Sur la partie juridique, on ne sait pas trop où on va aller, et on ne s'interdit rien. Y compris même une forme de société qui n'existe pas encore aujourd'hui. »

Ah ah, Gérard, tu es en train de te trahir !

— Tout était ouvert devant eux, mais cet inconnu les a jamais tétanisés, ils sont toujours allés forger les moyens de se battre. Unilever a dû rédiger successivement trois PSE car les Fralib sont à chaque fois parvenus à les faire annuler par le tribunal administratif, et à force de consultations et de séminaires ouvriers ils ont compris qu'il existait une forme pour leurs désirs. Ils ont constitué une SCOP, une coopérative, voilà. Ils en ont défini ensemble la politique, l'identité. Unilever les contraignait à utiliser des arômes chimiques livrés en bidons arborant les sigles ARBRE MORT et POISSON CREVÉ, puis, deux mois plus tard, cette bonne vieille TÊTE DE MORT ? Eh bien désormais ils travailleraient de nouveau avec de vraies plantes achetées à des producteurs du sud de la France (relocalisation) (moindre coût environnemental, et plus de dommages sur la santé des consommateurs). Il aura fallu en passer par plus de trois ans d'occupation des lieux pour qu'Unilever ne pille pas l'usine ; il aura fallu cohabiter avec les mercenaires dont je viens de vous parler, des violents, des guerriers ; il aura fallu supporter le stress lié aux tensions, supporter les agressions, et qu'ils se soutiennent les uns les autres quand les divorces ou les séparations ont commencé à se multiplier, quand beaucoup de choses craquaient, se disloquaient, comme sous l'effet de bombes, et encaisser les trahisons, notamment celle du ministre du Travail d'alors – cette pourriture – qui a pris fait et cause pour la multinationale contre les soixante-quinze salariés d'Aubagne. Il a bloqué le dossier (les lettres qui le prouvent ont été publiées dans les journaux). Il aura fallu grandir à la mesure de l'élargissement du champ de bataille aux frontières de l'Europe, et devenir exemplaire, et parler de ce qui se passait à Gémenos, dans des assemblées ou dans d'autres usines en grève, tout en ne perdant pas le fil du combat – qui n'était pas terminé.

Je reprends la parole car je sais qu'il ne dira pas ça :

— Il aura enfin fallu – et c'est ce qu'on va devoir préparer maintenant – apprendre à être ensemble autrement : jusqu'à la semaine dernière on était tenus par des contrats individuels, et une hiérarchie qui fait de nous des gosses… Et par la colère ou la haine vis-à-vis de la direction, vis-à-vis du secrétaire d'État en charge du dossier.

Ici ils rient de bon cœur et je ris avec eux.

Je continue – Gérard est toujours debout :

— Demain il faudra tout vivre différemment. Dans une coopérative il peut y avoir un semblant de hiérarchie, des postes attribués mais tout le monde est associé, tout le monde doit être concerné de la même façon – c'est-à-dire au maximum – par le sort de la coopérative. Ça veut dire se parler et s'écouter. Ça exclut des trucs : tu peux pas être passif, t'es solidaire, t'as pas le choix, et c'est presque une fraternité – autrement tout s'écroule et les salauds qu'on a foutus dehors se mettent à ricaner comme des hyènes parce qu'ils tiennent alors la preuve que la fraternité c'est des bobards, qu'ils sont donc légitimes quand ils se comportent comme des loups. Pour nous c'est un changement radical ; il faut désormais parler aux collègues qu'on avait le droit de ne pas aimer ou de snober quand il y avait la hiérarchie pour nous séparer. Plus de tâche unique ou de fonction millimétrée, ça marche plus ça ; il faut apprendre à s'intéresser à tout : à la compta, aux décisions politiques, venir bosser le dimanche, prendre un balai si y a besoin.

— Derrière, l'enjeu est colossal.

C'est Montville !

— « On a viré les actionnaires. » C'est un des membres de la SCOP qui a dit ça au micro de France Info. Je me souviens très bien de la voiture dans laquelle j'étais, et en train de m'engager dans quel rond-point, quand j'ai entendu un Gérard – un autre Gérard – dire au micro de la radio : « En fait, ce qu'on a fait avec cette SCOP, c'est virer les actionnaires comme on se retire les sangsues en sortant de la jungle. » J'étais porte de la Plaine, rond-point des Insurgés, au-dessus du périph, et je regardais une entrée du Parc des expositions, j'allais au Salon de l'agriculture, quand j'ai entendu cet ouvrier expliquer à peut-être un million d'auditeurs, dont moi, qu'il était possible, légal, de briser les genoux du capitalisme, de mettre un terme à la loi du profit, à la prévalence du bénéfice sur toute question humaine. J'étais sur le rond-point des Insurgés, mais c'est le mot « porte de la Plaine » qui m'a zébré l'entendement.

— Ben tiens tu m'étonnes, vous teniez votre Far West !

C'est Christine qui se marre, et Montville qui sourit.

— Il était là ce paysage ouvert à découvrir et habiter, cette nouvelle frontière qu'ici dans l'abattoir on est en train de distinguer parce qu'on a fait une pyramide humaine qui permet au dernier monté de voir très loin.

29

Hamed M'Barek

Dans la journée, lumière crue – partout, tout le temps. Pas celle qui viendrait du dehors – où tu vois des fenêtres ? Celle des néons. Pas une ombre, ils éclairent chaque centimètre carré de l'usine. Ça et les détergents qu'on met partout dans l'abattoir… ça produit une complicité de collabos. Et jusqu'à lundi soir c'était nos flics, ces néons, ces détergents. On connaissait que ça, il pouvait pas y avoir de relâchement. Donc c'est la nuit notre conquête, avoir fait entrer la nuit dans l'abattoir, les faibles lumières, les ombres immenses… Les conduites dont on voit plus le bout, à cause des lampes dérisoires qui n'éclairent qu'un tronçon, un coude… Les diodes de la machine à café ou les petites ampoules sous le plastique SORTIE, vert clair… peuvent pas tout montrer ; à un moment ça se perd dans le noir. C'est plus des tuyaux mais des bras énormes, des tentacules. La nouveauté, c'est les ombres immenses qui font croire à des monstres. C'est notre conquête, les monstres.

— Peut-être on en fera quelque chose, mais déjà faudrait qu'on ait moins peur nous-mêmes.

Et là tout le monde comprend que les rapports de compétition et les rapports de domination sont incrustés. On les a pas même à fleur de peau, non – il y en a un pour murmurer « à fleur de peur » et personne pour lui demander s'il fait une image ou si c'est un lapsus – mais bien dessous, et peut-être métabolisés, impossibles désormais à distinguer de la chair, du sang, de la lymphe, des os. Alors on peut toujours gueuler contre les puces électroniques, minuscules, que les entreprises ou les administrations commencent à vouloir nous glisser sous la peau pour qu'on n'ait plus à badger ou à montrer ses papiers d'identité, « Tu tends la main et hop : on sait tout de toi »… On peut toujours gueuler, oui, elles sont bien dérisoires nos indignations, on a déjà tout ça dans le sang, ou non : pas dans le sang car il se renouvelle, lui, ou on peut le remplacer – « Keith Richards l'a fait souvent pour se purger de toutes les saloperies qu'il s'injectait, c'est de là son surnom, Dracula » – mais dans les os disons. Et comment réformer son squelette ?

Il y en a qui disent « On peut enfin respirer » et d'autres « Nos corps sont plus grands » mais c'est des images, c'est rien que des images ; le vrai c'est les ombres et les monstres. Le changement, la nouveauté, c'est la nuit.

30

Gérard Malescese

Alors j'ai mentionné l'histoire du petit salopard – quel prénom il nous avait donné je ne sais plus –, le petit jeune qui avait réussi à se faire embaucher comme intérimaire, mais la blouse lui allait très mal et comme Sarko il faisait des mouvements saccadés, genre « Ce col me gratte, c'est insupportable ». Tout le monde se souvenait plus ou moins, mais j'ai voulu raconter l'histoire pour le ministre. « Parce qu'on veut reprendre l'activité, tu t'imagines qu'on n'a pas compris des choses sur ce qu'on fait quotidiennement, ici, tu crois qu'on n'a pas conscience. Alors écoute ça. » Et j'ai raconté comment Christine s'était mise à le regarder de plus en plus, l'intérimaire, et comment elle a compris qu'il avait une GoPro sur le thorax.

— Le mec a voulu partir, il disait « Bon allez salut » et aussi « C'est bon, ça va, y a pas mort d'homme ».

Christine allait prévenir la direction mais deux d'entre nous ont voulu qu'on prenne le temps de parler.

— Je dis pas leur nom, c'est pas le moment de rappeler nos disputes.

« Pourquoi être solidaires de la direction ? C'était la direction qui voulait le secret, éviter les regards indiscrets… Est-ce qu'on n'a pas tout à gagner à faire connaître nos conditions de travail ? » C'était leur argument. Que le guignol a répété, petit perroquet : « Ils ont raison vos collègues ! Pourquoi protéger vos patrons ?! » Mais c'est aux deux que j'ai répondu : « Et si ce mec est envoyé par la SVBM ? Tu crois pas ça possible ? Tous les abattoirs savent qu'on a des problèmes alors si par-dessus nos problèmes d'argent des images commencent à circuler pour dénoncer je sais pas quoi, comment tu crois que les éleveurs vont réagir ? T'es vraiment certain toi, Super Malin, qu'ils vont continuer à nous amener leurs bêtes ? » « Mais non, pas du tout, je suis journaliste. Regardez, voilà : ma carte de presse. Je ne bosse pas pour un autre abattoir. » On l'a même pas regardée sa carte de presse. Depuis quand c'est une preuve, la carte de presse, qu'il ne déformera pas ce qu'on lui a dit ?

Non, le vrai truc était de savoir à qui ces images pouvaient servir ? Si la boîte ferme, nous, qu'est-ce qu'on devient ?

Est-ce que ces images peuvent nous servir ? Est-ce qu'on est collés-serrés à l'entreprise ou est-ce qu'elle peut se faire cogner sans qu'on ait mal ? Déjà ça c'est compliqué. Les deux collègues étaient fumasses, qui voulaient qu'on laisse Guignol tourner. Mais aussi surtout ils étaient de plus en plus gênés et comme ils continuaient – mais gênés – à défendre cette idée, on a commencé à se demander si ce s'rait pas la leur…

Daniel a pas eu tout de suite le même soupçon et il a continué :

— En fait on veut pas être vus en train de faire ces gestes-là, avec la façon qu'on a de les faire, c'est-à-dire en s'en foutant complet apparemment, comme des machines. Et l'image filmée par ce type elle dira rien d'autre, elle montre pas la tempête dans nos crânes, bien sûr. Prendre les poussins vivants, qui piaillent et tout le monde autour de nous, et à la télé, et dans les magazines, tout le monde trouve ça mignon, tout doux, eh ben les prendre et les jeter comme les machines qu'on est. On fait des gestes mécaniques parce qu'on nous dit d'aller vite. Car c'est pas nous qu'on règle la vitesse du tapis roulant !

Quelqu'un a complété :

— Ces piou-piou qu'ils font, leur façon de parler, ça va bien avec la douceur des duvets, mais si ça se trouve, dans cette langue des poussins, c'est des cris d'horreur, des SOS. On dit que les chiens hurlent quand la mort traîne dans le quartier, non…

Gros silence, on les entendait tous crier.

Le laisser filmer et diffuser les images pourrait permettre de faire connaître les mauvais traitements à l'animal, et donc les mauvais traitements aux salariés… ?

« Vous êtes à la masse ou quoi ? » on leur a demandé – on était furieux à cause de la bêtise. Et là je ne sais plus qui leur est rentré dedans : « En fait c'est vous qui l'avez fait entrer ce guignol !… »

On refusait le film. « C'est toujours la panique des poussins que les gens i'vont ret'nir. Un poussin, qui c'est qu'a pas envie de le caresser ? Un poussin maltraité, un seul !, et on en prendra plein la tronche. Dans ces cas-là c'est toujours la victime la plus faible qu'on va pleurer, et on s'demandera pas si faut choisir, vraiment, entre un poussin et un salarié de La Générale. Le témoin c'est notre visage sans expression qu'il va retenir, sous la charlotte, c'est nos mains qu'il va fixer, les coups de pied qu'on peut donner quand y en a un qui réussit à sauter du tapis roulant… »

On s'engueulait donc très fort, les deux étaient agressifs tellement ils avaient honte – je veux croire – de ne pas nous en avoir parlé, et aux autres collègues ; d'avoir voulu nous sauver sans nous prévenir c'était quand même le signe qu'ils étaient pas bien sûrs du stratagème… La honte leur donnait envie de mordre au lieu de reconnaître l'erreur. Il y a même eu des coups de poing, ce qui est moche. Mais en fait ces poings contenaient des graines, il fallait seulement qu'ils s'ouvrent, se désarment, pour qu'elles tombent à nos pieds.

— Ils avaient honte tous les deux, et c'était insupportable pour nous aussi. On s'est comme promis de ne pas laisser quelqu'un nous rendre honteux une autre fois, de ne pas ajouter à la misère.

Et puis… les deux c'était un homme et une femme. Eh bien l'homme s'est mis à trembler, trembler. Et il s'est mis à pleurer. La femme elle s'est pas penchée tout de suite vers lui mais quand elle l'a fait, nous autour on s'est mis à genoux. On ne le touchait pas puisqu'on venait de se coller des baffes, c'était compliqué hein de le réconforter franchement, mais dans nos têtes oui. Il tremblait, il s'est fendillé de haut en bas. Quand ça s'est arrêté, quand il a purgé ses yeux, il est parti sans dire un mot. Quand je dis que c'est une peur terrible qui venait de le mettre par terre c'est mon idée, je peux pas être certaine. La peur qui vient après… Face à un danger tu arrives à réagir mais une fois le danger passé tu manges la terre et les orties crues. Il venait de nous mettre tous en danger – c'est ce qu'on pensait, ce qu'on venait de lui opposer, et il l'avait entendu apparemment, finalement. Tous les deux avaient voulu poser une bombe dans les poches de la direction, et elle venait de leur péter entre les mains. On était tous à l'entourer sans le toucher, avant qu'il parte, on est restés comme ça quand il est parti, à genoux, en cercle. La scène ressemblait à un serment. Qu'il ait eu peur pour le groupe et qu'on soit comme ça en cercle, voilà, c'est à ce moment-là que quelque chose a commencé pour nous, et on l'a tous compris.

Avec les yeux le ministre m'a remercié de lui avoir raconté toute l'histoire, et Fatou, qui l'a encore défié, à ce moment-là, du regard, mais en lui faisant comprendre qu'elle est pas méchante, je crois. C'était notre horizon commun qui se dégageait. Tout n'avait pas servi à rien.

***

— Tu sais Fatou, tout à l'heure ce que t'as dit, pendant l'AG, c'était exactement ça. Ma fille… Un jour je rentre c'était le soir je pousse la porte de sa chambre et je vois quoi ? Qu'elle a mis un poster avec des poussins au-dessus de son lit. Je lui ai fait enlever tout de suite ! Elle a pleuré hein, et certainement parce que je voulais pas expliquer, mais ça je voulais pas, non, fallait qu'ça disparaisse. Elle pouvait pas rêver et adorer un truc que moi je passe mes journées à trucider, c'était pas possible. Et ça je pouvais pas lui dire non plus. Expliquer pourquoi je la privais de son poster. Je lui ai acheté des chatons, elle les a affichés dans sa chambre, mais ça remplaçait pas les arguments que je lui devais. Tout ça pour dire : le champ de bataille dont vous avez parlé, avec les trous des bombes, et qu'on voit plus rien et qu'on comprend pas qu'on est en guerre, c'est aussi un poster écœurant de rose dans la chambre d'une ado.

— Et après, nous, dans les manifs et les blocages des

bureaux on fait des pancartes pour rappeler aux patrons et aux actionnaires qu'ils peuvent pas nous jeter comme ça.

— C'est humiliant d'avoir à faire des gestes dégueulasses. On se dit « Ils vont mourir bientôt donc c'est pas grave » mais c'est humiliant d'avoir des pensées comme ça.

***

— Et vous c'est quoi votre façon de regarder les animaux ? Vous faites quoi de mieux que nous, monsieur le secrétaire d'État ?

— Oh moi je ne peux pas vous faire la morale, sur ce point, parce que je chevauche, m'a dit mon psy, une jument qui n'en peut plus, qui est hors d'âge ou à bout de forces. Don Quichotte est trop pauvre pour la nourrir.

Il s'est tu. Je suis certain qu'il ne comprenait rien à ce qu'il venait de dire.

— C'est obscur ?

Puis, mais sans provocation m'a dit Fatou :

— Mais j'avoue que certains de ces reportages m'ont tellement dégoûté que oui j'aurais pu devenir végétarien.

Et on est censés pas prendre ça comme une provoc ? Je crois que j'aurais préféré que c'en soit une !

***

— Vous savez, ce qu'a dit Fatou hier pendant l'AG du soir c'était vraiment très bien. Les images des poussins broyés par la vis sans fin, tout le monde est contre ; et les images du secrétaire d'État retenu, qu'ils se fabriquent dans la tête, tout le monde est contre aussi. Mais les images de nous quand on écrase des poussins et quand on fait prisonnier un homme normal, là y a personne pour être ému vers nous. Eh ben cette solitude est dégueulasse, elle me met en colère. Je ressens la même chose qu'au moment de l'affaire Air France. La chemise… ! La putain d'chemise ! Le comité d'entreprise barricadé, les camarades qui doivent arracher une grille pour accéder à leur propre comité de leur propre entreprise ; les cadres qui fuient devant leurs salariés, ou employés ; l'hôtesse de l'air qui parle à ceux qui sont encore là avec des larmes enfoncées dans la gorge et ces connards qu'arrivent même pas à la fixer, la regarder dans les yeux, ni à lui répondre, alors elle parle, elle trouve l'énergie de se relancer toute seule… Vous n'avez pas vu cette vidéo ?! Elle parle, elle décrit son quotidien et en ne lui répondant pas ils disent : « Je ne sais pas décrire autrement le monde. » Ils ne savent pas raconter le travail autrement qu'à sa façon, dans laquelle l'un et l'autre la baisaient, et tous les autres. Est-ce qu'ils se sont tus pour fixer les salariés dans cette salle ? C'est possible car dehors au même moment il y a des huiles qui tentent de fuir, et des salariés ou des employés qui leur courent après, qui les rattrapent et ils les coincent, et alors là, oui, l'irréparable, le truc que tu regrettes toute ta vie, le truc pour lequel tes enfants te demanderont des comptes, pour la honte sur la famille, toutçatoutça. Tu bouscules le DRH de ta propre boîte et il s'en sort exfiltré sans un bleu, sans une égratignure, mais la chemise – pas tout le costume hein –, la chemise en lambeaux, ah cette chemise ! Le stade ultime de la violence. Pourquoi je rappelle ça ? Mais parce que Fatou n'a pas dit autre chose hier ! Quand ils ont déchiré cette chemise, la réaction de tous les journalistes et de tous ceux que les journalistes ont l'habitude d'inviter à parler, cette réaction, non, elle n'a pas été violente, elle, non, pas du tout ! Tous les grands bourgeois des médias hurlant contre cette violence invraisemblable faite à trois morceaux de tissu, un bien de consommation, ce n'était pas violent ?

— Hurler quand une voix s'élève de l'endroit exact où tout le monde se tait presque tout le temps, où tout le monde supporte tellement qu'on finit par croire que c'est aussi naturel que respirer, hurler comme l'ont fait les journalistes et les hommes politiques pour condamner, sur tous les plateaux de télé, dans les studios de radio, en utilisant tous les éditos dont ils disposent, hurler comme ils l'ont fait contre les salariés d'Air France, écrire « Le jour où Air France tomba dans la violence » c'est une violence énorme, aux conséquences, à l'écho assourdissant, touchant l'immense partie misérable de la population.

— Alors qu'en face il n'y a eu qu'un cadre pour avoir peur pendant une heure.

— Oui.

— …

— Vous dites ça, et vous m'enlevez tout un scaphandre. Ou vous me sortez d'un cercueil.

31

Céline Aberkane,
conseillère affaires sociales

Ils me font attendre près de ces portiques qu'on voit dans les reportages sur Fukushima, et de toute une batterie de gels antiseptiques au format industriel.

Ils me poussent à nouveau vers le parking et la cellule de crise et je vois fondre sur moi une armada de conseillers, de flics, des gens du ministère, et d'autres de Matignon. D'emblée je les sens violents : une bande de desperados. Et ça n'a pas manqué ; ils nous ont tout de suite sortis du jeu. Une heure plus tôt le préfet était encore shérif… il n'a plus d'insigne maintenant, il se balade à poil, hagard en tous les cas.

Impossible de les suivre, nous sortons du cadre à toute vitesse.

L'ordre ancien s'effondre avec une facilité qui fout le vertige – est-ce qu'il était tout pourri à l'intérieur ?

Je m'accroche, j'ai encore le sentiment de cette urgence. À l'intérieur je tremble comme une feuille. Est-ce qu'on peut avoir les joues froides et le cœur brûlant ? Je ne peux pas ne pas en être. Je fais mon rapport tout en laissant entendre que je cache des éléments. Ils ne sont pas surpris – dans ces moments-là, il faut croire, tous les coups sont bien permis. À la différence du préfet ils ne me demandent pas, eux, quel est mon camp ; ils comprennent, ils feraient pareil. Dans quel camp ? Sans doute le mien. Tout est pour ma gueule, c'est une affaire de stratégie perso. Si je gagne, on louera pourtant mon sens de l'État, mes capacités décisionnelles. En fait je ne cache rien, je ne veux que ralentir ces types qui vont trop vite pour moi et je n'ai pas le temps de les deviner. Je décris comme il est difficile de parler à un groupe quand on n'est pas sur une estrade : « On ne sait pas qui regarder, on a surtout peur de s'énerver ; comment tu fais pour t'en tenir aux arguments quand tu es seul face à tant de visages ? » Tu en fixes un dans les yeux et aussitôt les autres ne sont plus tenus et ils peuvent alors te regarder avec mépris – s'ils ont du mépris. L'absence d'un représentant qui parlerait au nom du groupe n'a vraiment rien arrangé ; ils me parlaient à tour de rôle, je ne les écoutais pas tous pareil. Une sorte de tri instinctif et certainement douteux… Je passe d'un visage à un autre en cherchant à deviner à quel endroit le rideau de branches et de feuilles s'ouvrira, déchiré par une bête qui me sautera à la gorge.

Ils ne vont pas m'écouter une minute de plus ; ça se voit, ils s'en foutent complètement.

Puis j'ai ajouté : les grévistes ne demandent rien. Je dis aux deux molosses de Matignon que je suis restée le stylo prêt à noter, pendant peut-être dix minutes. J'attendais, je croyais qu'ils n'avaient pas commencé. Ils avaient commencé : j'allais noter leurs revendica-

J'essaie de me foutre de leur gueule mais je ne voudrais pas recevoir une photo de moi pendant ces dix premières minutes. J'attendais qu'ils se disent « très déterminés » pour voler à leur secours – « très déterminés » veut toujours dire qu'ils vont commettre un geste que tout le monde va critiquer. Mais rien, tout se passait ailleurs.

tions mais ils annonçaient en fait, ils ne réclamaient pas. « Le ministre n'est pas la monnaie d'échange qu'on a d'abord cru, ils n'en ont pas parlé. C'est un bouclier, c'est tout. Ils ne disent pas "Contre ça, on vous le rend", non. Vous saisissez la différence ? »

Ce midi ils ont parlé une langue à laquelle je n'ai rien compris.

— Qu'ont-ils fait de la détresse ?

Les deux molosses de Matignon sourient en grognant. Cette naïveté m'a échappé.

La détresse – et c'est fou – elle ne suffit jamais. À faire basculer les indécis, ou l'opinion publique. La détresse n'excuse rien.

Ils se regardent. *Elle a enfin terminé ?* J'ai parlé deux minutes, grand maximum. Ils me disent et aux autres : « C'est plus la ligne. » Ce n'est pas un commentaire de ce que je viens de dire. Ce que je viens de dire n'a pas eu lieu. Quoi, « c'est plus la ligne » ? « C'est plus la ligne. » On ne me demande pas de sortir pour autant, je ne suis pas écartée comme le préfet, ou Charles, mais ils ne disent rien de la nouvelle ligne – je comprends ou je ne comprends pas, c'est pareil. Ni ce qu'elle sépare, cette nouvelle ligne – quel monstre à droite et quel ravin à gauche. Ligne d'attaque ? De défense ? Ils prennent deux minutes pour s'installer, Mac et téléphones. On les regarde, nous, ahuris. Quand ils relèvent la tête c'est pour redistribuer les rôles.

— Vous ne parlez plus aux journalistes.

Je souris intérieurement. L'effet désastreux de mes interventions devant les caméras de la télé. Ne pouvait que. Certains députés auront reconnu mon visage à l'écran, ils seront intervenus. Comment pouvait-il devenir le leur, ce visage, celui du retour à l'ordre, alors que j'ai réussi dans deux conflits au moins, il y a quatre ou cinq ans, à leur tenir la dragée haute. « On a bouffé notre chapeau. » C'est non, elle dégage.

Je ne suis pas à l'aise, je sursaute quand un mec se gratte la barbe. Je transpire à nouveau.

Mais ne plus parler à la presse signifie que je suis encore de la partie. Quelqu'un estime avoir besoin de moi.

Sur le trottoir d'en face aussi, ils ne m'ont rien dit en quelque sorte. Si j'ai la nausée, c'est à cause de la chaleur qu'il fait ici. Je suis stressée.

Ils sont prêts. Le préfet est là, mais il est en miettes. Je le regarde une dernière fois, je deviens impitoyable.

— D'après les premiers rapports (depuis lundi 15 heures), les cent vingt personnes qui sont dans l'usine se disent furieuses. Pour autant la situation ne dérapera pas : ni la vie du secrétaire d'État ni le sort du matériel ne sont des paramètres. Pour l'instant. On continuera à examiner ces critères à chaque réunion mais pour–

— Pardon mais d'où tirez-vous cette assurance ? Vous n'avez pas lu le rapport du colo–

— Dans le Falcon, si, et nous pensons que c'est une blague. Pour les trois heures à venir nous décidons que c'est une blague.

« La situation ne dérapera pas. » Ces types ont la ligne directe de Madame Soleil ou d'Elizabeth Teissier ? Ou alors c'est l'habituel cynisme ? Celui qui fait dire « Laissons-les manifester. Ce soir ils seront chez eux devant le JT pour se voir sur les images de la manif ».

Ils sont pourtant là pour quelque chose ou pour quelqu'un, ces experts, non ?

Pour l'heure, la seule personne en grand danger, le soldat qu'il va falloir exfiltrer de cette affaire, c'est le gouvernement ? C'est off, évidemment, puisque moi-même j'en suis réduite à émettre des hypothèses – c'est même aussi secret que les taxis de la Marne et les miches de pain de Pont-Saint-Esprit. Claro ? Officiellement on se bat, le gouvernement accordera des trucs, des machins, des 1,2 %.

Qu'ils disent « on » pour « le gouvernement », avec cette autorité, et j'ai des frissons qui me remontent le dos, les gouttes de sueur au gant de crin.

32

Pascal Montville,
le ministre

— Le problème avec le fait de prendre le contrôle des machines c'est que le juge pourrait exiger que les machines soient restituées au propriétaire le temps de la procédure, et dans ce cas il demandera l'évacuation. Car il s'agira alors de droit privé, c'est donc un vol, ce n'est plus de la politique. Le gouvernement espère cette bascule-là, et c'est ce que nous devons éviter, notre combat doit rester politique.

— Il fera même appel à une société de surveillance qui nous tiendra éloignés des machines. Avec ces gros bras, il pourra démanteler l'usine, vendre les machines au Maghreb par exemple, ou en Albanie.

À ce moment-là quelqu'un a dit que l'important était de tenir jusqu'aux beaux jours – dans quel but, *nobody knows*, mais j'ai enchaîné :

— On pourra alors chanter « April in Brest ».

Il y a eu un « C'est quoi ? » alors j'ai fredonné « April in Paris » et pendant quinze secondes au moins je me suis pris pour Ella Fitzgerald – un luxe fou ! Pourtant, quand j'ai rouvert les yeux, ils me regardaient tous, ils étaient gênés pour moi – sauf celui qui avait inventé cette paraphrase évidemment, qui lui jubilait de communier dans le jazz avec moi.

On a repris le cours des réflexions en cherchant comment la SCOP pouvait utiliser l'usine, pour y faire quoi de plus propre, ou tout simplement comment. Mais durant tout le temps pris par Omar pour détailler les systèmes qu'on pourrait mettre en place pour rendre l'abattoir vertueux en termes de dépense énergétique, j'ai eu l'œil attiré par ce Cyril, et les petits mouvements qu'il faisait, hochant la tête pour accompagner les mots d'Omar. Mais tout s'est déréglé et j'ai compris qu'il n'était plus calé sur l'orateur, qu'il battait la mesure en fait – sans le savoir lui-même car ses mains ne bougeaient pas, ni ses pieds.

— Pardon Omar… Cyril, le tempo est trop rapide…

Cyril m'a regardé. Et puis il a compris, et il a éclaté de rire.

— Euh, on vous dérange ?

— En suivant le rythme de ses mouvements de tête, j'ai compris qu'il se chantait « April in Paris » mais sur un tempo bien trop rapide. Même Charlie Parker le joue plus lentement, ah ah !

— Donc personne ne m'écoutait ? Vous étiez sur FIP c'est ça ?

— Omar, le prends pas comme ça ! Je t'assure. Tu vas recommencer où on a décroché, quand Bill Evans termine de jouer le thème, et cette fois, on n'écoutera que toi. Et on t'écoutera plus légers, plus intelligents.

Nos visages radieux, complices, tout passa très mal. Omar était vexé, d'autres un peu consternés, mais on ouvrait la porte à des moments ratés, à des bifurcations, à des choses inattendues. Les luttes sociales sont racontées comme une succession de moments tragiques implacables. Est-ce que ce sont celles qui vont au bout ? Dans une manif, les voix qui n'ont pas de micro sont souvent pleines d'humour, de chansons drôles et mordantes. Avoir des plaisirs un peu ivrognes est-ce que ce n'est pas déjà l'insurrection ?

Notre bonne humeur était coupable, oui. Elle révélait une immaturité inattendue, bien peu aimable apparemment. Je me suis à nouveau ébroué car certains ont insinué que si j'étais là pour ça, alors je n'avais rien à faire dans l'atelier. Ma passion jouait contre moi.

— Ah pardon de l'ouvrir mais–

— Tu veux qu'on en fasse quoi de cette chanson ? De ce truc d'Américains, de leurs clichés sur Paris ? Le printemps, les amoureux et je sais pas !

Ah, tiens, il connaît les paroles de la chanson !

— Tu connais « April in Paris » ! Si tu dis ça… Tu la connais mais tu ne veux pas le dire. Tu enlèves de ta personne ce qui ne correspond pas. Mais l'image d'un guerrier, l'image que tu t'en fais, ceux d'en face ils ont la même. Les CRS nous voient comme des hommes et des femmes qui vont se sacrifier. Nous allons perdre notre paye en faisant grève, nous allons perdre le peu que nous avons. Ils nous voient comme des hommes qui ne dansent pas, qui ne se marrent pas. Donc vous parlez la même langue, les CRS et toi, et tu risques pas de les surprendre.

— ?

J'ai laissé passer quelques secondes, le terrain où il voulait qu'on se bagarre était en train de s'effondrer. Il n'y a pas d'un côté la lutte et de l'autre les blagues de cul.

— C'est ce qui pousse au combat, qui est tragique, la misère, les conditions de vie ; mais le moment lui-même, le moment de l'insurrection, c'est une brèche, c'est la vie qui revient, il faut que ce soit une brèche, par laquelle de la lumière–

Le terrain s'effondrait et j'ai entendu l'immense fracas que j'attendais. Alors j'ai demandé :

— Vous acceptez qu'on interrompe l'atelier pour que je raconte un truc ?

En 1997 je faisais partie d'un club, un truc d'idées pour la gauche. Quand Georges Marchais est mort, parce que j'étais le plus jeune on m'a demandé de représenter le club au sein de la délégation menée par le PS. Marchais je le connaissais pour l'avoir vu à la télé, quand j'étais gamin, et adolescent. Mais je le connaissais plus encore par sa marionnette du « Bébête show » évidemment. Alors la veille de l'enterrement je suis allé passer quelques heures à la BNF pour travailler le sujet : lui dans des débats télévisés, lui dans des discours interminables, et des vidéos montrant Thierry Le Luron en train de l'imiter, une ventouse sur la tête, demeuré, menteur (« Dites donc c'est sensible vot'truc, là ! ? »), et je me suis retrouvé le lendemain sur le parvis avec en tête l'image d'un homme déconcertant : longtemps patron du PCF mais uniquement con pour les médias – à ce point grande gueule qu'il en était con, tout le temps, sans gêne. La postérité sans doute est une belle vache.

Du coup, au cimetière de Champigny-sur-Marne – dont on avait abattu un mur pour permettre à la foule d'entrer – je n'ai pas pu me mettre au diapason de l'émotion. Pendant le troisième discours j'ai même entendu sa marionnette qui s'étranglait (« Oh gri-gri-gri-gri-gri ! »). Et puis on annonça un temps de recueillement, et la diffusion de morceaux de musique, choisis parmi les disques de Marchais. « Ce sont ceux qu'il écoutait le plus. » Étant donné le peu de relief intellectuel qu'avait le bonhomme, j'étais certain d'entendre des choses convenues. Non pas du musette mais des trucs capables de l'enterrer plus sûrement que l'enterrement réel (Joan Baez par exemple ou « Bella Ciao »). Les journalistes échangeraient des sourires, le moment serait horrible. Et dès le premier morceau, dès ses toutes premières mesures, j'ai fait le chien – immédiatement. J'ai eu les oreilles dressées. C'est quoi ?! « C'est quoi » car ça ne pouvait pas être ce que je venais de reconnaître : « Bitches Brew », de Miles Davis, sa période électrique et free, un des monuments du jazz le moins sexy a priori, mais le plus dingue peut-être. On n'écoute pas Armstrong, ni Billie Holiday – et déjà, sa mélancolie de fille perdue m'aurait surpris – ou un truc recyclé, affadi par les médias et par les ascenseurs, Stéphane Grappelli par exemple, ou bien Sidney Bechet. Non c'est « Bitches Brew ». Ce n'est pas « So What », ou le « Concerto de Aranjuez », ou « Ascenseur pour l'échafaud ». Non, c'est du free jazz, par des jeunes loups qui casseront la baraque dans les mois qui suivent : John McLaughlin, Wayne Shorter, Joe Zawinul, Chick Corea, Jack DeJohnette, et j'en oublie… Le truc le moins dansant, le moins mélodieux. Mais un truc dingue évidemment, poisseux comme certains morceaux jungle des années 30. J'étais ahuri d'entendre ça et d'apprendre qu'il avait adoré ce morceau, ou tout le double album – au point qu'il semble incontournable à ses enfants comme à sa femme. L'enterrement d'un homme c'est pourtant le jour du consensus, non ? On solde les disputes, les agacements. J'ai alors tourné sur moi, cherchant quelques trotskistes… J'en ai trouvé. Ces gens-là acceptaient de pleurer un stalinien. Même eux acceptaient le consensus « en ce jour si particulier ». Et on passait « Bitches Brew » ! Qu'on ne peut vraiment pas trouver de *circonstance* ; ni le son, ni le rythme, ni le propos – un « brouet de putes », ou « de salopes », c'est quand même ça la traduction ! J'étais hystérique intérieurement, j'aurais voulu partager ma joie mais j'étais jeune, entouré de gens que je ne connaissais pas – les élus étaient assis dans les premiers rangs, derrière eux se tenaient les types qu'on avait délégués comme moi. S'il avait été là – vivant je veux dire – j'aurais embrassé Georges, et je l'aurais bombardé de questions. Quelque chose d'abject de la politique apparaissait à ce moment-là : on avait fait de cet homme un crétin, et lui-même n'avait pas produit beaucoup d'efforts pour se montrer complexe, ayant plusieurs facettes. Et pourtant il avait passionnément aimé ce jazz élitiste, peu racoleur ou séduisant, pattes d'eph, dope, ce jazz qui sentait encore les bas-fonds. Il avait été l'homme de cette culture-là : électrique, free, pointe des années 70. Lui la grande gueule infatigable, il avait aimé Miles le taiseux, l'homme des collectifs ; lui le chef omnipotent avait aimé celui qui, de tous les musiciens, aura su le mieux laisser la première place à ses seconds. De Coltrane, Wayne Shorter et McLaughlin, il fit des leaders qui allaient à leur tour bouleverser les frontières de la musique. Cette musique qui, après le meurtre des dirigeants des Black Panthers, refusait à nouveau de faire des compromis – ne surtout pas être le vingtième nègre de service –, cette musique qui dès le titre parlait de putes, de cette énergie qui brasse les rues, les flux de voitures et de camions, l'énergie sombre et glauque, droguée mais souveraine, high mais royale – dans l'énergie dorée de la ville –, pleine d'une morgue qui fait du bien, te redresse, te souffle entre les omoplates, dans les narines. Il avait été cet homme-là, Marchais, et ne l'avait jamais dit, et n'avait jamais cherché à le faire savoir, et puisqu'il ne l'avait pas fait on pouvait imaginer qu'il était resté muet par choix, par stratégie. Ça ne pouvait être un oubli – puisqu'il aimait ça passionnément. Ça n'avait jamais transparu pourtant. Et tout le monde s'était accommodé de la caricature sans enquêter. Pourquoi se taire ? Pourquoi les autres se sont-ils tus aussi ?... Voilà cette vie politique bien dégueulasse, la voilà qui a peur des explications trop longues et des formes alambiquées. Mais le PC a toujours dit que le jazz, avant d'être une partie de la culture américaine, était d'abord la musique des esclaves noirs se faisant entendre, aux États-Unis. Il a toujours dit ça, autorisant ses dirigeants, ses militants, même pendant la guerre froide – a fortiori pendant la guerre froide –, à revendiquer une prédilection pour cette musique qui faisait pousser une autre Amérique dans le ventre de la première – qui était en fait la seconde. Charlie Mingus, Billie Holiday. « Strange Fruit », *Mémoires d'un chien.*

— Imagine : Marchais tirait pas la force d'être Marchais de « Bella Ciao » ou des chœurs de l'Armée rouge. Imagine : il tirait la force de se battre de « Bitches Brew », de Miles Davis…

33

[ex-syndicaliste ? Hamed ?]

Elle porte un tailleur qui ne lui va pas du tout, c'est sûr. Ses épaules sont plus carrées, elle est comme engoncée.

Céline est sortie sonnée de cette deuxième réunion. Je l'ai vue, je la connais assez pour le savoir. J'ai beaucoup aimé voir ses yeux et sa bouche désorientés ; c'était un baromètre de ce qu'on était en train de réussir. Alors je me suis dit : « Moins elle comprendra, plus on sera dans le vrai. » Voilà ce qui arrive, Céline, quand on se met à fréquenter des politiques et des préfets ! Puis, si t'es paumée, maintenant, c'est que t'es encore syndicaliste. Tu fonctionnes encore avec ce logiciel. Et la forme qu'on a donnée à la lutte ne correspond à rien pour vous, c'est ça ? Pourtant tu les as vus comme moi il y a cinq ans, dans NOTRE grève, les politiques, les flics et les négociateurs des trois centrales. Et ça n'a pas tilté comme dans ma tête ? J'aurais dû te le faire comprendre à l'époque… Ils parlaient la même langue ! Tous avaient intérêt à ramener l'ordre dans l'usine, Henri nous a roulés dans la farine – toi, moi, les autres. Il y a cinq ans ils ont reçu sans broncher nos exigences. Ils se foutaient pas mal que ce soit malin, ou saugrenu, ils ont quasiment tout validé, parce qu'ils savaient que, par-derrière, ils nous la mettraient avec du gravier – comme disait l'autre.

Les choses dures doivent être dites. Je l'ai fermée pourtant. Aujourd'hui je sais (ou je crois savoir) que l'échec de cette grève m'a plongé dans un truc à la consistance pâteuse ; comme un tonneau sous la gouttière je me suis rempli d'une eau bien dégueulasse, amère. L'amertume c'est ce qui ne ronge que toi, c'est quand tu ne boxes qu'avec toi-même. Je m'en voulais, j'étais en colère après moi, d'avoir lutté plusieurs semaines contre des sacs de sable et pas contre des adversaires.

Les syndicats détestent ce qui est inhabituel. Les syndicats ne sont pas révolutionnaires, ils sont légalistes. Au bout du compte les syndicats sont contre les initiatives.

Quand tu deviens l'interlocuteur de la direction de l'usine, du préfet, d'un ministre, tu deviens légaliste. Si le ministre saute, si l'usine ferme, tu n'es plus celui qui leur parlait.

C'est la colère qui te pousse vers le syndicat, c'est la peur qui te maintient dans tes fonctions ; les grades te donnent le sentiment de ton importance et exactement comme dans le privé on voit rarement quelqu'un lâcher sa fonction pour une autre, moins élevée à l'intérieur de l'organigramme.

Une situation folle ne verra pas le secrétaire général de la CGT participer à une action musclée. Ça fait longtemps qu'il est devenu respectable et que sa veste en cuir est nécessaire à la photo. Sans cette touche vulgaire, les autres jouiraient moins de leurs costumes italiens.

Céline n'a pas été achetée pourtant, ça je suis prêt à le parier, mais elle continue d'être où on attend qu'elle soit, elle est fidèle au poste.

Je me suis rapproché. Elle était sonnée par la radicalité

de nos refus. On lui a d'abord donné l'impression d'improviser.

— D'abord on ne savait pas ce qu'on voulait et maintenant nous demandons la lune ?

Elle s'agace. Elle comprend que c'est l'un ou l'autre et qu'à un moment elle se sera trompée sur notre compte.

Les gens seuls (les chefs par exemple) se trompent toujours sur le niveau d'intelligence des foules.

« L'histoire des mouvements ouvriers est pleine de gens comme toi », voilà ce que je pourrais lui dire. Ou aux camarades enfermés comme moi dans l'abattoir. L'histoire syndicale compte plein de périodes où l'inertie aura été possible grâce à la connivence d'un délégué. Invoquant des stratégies à long terme ils décidaient de ne pas soutenir telle ou telle colère. Du coup une méfiance s'est installée, portée ou entretenue par l'anarcho-syndicalisme. Et une histoire souterraine des mouvements ouvriers a commencé de s'écrire, les ouvriers en lutte face aux patrons, d'un côté, et face aux forces de l'ordre, dont les syndicats traditionnels. C'est ma vision. Alors, les syndicats c'est quoi ? Des organisations qui détestent être débordées sur leur gauche, par plus désespéré ; qui détestent se voir retirer le titre de porte-voix des malheureux dans les salons bourgeois. Bourgeois eux-mêmes, *ipso facto*. Du coup, tout ce qui n'entre pas dans le cadre de ces échanges bien définis, bien bornés, tout ce qui est de l'ordre du débordement, de la tempête, tout ça oui, tout ça échappe à l'histoire officielle écrite par les bourgeois et par ceux qu'ils ont identifiés, validés, reconnus comme leurs interlocuteurs. Ce qui s'est passé en Italie entre 1969 et 1976 est peu connu, ça ne fait pas partie des grandes dates de l'histoire des gauches – celles qui font les lois, le patrimoine, les conquêtes syndicales. Moi, ce qui s'est passé à ce moment-là dans le nord de l'Italie, j'en suis devenu complètement dingue alors tu comprendras : quand j'ai entendu le ministre en parler, j'étais surpris mais au septième ciel. Des choses folles ont été accomplies dans le dos des syndicats. Ou si ce n'était pas dans leur dos, au moins les travailleurs ont-ils réussi à prendre de la vitesse en ne les attendant pas – lourde machine à faire bouger. Il y en eut plein, des moments comme ça, l'Italie c'est un vivier, un festival : à Turin en 1970 c'est toute une rue (près de 1 000 personnes) qui refuse l'augmentation des loyers par l'office HLM de la région. En 1974 tout le quartier du Vallette (Turin encore) refuse l'augmentation des tarifs du chauffage – près de 2 000 foyers. En 1974 encore, deux banlieues de Turin refusent l'augmentation du ticket de bus. Qui chargeait principalement des ouvriers de Fiat. Qui continueront de payer l'ancien tarif, et le transporteur sera obligé d'abandonner. Pareil en 1974 avec l'augmentation des tarifs de l'électricité, décidée par le gouvernement – de manière dégueulasse elle est beaucoup plus lourde pour les ménages que pour les grandes entreprises. En très peu d'heures 150 000 familles vont se mettre d'accord sur un principe et une façon de procéder. À chaque fois les syndicats sont dépassés. Parfois ils essaieront de soutenir l'initiative, en mobilisant leurs troupes pour collecter les loyers de façon à ce que les familles ne se retrouvent pas prises au piège d'un face-à-face individuel avec le bailleur, qui les aurait amenées à céder, les unes après les autres – à coups de menaces et d'intimidations – sur ce qui avait été décidé collectivement ; et parfois ils seront les complices objectifs des ennemis du peuple, en s'efforçant de freiner le mouvement, par crainte que cette agitation nuise aux négociations que le PCI menait ailleurs, sur un autre sujet. Comment leur pardonner ces compromissions, quand c'est la multiplication des brasiers qu'ils auraient dû toujours souhaiter ? Lire les pages qu'on peut trouver en cherchant bien, relatant ces années-là, c'est d'un coup entendre parler d'un monde que les médias manquent obstinément ; cette intelligence des groupes, ils ne la comprennent pas, elle ne rentre dans aucune case.

Les médias sont de droite, même quand ils sont à gauche – ils ne pensent pas que la générosité existe, ils croient qu'un groupe est toujours bête, et violent.

À Turin par exemple, en 1970, cette chose complètement belle a bien eu lieu : des familles investissent des appartements sur le point d'être livrés. (Là, j'expliquerai à mes collègues que l'Italie n'a pas construit autant de grands ensembles que la France, entre 45 et 80 ; on y trouve encore beaucoup de taudis et la pression immobilière est colossale, alors quand un immeuble est achevé, les appartements vont souvent aux pistonnés, tout le monde joue des coudes, etc.) Pour régler le problème, le promoteur décide de convoquer les familles auxquelles ces logements ont été promis quelques mois plus tôt, espérant les liguer facilement contre les squatteurs. Mais à la grande surprise de ce connard, ces familles annoncèrent qu'elles ne prendraient possession des appartements – attendus, pour certains, depuis quatre ou cinq ans – qu'à partir du moment où le promoteur aurait trouvé une solution de relogement pour chacune des familles de squatteurs. Est-ce que ce n'est pas incroyable ? Je m'imagine, moi, avec un ou deux enfants par exemple, sur le point d'emménager enfin dans un appartement plus grand que le petit deux-pièces de 32 mètres carrés où ils sont nés, mes gosses, être privé de ce nouvel appartement la veille ou l'avant-veille... Aurais-je aujourd'hui, en 2015, malgré TF1, malgré Jean-Pierre Pernaut, malgré le Front national, malgré tout Sarkozy et tout Berlusconi, aurais-je encore l'intelligence et la générosité de ne pas en vouloir à plus démuni que moi, aurais-je encore la lucidité nécessaire pour retourner ça en conflit contre les vrais salauds – invisibles, absents, mais dégueulasses et responsables ? En 1970 à Turin, c'est comme ça qu'une partie de la classe ouvrière et de la toute petite bourgeoisie réfléchissait, c'est comme ça qu'elle voyait les choses. À la façon d'un saint ou d'un héros.

***

— Tu penses à quoi ?
— À ma fille.
— Et t'y penses comment ?
— En ce moment elle chante « Petit escargot » tout l'temps.

— Mais pourquoi tu penses à ça maintenant ?
— ... Aucune idée.

— Petit escargot / Porte sur son dos / Sa maisonnette. / Aussitôt qu'il pleut–
— T'as conscience qu'à cause de toi je vais avoir ça dans la tête pendant deux jours, si c'est pas plus ?
— Il est tout heureux / Il sort sa tête.

— Petit limaçon / N'a pas de maison / Il fait la fête.
— « N'a pas de maison / Il fait la fête » ?

— Oui. C'est fou hein ?
— …
— C'est notre hymne alors ?
— Ce serait bien de trouver autre chose, je pense.

34

Sylvie – celle qu'est cintrée,
salariée

… avec une fille de 16 ans, ou un mec du même âge, c'est un peu plus fréquent. À 16 ans ça croit des choses, on se donne des allures, mais en vrai ça ne sait rien de son charme ; le sex-appeal il est comme en bouton. C'est la loi des corps et des métamorphoses, non ? Chez un adulte, c'est plus troublant.

Les nuits 3 et 4 à bavarder de tout et de rien, voilà. Mais le cinquième jour je me suis sentie tomber, dans ma tête les images ou les possibilités se bousculaient – j'avais l'impression de parler et d'agir trop vite en mode « avance rapide ». Le décor ne bouge pas à la même vitesse ; les autres ne sont pas lents, ce n'est pas ça, c'est bien moi que toute la scène propulse et il fallait que ce soit vers lui. Heureusement il ne l'a pas compris. Quand on s'est installés contre l'escalier pour reprendre notre discussion de la nuit dernière, sans sujet, il m'a trouvée vidée – il a dit « calme ». Et là j'ai compris que j'étais hors de mon assiette – c'est ça l'expression ? Lui, et ce qu'on fait tous ici dans l'abattoir… tout ça m'a rendue folle. Il n'a rien fait pour ça, c'est la situation qui me déshabillait, j'étais dépassée. Il y avait cette promiscuité, il y avait son rôle ici, sa façon d'être, ce qu'il était, et cette espèce d'intimité sans paravent qu'on inventait depuis deux jours, et le sentiment que j'avais eu qu'il s'était jeté sur moi, et tout ça il a fallu que je lui dise, c'était ma folie du jour.

J'étais épuisée nerveusement mais incapable de me taire quand même, alors je lui ai décrit cette nudité. J'étais certaine qu'il répondrait du tac au tac.

Mais il s'est redressé, le dos tendu. Dans son regard j'ai vu venir une catastrophe. C'était si net, j'aurais pu me retourner !

J'ai tout fait alors pour qu'il ne se lève pas plus. Il est comme ces chiens qui ont été battus, que le maître suivant ne rendra pas de nouveau confiants.

J'ai voulu fixer son regard pour qu'on entre en communion et le cadrer, comme on prend le poignet de quelqu'un, mais mon regard passait d'un œil à l'autre, je n'arrivais pas à le fixer ; et j'ai compris ça : nos yeux sont pas découplés. Ils visent le même point. Quand tu parles à quelqu'un, tu fixes un œil ou l'autre. Mon regard est indivisible et c'est pour ça que je divise le regard de la personne qui me fait face. On n'arrive pas à prendre les gens comme des choses entières, on est toujours en train de les diviser. On transporte la guerre partout en fait. (Les lunettes noires c'est donc pas pour se cacher soi-même, genre timide, mais pour protéger l'autre, ne pas le découper comme ça en tranches.)

Et là je passais d'un œil gauche qui est une torche d'un bleu presque glacier, qui vous fixe comme on a envie d'être collé au mur – après avoir joué au chat et à la souris –, à son œil droit tout aussi bleu à un endroit, mais avec une tache, irisée… il y a du vert, et des reflets dorés… Il n'est pas venu nous chercher, l'œil droit ; il a même quelque chose d'intérieur, de souverain et on s'y abîme, on s'y noie. Tu roulais vite et d'un coup tu dois décélérer, observer, comprendre… Une jungle et des palais ou des temples cachés par la végétation, des splendeurs.

Je ne fais pas un symbole, je ne dis pas que le ministre a deux personnalités, mais ils produisent ça : on est perdus. On veut se protéger de l'inquiétude des bêtes traquées mais on bascule dans quelque chose qui… On passe de l'iceberg et du grand ciel à l'ambre, à l'émeraude un peu noire. Quelque chose vit étrangement, ou ne vit pas, dans cet homme. C'est un lustre et une des ampoules est noire.

Je faisais des tas de gestes… j'ai fini par lâcher. Mais toujours pour le garder, qu'il ne s'enfuie pas, j'ai annoncé que j'allais chercher deux bières. Pas tant pour l'alcool que pour lui donner le temps de laisser la peur. Devant le frigo, la main sur la poignée, je le vois encore : il a envie de s'excuser de m'avoir troublée comme ça, tous les nerfs. Je me suis projetée. Il est comme ces filles embarrassées par leur poitrine ; ce n'est pas un morceau quelconque, c'est un truc sexuel et comme par malheur c'est la partie la plus avancée de leur corps, celle qui les précède partout (« Oh mais y a du monde au balcon dis donc ! »). Elle est même trop bruyante cette façon d'être annoncée, ça fait un de ces vacarmes, et c'est de mauvais goût. Alors elles voudraient s'excuser dans le métro, auprès de la serveuse chinoise, à la caisse de l'Intermarché, partout.

Je reviens lentement dans l'escalier, après une cigarette trop longue et il me dit qu'il veut bien échanger avec moi, comme la nuit précédente, mais je dois me calmer. Je ne lui demande pas ce qu'on fera de ce calme, à quoi il pourrait bien servir, et je valide. Mais il se tait, et quand après deux minutes il reprend la parole, ce sera pour me dire ça :

— En juin j'ai décidé de mettre la pédale douce sur les

anxiolytiques. À ce moment-là j'ai de nouveau entendu qu'on me parlait, j'ai vu des femmes qui me souriaient et immédiatement je suis parti dans l'autre sens. C'était impossible.

Il se tait.

— Répondre à tes sourires ou à un maquillage plus soigné que les autres jours–

— Mais pas du tout ! J'ai pas de–

— … ou à une plus grande attention dans le choix des fringues, ou à des « hasards » dans le couloir du ministère, qui ont placé Céline sur mon chemin plusieurs fois la même semaine, non, c'était impossible et j'ai passé l'été à fuir, et septembre. Je n'aurai pas une seule aventure–

— Mais non mais–

— … tant que je n'aurai pas débrouillé cette question : « Est-ce que j'abrite un monstre ? Et si oui, va-t-il s'en prendre aussi à celle qui remplacera ma femme ? » Je préfère continuer à pleurer en me branlant. Tu baisses les yeux ? Pourquoi ?

— Je peux pas être plus maquillée qu'hier, je n'ai pas de maquillage ici. Chez moi oui. Ici c'est l'abattoir. Au vestiaire j'ai deux bouteilles d'eau. Pas de rouge, pas de poudre. Renoncer à en mettre ici, au quotidien, ça permet de faire des économies. Tu n'as pas perdu de vue que c'est la guerre quand même ? Tu sais à qui tu parles ?

Je me suis éloignée – mais par principe, car je perdais son odeur ; depuis un quart d'heure, je le reniflais, au lieu de respirer pour moi, au lieu de penser *autonomie*. Il y a quelque chose d'animal ici, et c'est pas moi, et c'est pas lui. En temps normal, quand on arrive ici il y a d'abord les sas et le vestiaire, *autonomie*, et à nouveau un sas « hygiène » – le troisième.

Toute la journée quand on se parle quand on se touche on sent le chlore, l'eau de javel. Et le soir, ceux qui ont encore la force, en rentrant chez eux, ils prennent une douche pour chasser l'odeur du poulet mort. C'est un peu dans la tête mais ça veut pas dire qu'on a tort et pour toute la soirée et pour la nuit ils sentiront un savon horrible, à la vanille, au patchouli qui fait gerber.

Qu'est-ce que je peux détester ça !

Ça fait trois jours et quatre nuits qu'on est ici. On pourrait se servir des gels encore, pour se laver, mais bien entendu personne le fait – au mieux on se lave au robinet de l'évier et puis c'est tout, et nos odeurs, celles de la peau, elles remontent, elles affleurent, on se renifle et on découvre qu'on n'a plus tous la même odeur, on se distingue à nouveau. Ça change aussi les accords car avant tel ou tel caractère allait bien avec tel autre. Maintenant c'est les odeurs ou les phérotrucs, qui décident pour nous. Et même le cul donc.

35

Pascal Montville,
secrétaire d'État

Il m'a fallu quelques minutes pour mesurer la puissance de ce que venait de dire Fatou, et ensuite je n'ai plus vu que ça ; on croit que certaines formes sont des impératifs inamovibles et un jour on réalise qu'on peut se débrouiller sans un patron, et sans l'actionnaire qui ne crée pas de richesse. Les cent vingt qui sont en bas viennent de renverser tout ça, à la mesure de leur vie. Personne ne veut les racheter, pas assez corvéables ? Ils veulent bien d'eux-mêmes, eux, et déjà ça c'est fantastique : notre valeur ne dépend pas de ce marché, de la grille des placements juteux publiée par *Challenges*. Sous la pression du dehors, des salariés en viennent à indexer l'une à l'autre. Ceux-là font immédiatement une dépression nerveuse, ou ils se suicident sur leur lieu de travail, ou ils s'immolent devant l'agence de Pôle emploi. Qu'ils décident de se racheter eux-mêmes est donc une victoire déjà, la plus décisive peut-être. « Personne ne veut nous racheter ? »

« En 1980, 40 % des profits des entreprises françaises étaient reversés aux actionnaires. Aujourd'hui, ces mêmes dividendes correspondent à 85 % des profits. Cette augmentation farami-

> neuse des gains des actionnaires sert à décrire toute une partie de la misère sociale actuelle car elle explique qu'il n'y ait plus d'argent pour investir dans l'entreprise et la maintenir compétitive. Elle explique donc aussi le chômage, cette augmentation folle, et la stagnation des salaires, et l'appauvrissement des gens. »

S'il n'y a plus aucun investisseur pour vouloir de La Générale Armoricaine, c'est que d'autres sont passés par là, vidant la bête de tout son sang. Les fauves ne s'intéressent qu'aux bêtes qu'ils tueront eux-mêmes ; découvrant par hasard une carcasse encore valable, ils n'y toucheront pas. C'est l'heure des hyènes.

Je vois des fauves mais ce sont des tiques. Pas des hyènes, pas des chauves-souris : des tiques.

Je regarde les gens tourner dans le hall, ces corps qui ne sont plus arrimés…

On reproche l'utopie aux gens de gauche, ils ne seraient pas dans le réel. Ce renversement donne le vertige. La gauche est née de la misère, de la colère. Elle est née dans la tête de gens qui n'avaient plus rien à perdre, qui se brûlaient chaque jour au contact du monde. Elle n'a pas été calculée sur un boulier. Une insurrection c'est une réaction de survie, une métamorphose de la mort en forme de vie.

> Au quotidien, le monde que parcourent les employés de La Générale est un enchaînement d'HLM, de centres commerciaux et de zones industrielles. De chez eux à l'abattoir, et de l'abattoir jusqu'à chez eux… Vrai : ce monde a

tout d'un rêve, il faudrait être con pour
en vouloir un autre.

En temps de crise n'importe quel rêve est attaqué et d'abord en remplaçant « rêve » par « utopie » car le mot contient déjà la peau de banane qui le fera tomber. En temps de crise, quand le réel vous mord les mollets, l'utopie devient un luxe exorbitant nous disent les salopards.

Alors que tout est là, à saisir, et qu'il suffit de le dire, de nommer ce rêve. Je dis le mot « vie » et celui qui m'entend voit immédiatement plusieurs couleurs, une poussée, une corne d'abondance. Je dis le monde auquel j'aspire, et ça change déjà celui qui ne me convient pas.

Pourquoi le président ne l'a-t-il pas fait ? Il sait lui aussi que le Far West est là, devant nous… Je le lui ai décrit plusieurs fois au cours de la campagne, dans des réunions dont j'attendais qu'elles donnent une couleur à son programme. Comment peut-on à ce point manquer un rendez-vous pareil avec l'Histoire ? Et avec les mots d'abord ? Nommer le Far West, le décrire pour que chaque saint Thomas puisse glisser un doigt dedans. On lui indique un paysage immense et il ne pense qu'à faire disparaître la petite tache de boue craquelée qu'il a sur le mocassin.

***

Une fête aura bien lieu, ils ont voté et c'est passé. Mais il a fallu discuter, ça n'est pas l'élan que j'imaginais. Ceux qui continuent de ne pas m'apprécier le disent maintenant avec une agressivité qu'ils ne s'autorisaient pas les premiers jours.

Tout se tend. Il a fallu argumenter toute la journée, pour le concert.

— Ce sera comme la bouteille de champagne qu'on envoie sur les paquebots !

— Et le paquebot ici, c'est ?

— Mais la nouvelle entreprise, rachetée, votre indépendance… ! Les fruits de votre travail pour votre poche, sans ponction… !

Mais non, il a fallu citer Fatou, et décrire nos corps sans uniforme, il a fallu décrire la vie qui vient, les poitrines qui se gonflent ; le sang, le cœur qu'on entend travailler comme un solo de batterie.

Il a fallu pointer tout ça. Il a du plomb dans l'aile ce concert quand c'est la rhétorique qui chauffe la piste. Où est la vie qui déborde et pousse à danser ? C'était avant ? C'est déjà retombé ? Dire à quelqu'un « Mais si, tu as envie de danser » est tout de même une chose étrange. C'était avant les premières soixante-douze heures, avant que la fatigue… ?

Je n'étais pas seul, je ne suis même pas celui qui aura le plus argumenté.

Quand tu ne dors pas plusieurs nuits de suite, le sol se rétracte et devient cette corde tendue entre deux bords. La fatigue te fait tout voir exsangue, osseux, glissant. Si par ailleurs tu sais que tu n'es pas funambule, alors la place est nette et il n'y a plus que l'angoisse de tomber.

Je retourne près de la machine à café. J'écoute son ronronnement mais je n'arrive pas à fabriquer le chat mental que je devrais caresser pour me détendre. Je décide de monter m'allonger sur la moquette moins crade du bureau de la secrétaire. Les premières marches, j'y arrive, mais j'ai de plus en plus de mal, ensuite, et la plateforme devient inatteignable.

Je m'arrête. Contre le plastique de la rampe, ma paume toute moite. Je me répète à chaque marche que c'est gagné, le concert ; qu'on la fait, cette révolution. Depuis trois jours j'ai peur à chaque instant de la voir s'envoler comme les images d'un rêve, au réveil, mais on y est ! Je la cherchais dans des colloques, dans des meetings de campagne, à Matignon, à l'étranger, à l'Élysée, et c'est ici, dans l'odeur d'ammoniaque et de poulets dépiautés, qu'elle aura lieu. Quoi ? La révolution. Ils l'ont faite, je me le répète, ils sont en train de la faire. Mon poing s'écrase sur le lino de l'escalier : c'est ici ! L'Élysée seulement l'aura manquée ; ce que nous faisons en ce moment, ici, est bien ce qu'on attendait. Je me répète que la voilà, cette bête qui devait bondir et m'emporter, je me cale sur ma respiration chahutée, c'est elle à quoi j'ai contribué – « révolte », « histoire » ou « bête sauvage », ça y est les mots n'importent plus –, c'est un mantra ou une formule pour invoquer. Si tu te révoltes, le mot « chien » se met à mordre et tu te coupes avec le mot « couteau » et « femme » ou « homme » tu jouis déjà, peau contre peau. Je me répète que j'attendais une taille mannequin, une scène mondiale, une bascule de tout un continent, par exemple, un frisson planétaire, et c'est Tom Pouce qui est venu. Je ne cherche plus à comprendre pourquoi c'est lui, Tom Pouce ; je me répète que je ne peux pas le trouver dérisoire, qu'il me grandit, déjà, et tous ceux qui sont ici.

Je suis fatigué, il faudrait que je dorme au moins trois heures.

Si j'appelle ça Tom Pouce c'est à cause de la fatigue, c'est elle qui parle, et il lui faut du grand spectacle donc elle chipote mais c'est une révolution, oui, et le mot « chien » a du mordant et la femme et l'homme ils ont du chien.

***

— Et je me suis garé un peu plus loin car je n'en pouvais plus j'étais ailleurs j'allais risquer un accident à conduire sans être du tout présent à la circulation. Je suis sorti de la voiture, je leur raconte encore, mais pour souffler. Je me suis souvenu de cet homme, dans l'émission de France 3, qui avait rappelé quelques semaines plus tôt une évidence si aveuglante que personne ne pouvait plus la voir. J'ai pris mon portable et retrouvé en deux ou trois clics la vidéo de son intervention – il s'appelle Paul Jorion, regardez, on la retrouve facilement. Je la mets en lecture en poussant le son : « Oui eh bien je ne crois pas que ce soit comme ça qu'il faille envisager les problèmes. Le travail disparaît, le travail disparaît ! Le travail s'en va et c'est une chose qu'on a voulue ! Moi j'ai vécu dans les années 50, on nous disait ce que serait l'an 2000 : on ne travaillerait plus, on serait remplacés par des robots, par des machines, on irait à la pêche avec ses enfants et ses petits-enfants... C'est ça qu'on voulait ! Pourquoi ? Parce qu'il y avait du travail extrêmement monotone, extrêmement dangereux, c'était un travail qui épuisait les gens, qui faisait qu'ils devaient s'arrêter de travailler à 40, à 50 ans. On a voulu ça ! On l'a voulu ! On n'a pas pensé que les gens, la plupart des gens, ceux qui ne reçoivent pas simplement leur argent du capital, c'est-à-dire en faisant travailler les autres, auraient un problème de revenus ! Si on veut que la machine économique fonctionne, il faut que les gens puissent acheter des produits ! Dans *Le Monde*, un homme parle d'une baisse du pouvoir d'achat, de 1,2 % l'année prochaine, l'année suivante... C'est une crise, la crise a commencé, les gens n'ont pas assez d'argent, il n'y a pas assez de pouvoir d'achat, la moitié des Américains se partagent 2 % du patrimoine du pays, on ne peut pas continuer à vivre comme ça. Alors, le travail disparaît c'est une chose que l'on voulait. Qu'est-ce qui s'est passé ? Sismondi, l'un des inventeurs du socialisme, dit la chose suivante au début du XIXe siècle : "Toute personne qui sera remplacée par une machine aura le droit à une rente à vie." Il est remplacé par la machine, il est sauvé, il faut qu'il reçoive une partie des richesses créées par cette machine. Où va cette richesse qu'on a créée depuis les ordinateurs, les robots et tout ça ? Elle va aux investisseurs, aux actionnaires des entreprises ! On se demande comment ça se fait, c'est une curiosité car au début du XIXe siècle le chef d'entreprise gagnait 30 fois plus que son employé le moins bien payé. Maintenant c'est 450 ! Il gagne 450 fois plus que son employé le moins bien payé ! D'où ça vient ? Mais c'est l'argent qu'on n'a pas donné aux autres évidemment ! Ce n'est vraiment pas très compliqué. Alors, John Maynard Keynes dans les années 30 il fait une révolution en disant "Il faut poser le modèle économique d'une manière tout à fait particulière, il faut simplement mettre le plein emploi au centre et tout va s'arranger à partir de là". On ne peut plus le faire, le travail a disparu ! Quand on délocalise, on dit : 3 000 emplois vont disparaître ici en France, et une usine sera créée au Vietnam – ce n'est même plus en Chine parce que les Chinois demandent maintenant des augmentations de salaire ! On va créer une usine en Indonésie, au Vietnam… Vous croyez qu'on va créer une usine pour 3 000 personnes ? Non on va en mettre 30, le reste ce seront des robots, le reste ce seront des machines. Les sténodactylos ne sont pas en Chine ; elles n'existent plus, elles ont été remplacées par des logiciels. »

J'ai rangé mon téléphone.

— Voilà une partie de ce Far West : ce monde sans travail qu'on a voulu, et on a eu raison. Maintenant il faut virer ceux qui ont vu dans ce changement l'occasion de se faire du fric.

36

Céline Aberkane,
sociale-traître

Au molosse de Matignon je ne demande rien. Ça l'amuse de me voir fixer cette liasse de documents comme on regarde un gosse qui mange du sable, il s'amuse de ma perdition – c'est comme ça qu'on dit ? Je ne demande pas ce qu'ils font là ces articles sur la chemise d'Air France.

Et je ne lui demande pas s'il pourrait être intéressant de les faire passer à l'intérieur de l'abattoir, l'air de rien. Je ravale ma question, je le laisse s'amuser de la fixitude de mon regard – c'est comme ça qu'on dit ?

Les mots, bordel…

— Est-ce que ça ne serait pas une bonne idée ?

Ce n'est pas moi qui ai posé la question au molosse, c'est lui qui répond à la question que je n'ai pas posée, et parce que c'est un connard il répond par une question.

— Oui, est-ce que ça ne leur ferait pas prendre conscience… Je ne sais pas moi… du piège dans lequel ils sont en train de tomber… ?

— La désapprobation de tout le monde ?

— Ce n'est pas ce que je veux dire, je ne crois pas que tout le monde désapprouve… Ce n'est pas comme ça que je propose d'utiliser…

— Comment alors ?

Il me mène en bateau. En fait il est en train de se renseigner sur moi.

— Si on parvient à instiller l'idée qu'ils perdront sur le terrain médiatique, peut-être vont-ils revoir leur stratégie, et libérer le ministre. S'ils se sentent seuls… Est-ce qu'il n'y a pas pire que ça ?

— Peut-être, on verra.

À son sourire, au fait qu'il replonge immédiatement dans son *Closer*, en replaçant sa touillette à café sur le bord des lèvres, je comprends qu'il vient de trouver mieux, plus efficace.

Je suis vexée parce qu'il a mieux, et humiliée de m'être découverte pour rien. Son sourire amusé : m'avoir traînée dans son camp. Je me débats, c'est dans la tête ; non, il y a entre lui et moi une différence énorme : moi c'était pour protéger les salariés de La Générale, lui a autre chose en tête. Son sourire dit qu'il a plus efficace ; et ça doit vouloir dire plus cynique aussi, ou plus pervers. Pour les niquer eux, et toute la situation. Moi non, je veux les soustraire. Je n'ai pas posé ces questions, je n'ai pas proposé ça. J'ai avancé des pions, pour comprendre où j'ai mis les pieds. Moi je veux les soustraire au piège qui commence à se refermer sur eux, l'euphorie. La charge des CRS aurait été une sorte de victoire, en fait, pour les salariés. Là, je sens au sourire de ce connard, à son magazine et toutes ces poufs en couverture, je sens au piège aussi qu'il m'a tendu, qu'une pieuvre, ou un serpent, commence à s'enrouler autour des camarades. Un truc qui n'a pas de nom, pas répertorié. Une saloperie sans nom, énorme. Celles qui broient les gens de rien, toujours.

37

Hamed M'Barek,
salarié

D'abord l'idée de Fatou l'agace.

— Elle vous « agace » monsieur le ministre ?

Parce qu'elle ne vient pas de lui ? Parce qu'il la trouve pas assez dingue ? Je commence à le connaître ce loustic.

Puis Fatou a fait sa blague sur la copro et il est revenu à lui, c'est-à-dire aux autres, à nous : des ouvriers sans propriétaires, ou sans actionnaires ? Ça revient à supprimer l'« esclavage larvé ». Il aime donc cette idée quand même. Et il se raccroche à l'espoir qu'une fois cette nouvelle vie en place on pourra se tourner vers l'invention de nouvelles formes de travail, changer enfin notre « rapport au vivant », etc. Ses trucs durables… Donc il accepte. C'est ce qu'il me dit avec un sourire heureux, amical, et du tac au tac je le fais taire : « Mais on ne vous a rien demandé. On ne négocie pas avec vous, en fait. »

***

Lors d'une réunion j'ai dit ce que je pensais de la mise en scène décidée pour l'approvisionnement (que les gosses des grévistes apportent eux-mêmes les cagettes et les cartons et les cubis).

— Je trouve putassier de fournir des images aux caméras. J'étais contre. Je m'en foutais mais j'étais contre. Et il s'est passé ça : le premier jour de la collecte organisée pour les grévistes, le directeur d'Auchan a donné une partie du stock alimentaire qu'il ne pouvait plus vendre. Le lendemain, en revanche, les camarades ont été très mal reçus – rembarrés, et bien clairement encore ! Pourquoi ? Trop de publicité avait été faite autour de ce don, au goût de l'enseigne, du fait de la séquestration. Cette collusion entre Auchan et les gauchistes, ou entre la marque et les syndicalistes, c'était impossible. « Auchan aide les insurgés » c'était trop gros. Et il fallait imaginer les accointances, évidemment, entre le directeur de l'abattoir ou son propriétaire, et celui de l'hypermarché : être au Lions Clubs tous les deux, par exemple, ou se retrouver au golf de Cornouaille, au club nautique de Plonévez-Porzay… En tous les cas, évidemment, ils avaient tous deux le 06 de l'autre. Alors pour chambrer ce pauvre type, j'ai glissé sous le tapis mes critiques de la veille et proposé qu'on maquille le convoi des gosses. C'est comme ça que tout à l'heure les caméras ont pu filmer vingt gamins portant des cartons sur lesquels les camarades avaient écrit AUCHAN en grosses lettres bien composées et bien visibles. Et peu importe, j'ai plaidé ce matin, si ça lui fait de la pub, ou une fausse réputation : primo elle durera deux ou trois heures seulement, le temps pour le directeur de publier un communiqué. Secundo c'était si bon de se foutre de lui, et d'imaginer le propriétaire de l'abattoir le rappeler furieux : « Tu te fous de ma gueule ou quoi, hier tu m'as dit que c'était une erreur, que tu avais mis bon ordre et blâmé le crétin qui dans ton magasin… ! » et d'imaginer donc, pendant qu'on se tapait sur les cuisses, les gros se dévorer entre eux.

38

Sylvie – celle qu'est cintrée, salariée

On s'est retrouvés le lendemain soir. Sur les marches, à nouveau.

C'est la quatrième nuit, ou déjà la cinquième ?

On s'est retrouvés « un peu comme ça » il a dû croire, mais rien n'est « un peu comme ça ».

Il me dit qu'il est épuisé. Je lui fais un drôle de regard apparemment, car sa bouche ne sait plus comment se tenir. Il me demande d'arrêter – avec une douceur qui me touche – mais il n'attend pas que je le regarde normal et il se tourne de trois quarts, les yeux vers la salle et les machines.

Je passe ma main dans ses cheveux, il se laisse faire. Je ne le sens pas se raidir. Ni surprise ni rien. Mais il ne se retourne pas.

Je lui dis qu'il doit se préparer, qu'il ne s'est pas préparé assez, jusque-là ; qu'il doit profiter de ce temps-là, ici–

«Dans l'abattoir ? » il me demande, narquois – mais je sais que c'est de la peur. Les gens narquois ont peur.

Qu'il doit profiter de ce temps-là, ici, pour se préparer.

« Entendu. On va faire comme ça. »

Et il se lève, et je le laisse partir. Je voulais autre chose, hier, mais j'entends qu'on me dit de le laisser partir, s'éloigner.

C'est comme une navette dans l'espace, qu'aurait fini sa mission, qui pourrait se désarrimer de la station.

Non, me dit Fatoumata. C'est comme un vampire qu'en a fini avec le cou de sa victime.

J'ai parlé à haute voix ou bien c'est elle, l'esprit maléfique ?

— Qui est le vampire, Fatou ?

Elle s'éloigne elle aussi. Je sais qu'elle est mauvaise, qu'elle veut me contrôler.

39

Christophe F.,
resté dehors

Tous les jours, tous les jours, tous les jours. Depuis des années avec mon transpalette je vide les camions des éleveurs et je pose leurs caisses sur ce tapis roulant qui les fait entrer dans l'abattoir. Tous les jours depuis des années. Quand je ne pense à rien j'ai l'impression d'un truc sans fin, un canoë que tu gonfles sans comprendre qu'il est percé à un endroit. Mais dans les moments où je rêvasse grâce à une clope entre les lèvres, entre les doigts, j'ai l'impression que ces camions sont minuscules, que l'abattoir est de la taille… je ne sais pas moi… de ces ferrys par exemple, où peuvent entrer plusieurs poids lourds ; qu'il faut donc continuer à transvaser les remorques dans ce bâtiment cent fois plus grand, continuer, et encore, et ce n'est plus un ferry mais un cargo !

Et maintenant que l'abattoir est bloqué, j'ai comme l'impression que cet approvisionnement est terminé, qu'ils vont pouvoir enfin partir, prendre le large. Ce sera sans moi et c'est terrible à vivre ; j'ai affreusement honte de ne pas en être. Je n'étais pas convaincu, je n'y ai vu qu'une histoire d'excités incapables de penser aux conséquences sur nos gosses, nos familles, mais six jours plus tard ces arguments ne pèsent rien ; je suis mortifié de ne pas en être. Les annonces faites hier et ce soir m'ont achevé. J'étais tous les jours avec eux et au moment où ils font cette chose aussi folle qu'aller sur la Lune ou sur Mars, je suis dans ce canapé que j'ai acheté avec un crédit Conforama, ce même crédit qui m'a fait le cul lourd, en plomb, incapable de les suivre. Il se passe quelque chose et ça passe à côté de moi. Ils sont sur l'océan et je me noie dans ma baignoire. Ils sont entourés de requins et je vais être dévoré. Je les imagine heureux, grisés, saoulés par le vent, et moi j'ouvre la fenêtre et il ne se passe rien ou plutôt si, ou plutôt je m'enfonce et quand tout à l'heure ma femme et mes deux filles se réveilleront elles ne me trouveront pas, ou incapable de répondre à mon prénom, comme un pneu crevé, vidé de ma substance. Si elles me parlent, si elles me voient… Peut-être verront-elles le canapé, et encore la lune dans le ciel de la fenêtre, mais leur père et mari… ?

40

Pascal Montville

Quelque chose a changé. Cela fait quatre jours qu'ils me retiennent et la nervosité que j'observais, diffuse, là maintenant est différente. Ce n'est plus celle de l'action, où il entrait de l'excitation. Je les regarde tourner dans le hall, je les vois sursauter quand quelqu'un revient du piquet de grève. Ils étaient maîtres du temps mais en faisant durer ils ont perdu la main. C'est maintenant à la cellule de crise d'avancer un pion ; ils ne sont plus maîtres.

Pin-Pon dans le hall. Où était-elle ? Cela fait vingt-quatre heures que je ne l'ai pas vue. Les hommes, les femmes… Les bustes se redressent ou se crispent et s'arc-boutent. Les deux impulsions contraires ont la même cause. Elle passe, elle parle, elle fait la bise à une qui revient de la grille. Une désinvolture dans la démarche, un cul magique. Lui détourne les yeux, et découvre que tous la traquent : qui par-dessus les lunettes, qui en faisant mine de s'examiner les pointes d'une mèche de cheveux, qui en se trouvant subitement un truc à faire.

Quelques secondes plus tard commençait l'AG, et comme deux heures plus tôt on m'a d'abord laissé tranquille. Les voix me parvenaient, hors une ou deux apparemment – trop peu sonores.

Mais en fait, je ne suis pas convié. Ils vont donc parler de moi ? J'y participe quand il est question de stratégie, de perspective et de colère.

On me laisse écouter ou je suis devenu transparent ?

Inévitablement l'oreille tendue, en alerte, je me suspends à ce qui me parvient. Ils parlent d'une inquiétude, d'une menace. Une femme demande à ses collègues s'il ne faudrait pas me relâcher avant que les suites judiciaires ne les dépassent. Elle demande ce que ça change, un jour de plus. « Est-ce que ça fait, par exemple, un an de prison en plus ? » Elle s'arrête et je réalise qu'elle n'a pas été interrompue – peu de sifflets ou de commentaires, pas de bronca. « Ils partagent donc son inquiétude. » Elle reprend :

— En le relâchant, on éloigne les CRS et on peut continuer l'occupation peinards.

Elle n'a pas dit « peinards », c'est moi. Ou si ce n'est pas moi c'est cette autre femme, qui va d'abord dire à quel point elle est surprise. « Mais je vais essayer de me contenir un peu. »

— On fait un truc que personne n'a jamais osé. Quatre jours plus tard on veut déjà rebrousser chemin, effacer, on a peur de ce qu'on a fait. On a peur tout seuls : les flics ne sont pas dans l'abattoir, les négociateurs sont eux aussi dehors – quand ils se sont pointés on les a repoussés, en se payant leur tête… Mais non, quand même on veut renoncer ! Pour moi c'est impossible. Je veux bien reculer si les CRS entrent avec leurs gaz et leurs matraques, mais pas toute seule. J'ai pas peur de mon ombre quoi, parce que c'est ça, là, Gigi : t'as peur de ton ombre. On a inventé un truc, là. On est montés sur les épaules d'un géant.

— Montville ?

— Imbécile !

Des gens sifflent, j'entends « Oh, oh, calme-toi ».

— Le géant c'est la situation, c'est ce truc dingue, c'est occuper, retenir un ministre, défier les CRS, la direction, le gouvernement, et tenter encore d'avoir les éleveurs avec nous.

— Non, le truc dément c'est l'idée de Fatoumata hier, c'est de racheter contre un euro toute cette usine ; c'est de continuer tous ensemble sans patron, et surtout sans actionnaires pour piétiner notre boulot. Voilà le géant !

41

Céline Aberkane

Le molosse de Matignon doit s'y prendre à deux fois pour me faire comprendre que je peux rester ; j'ai la tête lourde, trop de conclusions et de CQFD.

— Sur ordre du président on cesse immédiatement de dire que c'est une atteinte à l'intégrité de l'État, etc. De toute façon les journalistes le répét–

— Pardon mais–

— Vous pouvez arrêter avec ce tic…

— Pardon ?

— Celui-là, oui.

— En fait vous le lâchez ? !

Sourire en coin du mec débusqué ; il me retire de la catégorie des gourdes parce que je l'ai deviné, lui le cador.

— On ne peut pas dire ça. Mais Pascal Montville a travaillé au sein du gouvernement sans prendre conscience des solidarités impliquées par le job. Bref. On ne reviendra plus sur ça.

J'ai immédiatement imaginé les nouveaux éléments de langage mais je ne passerai plus à la télé donc je m'en branle.

ILS LE LÂCHENT !

J'attends la fin de cette première réunion, les ordres.

> Je regarde le bouledogue : chaque fois qu'un gouvernement décide de se mettre hors la loi pour sauver sa peau contre les gens, c'est toujours ce genre de type qu'on voit sortir de je ne sais quel bureau, un flingue à la main et dans l'autre l'autorisation de tuer.

Ils exigent maintenant un exposé sur mes visites à l'intérieur. Non pas une description des lieux, qu'ils ont obtenue de la police, mais un topo sur les questions politiques ou syndicales (de quelles manières sont-ils soutenus par les centrales ?) et la température des âmes surtout (sont-ils fous de rage, ou raisonnables ou fatigués ?). Je cache moins de choses que lors de ma première prise de parole, et je dis de manière plus discrète que je ne dis pas tout – au motif qu'il faut aller très vite. Vont-ils en déduire que je collabore ? Rompez. Je vais pour ajouter un commentaire sur les questions syndicales (sur la solitude inévitable du syndicaliste, qui ne doit pas les tromper) mais je le ravale, finalement.

> Si je m'ausculte, je sens que je l'ai fermée exactement comme j'aurais tu ma hantise de la transpiration.

> Youcef, pourquoi m'as-tu laissée partir ? Un grand seau d'eau froide et tout rentrait dans l'ordre. Qu'est-ce que je fous loin de toi ?

Petits conciliabules, pause pour les chiottes.

Je me jette sur mon portable pour demander à la secrétaire des conseillers une revue de presse des trucs bizarres dans le traitement de la séquestration. En remontant jusqu'à hier soir. LE PLUS VITE POSSIBLE. Elle m'appelle : tout le ministère est un immense lapin dans les phares d'une immense voiture. Ils sont H24 devant les télés, la radio est allumée et le bureau de l'ordinateur troué de fenêtres ouvertes sur les sites d'information. Les journaux sont si vite dépiautés que les feuilles font tout de suite un grand tas d'épluchures.

— Quelques reportages bricolés en urgence sur la personnalité et le parcours de Montville, bourrés de conneries. Sur iTélé ils ont même dit qu'il travaille pour le Collectif Roosevelt. On a bien ri ! Les plus anciens du ministère ont trouvé que ça rappelait la traque des espions russes dans les administrations ! Mais je ne suis pas sûre que ça ait fait rire partout. Je vous envoie les deux minutes du reportage en compressé.

Erreur ou pas, voilà, je l'ai, ça peut suffire. S'ils ont des preuves, à Matignon, à l'Élysée, qu'il a collaboré avec le Collectif Roosevelt, ils sont furieux et décident de le lâcher. Je parie toute ma lingerie Zara que dans la soirée ou bien demain matin tous les « supports d'information » vont infléchir « en conséquence » le portrait du secrétaire d'État. Cette nuit, demain, au fil de la journée, il deviendra par petites touches un mec très ambigu – ce profil que tout le monde déteste. Les journaux reprendront ce truc, encouragés par des informateurs (des sources non autorisées, et d'autres désirant garder l'anonymat, et d'autres encore autorisées, ok, mais on n'expliquera pas pourquoi leur nom n'est pas donné, etc.). Et en quatre ou cinq heures, il deviendra clair que le portrait n'est plus le même. Le mec sympa du début de la séquestration est maintenant un agent double, un informateur des hystériques de la réforme d'envergure. La tension retombera d'un cran. T'avais 43 de fièvre et avec un Doliprane dosé pour un haras complet tu n'as plus que 39. Personne ne le dira, et les journalistes seront encore une fois complices, mais tout le monde comprendra que le gouvernement s'en est sorti. Malmené, esquinté, trahi, mais sauvé. La raison d'État se confond avec la peau de ceux qui sont en poste. Les observateurs de la vie politique comprendront ce qui s'est passé non ? Les puissants du jour attirent toutes les complicités. C'est du miel ou du nanan pour toutes ces mouches à merde.

Je m'accroche, j'ai la certitude qu'ils ne veulent pas en rester là, que ce n'est pas décisif, cette histoire d'entrisme, pas assez clair, ou pas assez spectaculaire. Qu'ils cherchent un truc digne de *Paris Match*. Je déboule sous la tente quittée dix minutes plus tôt. À nouveau je les surprends en train de rien foutre. Je mettrais ma main à couper qu'ils sont sur PornHub ou sur le Solitaire de Windows mais la bâche ne les trahit pas comme pourrait le faire le reflet de leur écran dans une vitre. Discrètement je ne leur demande pas, toute tremblante à l'intérieur :

— Est-ce que sa vie privée très mouvementée ne pourrait pas être effleurée ? De manière à ce que vraiment… l'arrière-plan… apparaisse bien sombre…

Ils sont surpris, mais décident de mordre à l'hameçon. Ils sourient, commentent, oui c'est ça.

> Intérieurement la fille est assommée. Elle devrait s'en foutre mais elle est anéantie.

La couleuvre est difficile à avaler, ça provoque des spasmes, je pourrais gerber, là maintenant. T'es dans les cuisines, près de la poubelle, et les entrailles des poissons ça pue, d'accord, mais tu le montres tellement qu'ils obtiennent en direct la confirmation de ce qu'ils pensaient : tu n'es pas la bonne personne, ça te dépasse. T'es comme le préfet et comme Montville : négligeable. Les entrailles des poissons ça pue, insinuer que le suicide de sa femme participe de la complexité du personnage, du fait qu'il est incernable, oui, c'est les abats de la politique, une grosse carpe qui pue la vase. Mais qu'est-ce que tu proposes espèce de chose fragile ? Que le gouvernement saute, voire le président ? Ce connard de Montville a voulu changer les règles et faire avancer la cause de la décroissance, et l'État serait décapité pour ça ? Tu réalises que c'est l'alternative ?!

Elle part sans se retourner. Elle imagine qu'ils vont se dire : « Si elle a fait ce chemin jusqu'à nous, en quittant le syndicalisme, elle peut aller encore plus loin. Je ne veux pas dire monter en grade, mais aller plus loin dans la logique qui l'a poussée à s'approcher du pouvoir politique. Je parie qu'elle présente son job comme un avant-poste du syndicalisme, la possibilité qui lui a été offerte de défendre en amont les droits de ses camarades, pour infléchir à la source propositions et projets de loi. »
Un démon lui bouffe le foie de l'intérieur, autrement elle se raconterait pas d'histoires.

« Elle ne peut pas avoir connu la femme de Montville alors qu'est-ce que ça lui fait ? On ne lui demande même pas de s'en charger ! »

— Est-ce que ce ne serait pas intéressant de lui demander ça, justement ?

— C'est tordu, j'aime beaucoup.

Montville se défendra, il parlera d'insinuations qui n'honorent pas ceux qui les font, et l'un de ses proches réfutera clairement la responsabilité de son ami de vingt ans, dans ce « drame domestique ». Le piège est toujours le même : tu obliges les autres à dire explicitement les choses, à ta place. On insinue et eux contestent qu'on puisse lier « un drame d'ordre privé à une séquestration très politique ». Mais une fois que tu as dit ça, dans l'oreille des gens les deux sont liés. Le mot concombre est un godemiché.

— Quand il invoquera l'« ordre privé », il sera foutu. Utilise l'ordre privé et t'en ressors poisseux, c'est le goudron et les plumes que tu t'es versés tout seul sur ta p'tite tête.

Par une collègue à qui on a demandé d'être attentive, en haut lieu, j'ai très vite su quelle a été sa vie après le suicide de son épouse, c'est-à-dire tout ce dont je n'étais plus témoin quand je quittais le ministère : qu'il est vite revenu bosser après le drame, et qu'il a peu parlé de ça ; que les membres de son cabinet ont plusieurs fois confié qu'ils ne le voyaient pas laminé, ou s'il l'était, c'était sans donner à voir quelle partie de lui avait été cramée, il était là, il bossait. « On ne le voit plus chez lui, c'est dans la note des Renseignements. » Il dînait avec des connaissances ou au comptoir dans certains bars, parlant facilement aux autres clients dans l'intention évidente de bavarder. Très tard dans la nuit il rentrait dormir au ministère. Pas une nana ramenée dans l'appartement de fonction, pas une nuit à découcher. Branlette ou non, ça elle ne savait pas dire. Ou : le choc aura été si fort, la foudre, qu'il ne se branle même plus. Entendre ces détails… cette vie qui devenait glauque, ça ne m'a pas rien fait. Buvait-il, dans ces bars ? Il ne rentrait pas bourré, il n'a pas éprouvé le besoin de se défoncer, de s'anesthésier tout seul.

— « S'anesthésier » !

— Quoi ?

— D'engloutir la douleur qui te fait chialer la bouche.

— …

— …

— Des fois…

D'engloutir la douleur qui te fait chialer la bouche. Des fois tu bois car la poitrine est tellement comprimée, tu as une armoire sur le thorax, tu bois tu bois pour essayer de lui redonner du volume de l'intérieur. Si le liquide entre sans que je le pisse il va bien à un moment… aider les entrailles à redonner du volume à… Et je respirerai mieux, ou : à nouveau.

C'est le président de la République qui vient de parler à travers ce bouledogue. Le plus haut personnage de l'État. Pour arriver où il est, le président a obtenu les suffrages – disent-ils – de plus de 15 millions de personnes je crois. Et c'est ce mec-là que je viens d'entendre dire, via le molosse :

on va suggérer que Pascal Montville est responsable du suicide de sa femme. Quelque chose de tordu, qui bousillera immédiatement le crédit politique que certains ont été tentés de lui donner au cours des dernières quarante-huit heures, en le décrivant honnête et engagé. Avec ça on va ramener à la raison les salariés de La Générale. Il sera allé au-devant des balles, jouant un double jeu avec le gouvernement. Un truc pervers, confirmé par ce suicide. Le loup rongera sa propre patte pour se libérer de la mâchoire de fer qui s'est refermée sur elle.

— Au revoir, me dit le clebs.

« Au revoir » ? Même pas dans tes rêves mec. Se revoir ? Pas sur cette terre. Fixe bien mon cul, tu ne le verras plus.

« Au revoir » ? *Not in my name!*

Entendre la voix du président de la République à travers celle de ce type, me donner des ordres, avoir le président en N + 2 en quelque sorte aurait pu me donner le sentiment bizarre d'arriver au sommet de quelque chose qui ne serait ni ma carrière ni ma vie mais alors quoi ?

JE M'ENFONCE.

Je pourrais coucher avec ce mec, le spécialiste des couleuvres à avaler. Pour reprendre la main. Mais est-ce que je reprends la main si je ne jouis pas, si c'est seulement pour l'humilier – en le rendant fou et en l'envoyant balader aussitôt après, pour que pendant un mois il vienne pleurer sur mon paillasson dans cette banlieue minable qui lui donnera la nausée avant même que je l'envoie chier ? Il ne faut pas que ce soit moi cette personne-là.

Mais aura-t-il encore envie de mon cul demain matin, quand ils recevront ma démission ?

Est-ce que je vais démissionner ?

Je me suis arrêtée, j'ai attrapé la galerie d'une voiture pour ne pas tomber. J'ai cru que je voulais vomir et puis rien n'est venu. (Plus tard, dans le métro, à Paris, oui, mais la ligne 12 est aussi confortable que le tambour d'une machine à laver.)

Cela fait une heure que je suis sortie de leur centrifugeuse à merde. Ils ne m'ont rien dit à la fin de la réunion et je ne reçois aucune consigne. Est-ce que je dois rester ici à Châteaulin ? Rentrer à Paris ? Est-ce qu'on m'attend quelque part ?

J'ai voulu m'enfoncer dans la soirée, mais cette nonchalance, si je suis la seule à la nommer, ça ne peut pas marcher. Je viens d'être le témoin d'un truc révulsant la fille que j'ai construite depuis vingt ans, et je m'imagine capable d'improviser une soirée entre copines ?

Un type m'a collée parce qu'après avoir vomi il m'avait aidée à nettoyer, trouvant un kleenex propre pour ma bouche. Et ça lui avait comme donné les clés de l'appartement – certains partent vraiment au quart de tour. Comment ne pas mépriser ce type dès lors qu'il a envie d'une fille qui vient de vomir ? « Avec cette ambulance au moins je vais pouvoir baiser. »

— C'est toi l'ambulance Albert, si t'as rien d'autre à te mettre sous la dent !

Le vomi et l'amour (bis) : un soir, dans un bar de la rue Princesse, je me suis vaguement collée à un mec. Il était un peu ivre, on s'est embrassés. Ses copains n'ont rien compris, lui non plus sans doute mais l'ivresse avait même atténué sa marge d'étonnement je crois. On est partis, j'ai trouvé un taxi. J'habitais déjà Asnières. Il m'a raconté que dès ce moment-là les choses sont devenues compliquées pour lui, que déjà là il aurait pu vomir. On est arrivés chez moi, il a vomi – ou on s'est interrompus pour qu'il se précipite dans les toilettes. Et quand il est revenu pourtant on a recommencé. Aujourd'hui je ne sais plus dire si ça m'a dégoûtée ou pas, l'entendre dans les toilettes. En tous les cas je ne l'ai pas repoussé. Je n'ai pas joui non plus. Le lendemain midi, il est parti piteux ; découcher ce n'était pas une habitude, il a essayé de se composer, dans l'urgence, une attitude, une façon de me dire au revoir, et c'était tout bancal, rien de fixe sur son visage, un œil triste et l'autre cool. Bref. Le surlendemain il laissait dans ma boîte un mot où il s'excusait pour le glamour contrarié de l'avant-veille. J'avais très peu d'infos sur lui, je n'avais pas son nom complet je crois, un truc seulement, mais j'ai réussi à retrouver sa trace, sur Facebook, et on a pris un verre. Ensuite il m'en a reparlé, deux ou trois ans plus tard : ça restait un souvenir magnifique, bizarrement ; quelqu'un l'avait aimé un soir où il s'était montré repoussant. Il avait même une preuve de ça, lui qui était enclin à ne jamais croire qu'on puisse l'aimer : je l'avais rappelé. Il fallait donc qu'il soit aimable, ou désirable, ou baisable.

Il y a trois mois nous nous sommes séparés, Youcef et moi.

J'allais dire « avec Youcef » mais pour parler d'une séparation c'est compliqué, ça résiste dans la langue. Nous nous tenons encore dans les mots, même si les corps sont détachés. Il est parti depuis longtemps et même pour dire la séparation j'ai que des mots qui nous rassemblent. « Nous nous sommes séparés. » Il faudrait dire « Il m'a quittée » mais le « il » de Youcef et le « m' » de « moi », qui sonne « aime », sont encore trop près, il n'y a presque rien pour nous séparer, qu'un tout petit espace blanc, juste l'air entre nos lèvres encore…

Il faudrait dire « Il a quitté moi » pour que la tristesse et la solitude deviennent réelles – chacun à un bout de la phrase, éloignés, confinés… C'est-à-dire : il faudrait que les paroles deviennent moches elles aussi, aussi rugueuses que la réalité de la chose.

Je dis « nous » parce que sans doute j'ai pourri ou laissé pourrir toute notre histoire. Au bout d'une semaine il m'a manqué et je lui ai écrit, paniquée à l'idée que le lien se distende, qu'il s'éloigne et m'oublie. Dans tous les échanges qu'on a eus depuis ce jour il est sec, froid, à la limite d'une méchanceté qui n'a jamais eu sa place dans notre histoire. Il m'en veut. Nous avons vécu trois ans ensemble. Il y avait de la tendresse, de l'amour.

Et avant-hier, donc, cet échange de textos :

Moi, le 16 à 20 h 20 : La nuit je laisse mon portable allumé au cas où tu m'écrirais. Hier soir je l'ai mis en charge et dans la nuit, quand la batterie a été chargée, le téléphone s'est signalé en utilisant le jingle des textos. Mon inconscient a bien traité l'information : il ne m'a pas commandé de me réveiller (« Ce n'est pas un texto ») mais c'est tout de même l'inconscient, alors il a fait son miel de cette sonnerie, et j'ai rêvé que tu m'écrivais. Au matin, pas le moindre petit logo sur mon écran, bien sûr, qui aurait signalé un texto reçu. Tant pis, au moins le rêve était magnifique.

Moi, le 16 à 20 h 59 : Est-ce que tu vas bien ?

Lui, le 17 à 10 h 54 : Je crois.

Moi, le 17 à 11 h 01 : Tu as complètement tourné la page pour nous deux ?

Lui, le 17 à 11 h 10 : Ne te sers pas de moi ou d'une éventuelle réponse blessante comme d'une arme contre toi. Prends soin de toi. Tu es loin : pas de place pour ce genre d'échange par texto. Je t'embrasse.

Je passe sur la formule tordue bien dégueulasse ; il m'en veut, je suis obligée de l'entendre – à défaut d'avoir compris qu'il s'épuisait. Je pensais qu'il fallait une tromperie pour en vouloir à l'autre comme ça, des aventures blessantes ou gigantesques, mais non. Je passe sur tout ça. « Ne te sers pas de moi ou d'une éventuelle réponse blessante comme d'une arme contre toi. » Youcef me dit quelque chose : je tournerais contre moi toutes les blessures, je m'en servirais pour m'abîmer encore. Si les hommes que j'ai croisés, les aventures, me confirment dans l'idée que je ne suis pas aimable, si c'est bien ça la mécanique, ce que je comprends, si c'est bien ça qui me rassure – de manière tordue –, c'est à se tuer, à se mettre la tête en l'air pour ne pas se gifler ou s'arracher les cheveux.

Don Quichotte au cinéma

42

Pascal Montville,
secrétaire d'État

— Qu'est-ce qu'elle vous a dit Sylvie ?

— Que je dois me préparer à mourir.

— Oh, vous inquiétez pas : elle est cinglée ! Elle parle même aux poulets. On est plusieurs à l'avoir vue.

Ils voulaient me rassurer, ils me rassuraient mais sans savoir que je m'étais livré à elle, et qu'elle ne parlait pas de nulle part. Que la veille je lui avais confié ce « rêve » qui revenait – j'en parle au passé parce que nous ne dormons plus ; dans ces conditions, impossible de savoir si Emmanuel Bronerie traîne encore dans les parages. Quand est-il venu m'assassiner pour la dernière fois ? Est-il apparu depuis que je suis dans l'abattoir… ? Il y a tant de têtes inconnues que parfois, dans un demi-sommeil abruti, je crois l'apercevoir. À cette femme qui parle aux volailles mortes j'ai raconté ce rêve, l'histoire de ce jeune qui veut me tuer pour des raisons politiques. Pourquoi m'être confié ? Est-ce que je l'ai devinée « cintrée » comme ils disent, et donc capable d'entendre ce que j'allais lui dire ? Ses collègues m'écoutent. Christine a un geste de la main qui m'impressionne : elle balaie tout ça, cette folie de pas grand-chose, sans panache – parler aux poulets, sa main dans mes cheveux, ça manque de politique… Son geste est trop grand et trop sec ou tranchant pour une folie si discrète, ou il est trop appuyé. Ce n'est pas une réponse, je pourrais lui dire, c'est un refus de la question. Je pourrais même continuer : depuis le début ici on essaie de reposer toutes les questions pour accéder à de nouvelles réponses. Est-ce qu'on ne pourrait pas rouvrir le dossier de celle qui parle aux poulets morts ? Est-ce qu'on ne pourrait pas tout rouvrir, et relier la cinglerie de Sylvie à la situation de l'abattoir, par exemple, à celle des CRS qui attendent l'ordre d'entrer, à celle des caméras et des journalistes qui en ont assez d'attendre une image un peu valable ? Comment rassembler tout ça ? Je voudrais tout prendre au sérieux, comme je leur demande de prendre au sérieux cette fête à venir. Sa main dans mes cheveux, et ses paroles adressées au petit gosse à qui on ne veut rien cacher… Ce serait quoi, ici, la place de sa folie ? Quel réel je peux construire pour que sa folie y prenne sa part ? Qu'elle ne soit pas qu'un élément extérieur perturbateur ou négligeable parce que ça n'entre pas dans le cadre. Et si on jetait le cadre ?… Sa folie, qu'est-ce qu'elle équilibre ? Quelle autre folie compense-t-elle ? Qu'est-ce qu'elle soigne ?

Je l'aimais passionnément, sans savoir pourquoi j'étais poussé vers elle, porté. Je me disais parfois que ce n'était pas une force de vie – quand c'en est une, l'inconscient n'a pas besoin de rendre les raisons obscures, insaisissables. Je l'aimais en redoutant quelque chose, ça m'irritait. Est-ce que j'avais pressenti qu'elle était capable d'aller jusqu'au suicide, qu'il y avait cette folie-là dans cette personne ? Peut-être… Et ce vertige il m'attirait ? Je ne l'aimais pas pour cette part d'ombre, que je détestais comme un rival, mais j'étais dans ses parages, comme la Terre avec la Lune.

43

Christian-Marie Perrier,
conseiller affaires sociales du Premier ministre

— Quelle phrase ! « Je suis rentré chez nous le lundi 12 à 20 h 45 et j'ai trouvé ma femme pendue dans la cuisine. » Quelle phrase ! Vous imaginez la prononcer un jour ? C'était le début de sa déposition. Je l'ai lue, elle était sur son bureau.

— Quelle horreur !

— J'ai aussi lu qu'il était resté une heure assis par terre le visage à hauteur des pieds de sa femme, qui pendaient.

— Il ne l'a pas détachée ?

— Il s'était quand même assuré… Comment dire ?… Qu'elle était bien morte ?

— La mort remontait au matin.

— Ah, se pendre le matin…

— Oh, le matin ou à un autre moment, qu'est-ce que ça fait ?

— Faux : le matin c'est quand même quelque chose. Le matin il y a un soulagement. On est sorti de la nuit. C'est la nuit qui fait peur. La nuit, quand au fil des minutes il devient de plus en plus probable que personne n'appellera plus… La nuit on est à nouveau le môme qui ne veut pas lâcher prise, et l'adulte qui est épuisé, qui n'y arrive plus. Ça a dû le terrifier qu'elle ait fait ça le matin…

— Peut-être.

— Ensuite si on doit commencer à patiner c'est vers 11 heures ou au début de l'après-midi. Pour certains dépressifs, vers 12 h 45, l'après-midi à venir c'est comme un col hors catégorie, par une chaleur de fou, sur un vélo…

— Je ne sais pas du tout si elle était dépressive vous savez…

— …

— Dans sa déposition…

— Vous avez tout lu ?!

— Oui, j'avoue que…

— Et vous en parlez… ?!

— Il l'insultait.

— Je vais fumer.

— Je vous accompagne.

— Non.

Le DGS m'a regardé durement. Je suis une petite merde ? Oui j'ai lu ce truc, du début à la fin, et je ne l'ai pas avoué au secrétaire d'État quand il m'a parlé de sa détresse – à mots couverts. Il n'avait pas bu ce soir-là, il me prenait donc réellement pour confident et moi je n'ai pas avoué mon indiscrétion qui un mois plus tôt était une trahison. Qui sans doute en était une encore plus nette dès lors que je n'avouais pas, et que je le laissais parler. Mais il était lancé, impossible à arrêter : « Être resté une heure avec ses pieds, là ! Maintenant… y repenser… revoir la chose… c'est insupportable. C'est comme le sel sur la peau quand faut se rhabiller, ça brûle partout… Salope, salope… »

Et il m'avait dit aussi comment les griffes du mot *détresse* s'étaient refermées sur lui, comment ce mot l'avait pétrifié, et comment, emporté par lui, approchant sans le vouloir la détresse qu'il imaginait avoir terrassé sa femme…

On est encordé et celui qui ne tombe pas est emporté quand même.

Mais je ne l'écoutais plus, je n'étais qu'une merde, ça m'écrasait. Je redoutais qu'il me dise des choses qui ne correspondraient pas à ce que j'avais lu. Qu'il mente, qu'il bidonne et que je le sache. Je ne voulais pas être en mesure de juger sa détresse et les petits arrangements qu'on passe avec sa douleur. J'aurais dû le stopper, lui demander de ne plus me confier quoi que ce soit, et maintenant plus que jamais, car il a vraiment fallu que le préfet me fusille du regard pour que je me taise.

— Parce que c'est dur à croire, quand même… c'est dur à croire qu'au moment de monter sur la table de la cuisine, au moins à ce moment-là, tu n'es pas écrasé par une solitude…

On lui a dit, très vite – plusieurs personnes –, qu'elle ne s'imposait pas, l'hypothèse de cette détresse. Ce n'était pas nécessaire, « Il y a des suicides plus mystérieux ».

— Monsieur, la question de sa responsabilité il se l'est lui-même posée, il n'y a pas que le gouvernement pour la poser, ce serait trop simple…

44

Céline Aberkane,
conseillère

DON QUICHOTTE !

Puisqu'on ne me siffle pas, puisqu'on ne m'a pas dit non plus de « vivre ma vie », je vais rédiger la note qu'il m'a demandée, sur *Don Quichotte*. S'ils m'appellent, je peux être de nouveau à Brest trois heures plus tard, mais on m'a écartée, je suis sur la touche comme le préfet – ce point commun entre nous deux est un eczéma de la tête, et bien atroce ! De toutes les façons, c'est les grévistes de La Générale qui fixent les rendez-vous. Ils nous font marcher au doigt et à l'œil – dans les conflits que j'ai dirigés je n'ai jamais gagné cette marge de manœuvre. Est-ce que l'équipe de Matignon va renverser le rapport de force ? Est-ce qu'ils vont menacer les salariés ? Oui, sans doute, mais pour l'instant (LCI en boucle sur les écrans de la brasserie) aucun changement visible.

Je suis allée à la Fnac de la rue de Rennes, j'ai demandé au vendeur quelle version je devais prendre. Il m'a dit qu'il ne l'avait pas lu, que je pouvais choisir en fonction de la date de parution. « 1605 ? » je lui ai demandé sur le ton que j'aurais pris pour le traiter d'abruti. Non, choisir la traduction la plus récente. « Je suis épuisée, excusez-moi. »

Là, maintenant, aucune envie de lire les deux volumes de 400 pages.

Le rayon « Cinéma » ensuite. Hors de question d'acheter une encyclopédie ; je veux seulement lire la notice consacrée à *Don Quichotte* – il doit bien y en avoir une. Montville m'a parlé des adaptations de ce roman. C'est ce qui l'intéresse. Le dico est sous plastique, le vendeur me fait la gueule. Qu'est-ce qu'il y a ? J'ai une tête à pas l'acheter ensuite ? Je pourrais te faire ravaler cet agacement. C'est un mépris de classe tordu car tu n'es pas plus haut que moi dans l'échelle sociale, en étant vendeur ici – mais à ne fréquenter que ceux qui ont du temps et de l'argent pour les bouquins, tu as épousé leurs certitudes et leur condescendance.

Je pourrais aussi me calmer, et ne pas chercher à piétiner tous les vendeurs du magasin. C'est quoi ça ? Tu ne dors plus et hop tu t'offres le droit de piétiner les autres ? Ou je ne les trouve pas comestibles, c'est tout, et je fais ma lionne contrariée… ?

J'attends que Toto se casse pour photographier la page – ils citent trop d'adaptations pour que je puisse les mémoriser : Pabst en 1933 ; Orson Welles entre 1955 et 1970 ; Kozintsev en 1957 ; Le Chanois ; Kurchevskiy, et d'autres.

Je ressors. La tour Montparnasse dans l'axe de la rue, invraisemblable. Où trouver ces films ? Je ne retourne pas chez moi, ce sera en streaming. J'achète un pull, trois culottes et des Vania car le sang c'est pour bientôt, je retourne gare Montparnasse – si on m'appelle, je pourrai immédiatement monter dans le train pour Brest.

Je lis. Je vais directement aux épisodes qui me disent quelque chose mais tous les titres du chapitre ne sont pas explicites, dans le sommaire. J'essaie de trouver la description de chaque personnage : le cheval, Dulcinée, Sancho (il pète et il pue), le plat du barbier qui devient le casque du Quichotte… ça s'imprime en moi, curieusement – pas besoin de prendre des notes. Les épisodes : le château (une pauvre auberge), les deux princesses (des putes macrotées par l'aubergiste), les galériens qu'il va libérer parce qu'il n'entend pas qu'ils sont les prisonniers du roi, et les soldats de l'Inquisition qui vont le menacer, le combat contre les moulins à vent, ces pierres que lui lanceront les chevriers furieux d'avoir à courir après leurs troupeaux par sa faute… En fait je me laisse prendre un peu. J'y suis. Ce qui se passe dans le hall de la gare Montparnasse ne joue plus vraiment sur la température de mes pensées, je suis en Espagne, avec les deux timbrés. J'ai l'impression d'entendre les sabots du cheval sur la caillasse. L'un a des visions (des géants, pas des moulins), l'autre ne voit que la réalité (des moulins pas des géants) mais il continue de suivre celui qui a des visions. Seulement parce qu'il est le valet du chevalier timbré, ou parce que la folie de son maître quelque part lui fait du bien ?

Je continue.

À un moment je réalise que je suis dans la peau de Rossinante – c'est le personnage auquel je me suis identifiée. C'est à travers ses yeux que je vois les aventures des deux débiles. Je ne suis pas vraiment dans la tête du cheval, mais je vois tout à travers ses yeux. Celui qui prend des acides a les mêmes délires non ? Mais je ne saurais même pas où en trouver – alors gare Montparnasse, et en pleine journée !

Pour reprendre contact avec le vrai monde j'appelle le type

qui m'a parrainée lorsque Montville cherchait des profils inhabituels pour l'entourer.

— Évidemment Matignon et l'Élysée ils vont morfler ; s'ils réussissent à faire passer le secrétaire d'État pour un type louche, il y aura quelqu'un à l'Assemblée pour leur reprocher de s'être magistralement plantés en le nommant. Mais c'est un moindre mal. Tu peux aller aux putes tranquille, il ne va plus rien se passer là-bas.

Garçon ou fille, Hervé Polinovski a pour tout le monde les mêmes images. Tout le temps.

— Donc tu crois pas du tout qu'ils vont s'en prendre à lui, je veux dire : physiquement ? T'imagines notre responsabilité s'ils lui font quelque chose ?

— Quoi « quelque chose » ?

— S'ils lui coupent un doigt, s'ils l'exécutent... ?

— Oh alors là, tu peux aller aux putes !

Là j'ai posé mon livre pour l'insulter – tranquillement, froidement – et je l'ai rouvert après avoir raccroché, pour retourner sur la berge de cette rivière où Sancho baigne son gros ventre. Il y a les roseaux, des ombres sous un saule, c'est moi – à goûter la chaleur. Je suis un satyre ou un vieux qui regarderait les filles en train de se baigner... Je me suis allongée – entre les branches et les feuilles je voyais tout le ciel bleu. De temps en temps Don Quichotte parle à Sancho mais ça ne change rien au bleu du ciel ni au bruit du vent dans les arbres et les roseaux.

Au bout d'un moment je reviens à moi et constate que j'ai déjà survolé tout le premier volume : mais c'est aussi que je saute les passages où je ne sens rien. J'ai mal au dos, je m'étire face aux quais, sous le grand panneau d'affichage. Je ressors de la gare pour commander une omelette au bar de l'hôtel où je pourrais rester dormir. À l'angle de l'avenue du Maine et de la rue du Départ. Je n'ai pas idée de l'heure mais à cette lumière presque rasante et chaude je me dis qu'on doit être en fin d'après-midi.

Ce serait beau d'habiter là.

Ces moments passés au bord de la rivière… Grâce à eux, je retrouve des sensations. Je suis contente d'être là comme si je m'étais échappée. Je pose mes mains sur la table, la paume ventousée au formica. Sa couleur turquoise. Le cercle en laiton, les petits clous qui le retiennent. Le soleil fait son miel avec les poussières en suspension dans la pièce.

J'installe ma tablette près de l'omelette – Orson Welles dînerait avec moi. C'est un entretien des années 70, il explique pourquoi il a voulu, à un moment, adapter *Don Quichotte*, et ce qui n'a pas marché, ou comment les rushs des nombreuses scènes ont disparu ensuite. Le type dégage un truc, il est très charmeur. J'arrête l'entretien pour lire sa bio sur internet, et apprendre, donc, comment il effraya l'Amérique avec une émission de radio, en 1938, « La guerre des mondes » ; comment il épata Hollywood avec *Citizen Kane*, en 1941 – à 26 ans seulement… Quantité de films. Des adaptations de pièces de Shakespeare. Il filme son ex-femme Rita Hayworth avec une perruque blonde et des jeux de miroirs très angoissants.

Ce film inachevé et disparu aura certainement été une sorte de Moloch enrageant, une colère avalant tout.

Je pense à Youcef, à nous.

Mes œufs cocotte ont un goût métallique.

Moi en tout cas, ça ne me sortirait pas de la tête, et tout y passerait. Il en a tourné d'autres, d'accord, qui peuvent le consoler, c'est concret. Je ne les ai pas vus. Mais quand même : c'est un truc à hurler ou à regarder le trou s'agrandir jusqu'à pouvoir être englouti par lui.

Le garçon écoute depuis le bar d'abord – il n'y a personne d'autre que moi. Il est intrigué. Sa hanche contre ma table ensuite. Il a vraiment suivi, mais en étant trop loin pour lire le sous-titrage, et il ne connaît que l'anglais dont il a besoin ici, à l'hôtel.

— De quoi ça parle ?

Je lui raconte.

Il m'avoue gentiment qu'il ne voit pas le trou que j'ai vu.

— Un peintre, par exemple, ses toiles brûlent dans l'incendie de son atelier. Vous ne pensez pas qu'il pourrait devenir cinglé ?

— Votre barbu, là… il a la patate. Des cuisines j'entendais son gros rire. Où est-ce que vous voyez qu'il veut hurler ?

Plus tard :

— C'est un important ?

— Ils disent que c'est un génie, je lui réponds, en montrant mon téléphone d'un coup de menton.

— Ça se voit.

— Comment ?

— C'est… c'est dans ses yeux. Regardez sa façon de sourire !

J'ai fini l'omelette, j'ai avalé une part de tarte mal décongelée et suis montée dans la chambre que je venais de prendre pour regarder les quelques minutes de ce *Don Quichotte* qu'on peut trouver en ligne. (Le tournage s'étant étalé sur une quinzaine d'années et deux ou trois continents, plusieurs cinémathèques possèdent des rushs (Paris, Madrid, l'Italie et le Mexique) de ce film qu'un ancien collaborateur de Welles a monté en 1991 à la demande des héritiers. (Note pour plus tard : trouver son nom et le moyen de le regarder.)

Je relance l'interview. Pourquoi ai-je aperçu une grande forme carnivore dégustant la cervelle d'Orson Welles avec un verre de vin et du gros sel ?

Ensuite j'ai voulu regarder une autre adaptation de Cervantès. Mais en replongeant dans la page de liens proposés par le moteur de recherche, j'ai d'abord cliqué sur un article intitulé « La malédiction Don Quichotte ». Je l'ai lu en me battant contre le sommeil, j'étais déjà ailleurs, avalée par la fatigue. J'ai éteint le plafonnier après avoir vérifié que mon téléphone était en charge, et allumé.

YOUCEF !

Au matin, j'ai compris que ma nuit avait été bizarre. J'avais dormi certainement, et un tout petit peu récupéré. Mais je me réveillais bizarre : les rêves ne s'étaient pas intégralement évaporés avec les premiers rayons de soleil ; ils m'avaient laissé dans le crâne ce genre d'images qu'on n'a pas le temps d'isoler au cinéma, à la télé, mais que le cerveau perçoit quand même. J'étais une de ces maisons qu'on explore avec une torche, ou passée dans la peau de quelqu'un. Au rez-de-chaussée de l'hôtel, ce n'était plus le même garçon derrière le bar, mais une femme d'une cinquantaine d'années. Est-ce que j'aurais vu à travers les yeux de Rossinante cette nuit aussi ?

— J'ai l'impression de vous connaître… Est-ce que vous êtes connue ?

Deux fois j'ai déjeuné avec le secrétaire général du syndicat, en 2009. Quitter le bureau, marcher à côté de lui sur le trottoir, être à sa table au restaurant… Les gens ont un comportement curieux avec ceux qu'ils aperçoivent à la télé ;

le degré de familiarité est parfois sidérant mais quand on y pense… Vous êtes entré dans leur salon via l'écran quand ils étaient à table, ou dans la chambre à coucher, le conjoint ronflait, ou il se lavait les dents. Vous, évidemment, vous ne savez rien de cette familiarité, elle vous cueille à froid…

Puis je n'ai pas l'habitude d'avoir à gérer ça, contrairement au secrétaire général… Je ne sais pas freiner le sentiment d'être agressé par cette familiarité à sens unique.

— Si, si, je vous ai vue à la télé.

Quand t'es connu, c'est des autres. Ils savent pour toi qui tu es – ça fragilise.

— … Je suis en Bretagne en ce moment, autour de la grève–

— C'est ça ! Le frère de mon gendre est là-bas alors vous pensez si j'étais attentive quand les informations en ont parlé. Et je vous ai vue répondre à des questions.

— Voilà.

— Et vous faites quoi, je me souviens plus… ?

— Je négocie.

— Mais alors vous faites quoi dans mon hôtel, là, maintenant ?! Pourquoi vous n'êtes pas là-bas ?

— J'y retourne madame, j'ai dû venir à Paris.

— Ils ont décidé quoi ? Si les CRS rentrent dans l'usine i'faut m'le dire hein, parce qu'on vous a bien reçue ici !

— Aucun ordre madame, rien de tout ça. Ne vous inquiétez pas.

En fait je n'en sais rien.

Et si quelque chose doit se passer dans la journée elle pensera que je lui ai menti. Tous ces gens qui me poussent dans les bras de ceux que je combats, tous ces gens qui m'assignent une position… Est-ce que je dois comprendre que j'occupe bel et bien cette position ? Qu'est-ce qui est vrai ? On me repousse partout. Il y a du mépris. J'essaie de tenir mon cap mais je me demande de moins en moins si je suis dans le vrai. Est-ce que j'ai quelque chose de la colombe qui lâche des bombes tout en croyant à des rameaux, la blanche colombe qui se persuade que tout n'est qu'explosion de joie sur son passage car dans sa tête au moins elle vole pour annoncer la paix… ?

Je voudrais que l'hôtelière me lâche alors je continue de mentir : j'ai ce train à prendre. Mais elle est de la glu qui a servi pour le sparadrap du capitaine Haddock : elle veut appeler la femme du frère de l'homme qu'a épousé sa fille.

— Elle vous attendra devant la gare de Brest, elle vous conduira vite à Châteaulin.

La dette morale contractée auprès de cette femme augmente à toute berzingue – si sa cousine au dix-neuvième degré me conduit à Châteaulin, je n'ai plus le droit de laisser les CRS entrer dans l'abattoir, ce serait indigne… Alors quoi ? Je vais retenir tous les Musclor du parking avec mes petits poings ?

Elle appelle sa fille pour avoir le portable de son mari qui lui donnera le portable de sa cousine au quatrième degré. Je bous à l'intérieur.

— Je dois absolument y aller !

Mais je ne bouge pas. Par politesse ou bien je suis paralysée ? Est-ce que j'attends d'avoir la tête sous l'eau ? Mécaniquement je ressors ma tablette, et retrouve l'article que je lisais avant d'éteindre. « La malédiction Don Quichotte ». Vu sous cet angle, les adaptations du roman au cinéma ne ressemblent plus à rien : Pabst n'a pas réussi, Welles non plus, et Terry Gilliam encore moins (mais ils disent que le documentaire *Lost in la Mancha* vaut peut-être le film qu'aurait tourné Gilliam...). Depuis, il aurait tenté trois fois de réunir le budget nécessaire, mais sans jamais y parvenir. Le roman de Cervantès serait d'après le journaliste une sorte de piège à cinéastes, les avalant et les recrachant les uns après les autres.

Ça m'intéresse. Montville savait-il quelque chose de cette malédiction quand il m'a demandé un topo sur les adaptations ?

L'idée me séduit. C'est mystérieux, ça rend l'objet très fascinant. Je me souviens, j'étais gosse, d'une expo sur Toutankhamon. Évidemment on n'avait pas fait le voyage, c'était impossible depuis Le Mans, mais la télé en avait montré quelques images, et elle avait raconté comment tous les archéologues étaient morts peu de temps après l'ouverture de son tombeau. J'étais fascinée.

Mais il y avait des interdits religieux ou politiques, concernant la tombe d'un pharaon. Rien de tout ça pour Don Quichotte. Difficile de mettre les deux sur le même plan. Mais j'imagine : je serais cinéaste, ça me titillerait. Je chercherais à me frotter à ça, je voudrais approcher ce truc auquel « même les meilleurs » se seront brûlés.

Je suis le découvreur de la tombe de Toutankhamon, on me dit de ne pas entrer, que je vais mourir si je le fais. Je préfère mourir de ne pas vraiment avoir eu de vie (en n'entrant pas dans le tombeau) ou mourir d'avoir vécu mille vies en pénétrant cette tombe ? Est-ce que tu recules ? Est-ce que tu retires ta main de la poignée ? De la fascination que tout ça exerce...

Je réalise qu'elle est à nouveau devant moi. Elle n'est pas discrète avec cette choucroute blonde.

— Pardon ?

Son gendre fait partie des grévistes ?

— Le frère de mon gendre ! Attention hein, je veux bien parler de lui mais vous devez me jurer que ni la police ni la direction n'utiliseront ce que je vais dire.

Pourquoi ne suis-je pas partie ?

— Écoutez madame, ça fait deux fois que vous m'assimilez à la police sans m'avoir demandé qui je suis ni d'où je viens. C'est insupportable, j'ai été syndicaliste pendant dix ans. Je travaille depuis le mois de juin pour le secrétaire d'État à l'Industrie–

— Celui qu'ils retiennent ?

Le ton de sa question n'était peut-être pas perfide mais ça m'a dévastée. Et quand bien même elle n'y aurait pas mis cette dose-là de méchanceté, je venais de lui dire que nous étions peut-être du même bord mais en lui gueulant dessus, voire en la traitant de conne.

Est-ce qu'il y a quelque chose de pourri, là, dans ma tête, ou c'est la fatigue qui me fait dévisser ?

45

Gérard Malescese,
salarié

Première coupure du téléphone et d'internet : entre jeudi 14 heures et vendredi 9 heures Quand elle a été évidente, on s'est tous regardés. Cela pouvait dire qu'une action se préparait. Pour cette raison, l'après-midi aura été… c'était stressant… j'ai les nerfs en pelote, assez rapidement… alors quand la nuit est venue, on a retrouvé nos corps en vrac – comme après une crampe, pareil. Et quand ton corps est dans cet état-là, obligatoirement le monde autour est plus le même. On n'a plus l'énergie qu'il faut pour le voir comme un champ de bataille. L'impression d'être en pleine mer augmente encore – soumis aux décisions du vent, des courants. À la merci des récifs, maintenant. Dans certains regards j'ai deviné comme une attente, l'avis du syndicat au moins serait un repère, et une boussole possible. J'ai voulu me venger en gardant le silence… Ou saisir l'occasion… « Si même Gérard hésite… » L'impression d'être à la dérive, oui… Pourtant il fallait continuer de penser aux CRS, se préparer à la bagarre au cas où ils chercheraient à profiter de la nuit pour entrer, mettre le feu à l'usine, peut-être pour discréditer le mouvement… On a pris sur nous, et ça nous a coûté. Les moins abrutis par l'effort faisaient le tour des groupes, c'était des guides de haute montagne parlant pour que les autres s'endorment pas, pour qu'ils s'abandonnent pas au froid qui les tuera, autrement.

Puis, après l'aube un peu miraculeuse, juteuse, les téléphones ont de nouveau marché, l'internet est revenu et tout le monde s'est jeté dessus. Et en quelques minutes (dix, quinze), on a compris que la tonalité des articles avait changé. Beaucoup évoquaient comme une « traîtrise » le fait que Montville ait continué à travailler avec ce club de gauche qui, depuis près d'un an, plantait tous les jours des banderilles dans le cul du gouvernement, qui balançait à cette fausse gauche des coups d'éperons saignants que la bête s'acharnait à ne pas comprendre. « Un modèle de double jeu » de la part du secrétaire d'État (*Le Figaro*).

Immédiatement cette loucherie nous a travaillés ; pouvait-il avoir été louche avec le gouvernement et ne pas l'être avec nous dans l'abattoir ?

Certains sont allés le trouver au bout d'une heure ou deux.

— Quand Denhag a remporté la présidentielle, j'ai cru que s'ouvrait une autre époque de ma vie. Après avoir travaillé dix ans sur ces questions, je m'attendais à les voir quitter une par une le champ de la théorie, j'allais les voir verser dans celui de l'expérimentation à grande échelle. On accélère, on fait l'Histoire, on bascule dans la troisième révolution industrielle. C'est un truc totalement fou. La planète est épuisée par toutes les ponctions mais on entend ce qu'elle dit et on la sauve à la dernière minute pour les générations futures. Ce n'est pas un scénario catastrophe avec Bruce Willis ou bien Batman, c'est la réalité, la même folie, la même urgence, c'est des hommes et des femmes, dans notre décor banal. Et puis non, le décor banal a le dernier mot justement, tout le monde ne mesure pas l'urgence totale, écologique, Denhag renonce, il ne fera rien.

Il y a eu des remous. S'il avait dit ça (« troisième révolution industrielle ») lors des réunions 1 et 2, il aurait retourné certaines des personnes qui ne comprenaient rien à ses discours et qui voyaient en lui une sorte d'ennemi.

— Mais pendant la campagne, et dans le premier mois de la présidence, celui des grandes annonces, rien de ce que j'avais proposé n'a été inscrit à l'ordre du jour. J'ai paniqué, je ne comprenais pas. J'ai rencontré un membre du bureau de ce think tank. Ils connaissaient mon expertise sur les questions liées à la révolution verte, à la décroissance et au revenu universel garanti. Ils désiraient : 1) y voir plus clair ; 2) harceler le gouvernement sur des réformes d'ampleur. J'étais totalement libre, insatisfait, j'étais agacé. J'ai donc accepté d'animer des séminaires informels pour nourrir ceux du Collectif qui désiraient insister sur ces questions.

Ensuite, à la faveur d'un mini-remaniement, il a été nommé secrétaire d'État mais dès qu'il a revu ses interlocuteurs du Collectif il leur a dit : « Je continue. C'est comme une charge de cours que je conserverais pour garder un pied dans la vie civile et ne pas me couper des "forces vives", du bouillonnement. » Il ne voulait pas se retrouver pris à la gorge « si la lourdeur des processus décisionnels liés à l'État et à l'Europe » devait finalement ralentir beaucoup le rythme des réalisations ou des projets de loi qu'il entendait défendre au Parlement.

— Le type du Collectif a été abasourdi, je vous assure.

Pas de réactions. Montville se crispe. Est-ce qu'il comprend que le poison du doute est dans l'usine ?

— Je crois qu'il s'est dit que je me payais sa tête… Il a dû penser que ces discussions ne seraient plus qu'un lieu de paroles creuses… « Le nouveau secrétaire d'État ne dira plus rien qui puisse gêner le gouvernement, et d'abord le travail de son propre ministère »… Du coup, je les ai vus hésiter ; s'ils avaient d'abord cru que je leur proposais de devenir la taupe du Collectif au sein du gouvernement, ils se demandaient maintenant, moins de cinq minutes plus tard hein, si je n'allais pas plutôt être celle du gouvernement à l'intérieur du Collectif.

À qui ou à quoi allait-il être fidèle ? La question est la même ici et maintenant. Il le comprend et se défend, il passe d'un regard à un autre comme un qui ferait du porte-à-porte :

— Nos parcours sont pas des segments droits. Chaque vie c'est aussi un mikado. Autrement c'est pas de la psychologie, ou de la politique, mais un schéma idiot, un plan orthonormé, de la plomberie.

Cette remarque en passant était un autre coude sur le parcours : il se confiait comme à des gens capables de l'entendre et de le croire ; à des gens capables de faire confiance aux mots, c'est-à-dire à des gens capables aussi de jouer avec les mots, à des gens de son milieu quoi, et ça comment tu veux que ça nous file pas le vertige ? Et puis… Quand on avoue si facilement son double jeu, est-ce que ça ne veut pas dire qu'on cache quelque chose d'autre, un troisième plan où se situer, où il se situerait lui, où pas un de nous n'était capable de le deviner, à ce moment-là. Et s'il y a un troisième plan il peut aussi bien y en avoir un vingt-septième. Au lieu de nous rassurer, sa franchise nous a poussés vers la méfiance. Sans que j'aie à dire quoi que ce soit cette fois, pour convaincre les collègues. Sa franchise – si c'est le mot qu'il faut – nous entraînait sur un terrain mangé par la pénombre, avec des zones grises, alors qu'on était en train de se battre, alors qu'à la guerre il faut des positions lisibles, un noir et blanc tranché. Son truc sur la complexité des gens, est-ce que ce n'est pas pour les mondanités – un raffinement dont on ne peut plus se payer le luxe ?

Sans doute c'est bien l'explication. Mes arguments contre la fête et le concert qu'il proposait, avec Cyril, ont commencé à porter mieux, grâce aux articles du matin. On me répondait plus : « Mais toi t'es fumasse à cause qu'on a grillé les syndicats. » Certains semblaient d'accord, et d'autres me comprenaient enfin quand je parlais d'un piège. Un concert de jazz, et une fête, ensuite, un genre de banquet. « Il conduit notre bus vers un ravin et il le sait ! » Cette phrase n'avait pas fait mouche, la veille. Je l'entendais circuler à nouveau, portée par cette idée de double jeu. On en aurait parlé encore, et mieux, et j'aurais pu convaincre tout le monde s'il avait pas fallu se rendre au rendez-vous, derrière le piquet de grève. Nous avions convoqué la cellule de crise pour une réunion, et c'était l'heure.

Là, clignant des yeux face au parking, on a vu se pointer deux hommes.

— Vous êtes qui vous ?

— En l'absence de Céline Aberk–

— Hein ?!

— Comment ça, en son absence ?! Vous allez la chercher. On l'a désignée, on parlera à personne d'autre.

Jamais Cyril ne s'est exprimé avec une telle colère dans la voix.

Il n'y a plus que notre fermeté, c'est elle qui nous porte. On a placé la barre très haut en proclamant le rachat de l'abattoir par ses propres employés, c'est désormais cette altitude qui réfléchit, et non pas nous. C'est cette ambition qui produit de l'intelligence, c'est elle qui négocie, et non pas nous. On n'est pas nombreux à pouvoir mettre des mots sur ce sentiment de facilité mais on ressent une différence avec la semaine précédente comme avec les premières heures de l'occupation. Il y a une brèche, on n'a pas résisté à l'appel d'air et on a désormais le sentiment que beaucoup de choses deviennent faciles. C'est totalement grisant.

Karima, aux autres, dans le hall :

— Dans les Tex Avery, quand un type est pourchassé, il continue de courir même après avoir dépassé le bord du canyon, alors qu'il a sous les pieds un vide immense. Il aurait pu courir encore, mais il vient de se dire « C'est impossible, ça n'existe pas » et il tombe à pic. Pour nous, pareil : on est en train de sentir le sol se dérober mais il n'y a que notre fermeté alors on continue de courir et on atteint bientôt ensemble l'autre bord du canyon, on continue. Des choses commencent à nous faire douter, on ne les écoute pas, on continue. On n'est plus d'accord sur tout, certains ont peur et ça divise, on continue.

Pourquoi demander Céline Aberkane alors qu'on s'en méfiait ? Que certains, même, s'en foutaient complètement ? Par principe, bien sûr, car nous avions la main, mais aussi parce qu'on avait besoin de quelqu'un qui le connaisse un peu, lui. Si les émissions des trois premiers jours étaient restées politiques (ils parlaient de nous ou de l'entreprise), on découvrait, après les articles sur son double jeu, qu'il y avait désormais des journalistes pour fouiller la vie du mec, et nous raconter la mort de sa femme six mois plus tôt. Dans ces colonnes on trouvait des bribes de phrases qu'on repérait – à cause de cet état d'alerte qui était une fièvre, et transportés comme on l'était : le mec a vécu un drame oui, mais il n'est pas tout blanc ; cette femme a été fragilisée par leur vie de couple. L'agenda de monsieur (des cours, des conférences et des expertises qui l'obligeaient certainement à s'absenter), ou la pression inévitable quand votre vie devient publique, et comment certains peuvent se mettre à paniquer ? Ils n'en disent rien alors on est amenés – fourberie de malade – à chercher une autre façon d'entendre ce « vie de couple », et on est amenés – c'est dégueulasse – à inventer un versant psychologique tordu, son indifférence (« N'a-t-il pas laissé passer une heure avant d'appeler les secours et la police ? ») ou même une perversité qui aurait eu, à l'usure, cette pauvre femme (« Les pervers narcissiques aujourd'hui on parle plus que d'ça ! Y a six mois c'était *La Reine des neiges* maintenant c'est les pervers narcissiques »).

Alors on s'imaginait avoir besoin de sa conseillère Céline Machintruc. « Pour y voir plus clair. Ses yeux, sa peau, la moindre trace de nervosité. Un instant de surprise qu'elle ne réprimera pas assez vite. Si tu veux connaître une personne, t'en places une autre juste à côté. On est souvent le papier pH de son voisin. » Pour moi les choses étaient claires depuis quelque temps, et je n'avais plus besoin qu'elle serve de détecteur de mensonges, cette Céline. Montville, je le décryptais tout seul. Mes collègues non, parce qu'ils ont aboli au fil des jours la distance creusée par la colère. Donc ils ont tous voté pour le retour de cette greluche. Il participait aux réunions et aux ateliers, nous lui parlions en dehors de ces temps-là aussi, et ceux qui sortaient parler à la presse devaient parvenir à rester durs en évoquant le sort du ministre. Personnellement, et pardon si je me répète, je n'avais pas à me forcer ;

je continuais à ne pas lui faire confiance – peut-être il apportait beaucoup aux réunions, en donnant du poids à chaque idée émise par les collègues, mais il était aussi celui qui, avec Cyril, était en train d'essayer d'organiser une fête.

> Et cette fille sortie du syndicat, pourquoi la croire… ? Les doubles jeux attirent les traîtres. Mais pourquoi y en a-t-il si souvent parmi nous attirés ? C'est pour baiser large ou c'est une histoire d'âme ?

46

Sylvaine Grocholski,
salariée

— … il ne faut pas mettre en avant le désespoir ; que vous êtes prêts à commettre l'irréparable ; qu'il y en a, ici, pour avoir pensé au suicide, malgré la solidarité. La peur ne doit pas changer de camp.

— « Entre nous » ?

— Oui, c'est ce que j'ai dit.

— Justement. Vous ne pouvez pas.

— Je ne dois pas m'inclure ?

— Voilà.

— Christian !

— Sylvaine ?

— T'abuses ! (Au ministre :) Continuez. Vous disiez : « L'irréparable »…

— Verser de l'acide dans une rivière, mettre le feu à l'usine ou au stock de viande, ou, dans le registre plus désespéré de celui qui ne parvient pas à s'en prendre à quelqu'un, tuer ses gosses avant de tenter de se suicider et se réveiller à l'hôpital avec un ou deux flics autour du lit… Les médias gagnent si c'est ce que tu leur donnes. Et les négociateurs. T'es fébrile, acculé, t'as plus le choix, ils le devinent, tu es seul, ça se flaire. Si tu laisses parler ton désespoir, il éteindra ce qui te reste d'envie. Plus tu répètes ton malheur, plus ton malheur fait le vide en toi. Il n'y a plus que lui autour de toi. C'est un connard qui va cracher son mégot sur le lino du salon, et mettre ses bottes sur la table de la salle à manger. Il éteindra même ta colère, tu seras cynique et résigné et ils auront gagné sans avoir fait grand-chose.

— Et comment qu'ils pourraient nous prendre au sérieux si on ne leur dit pas jusqu'où ça nous a portés leurs saloperies ?! Si on met pas le feu aux palettes de viande qu'on voudrait pouvoir bouffer nous-mêmes ? Hein, comment ?

— Mais justement ! Puisque de toute façon ils ont du mal à vous considérer, arrêtez de perdre du temps à chercher ça… Peut-être ne doivent-ils pas, en fait, vous prendre au sérieux…

Ça, c'est pas passé. Une bronca impressionnante. Mais Montville n'a pas bougé, il faut le dire. Je crois même qu'il n'a pas eu peur. Il attendait de pouvoir reprendre, mais sans aucune morgue, sans penser que le mec en face est tombé – petit taureau débile – dans le piège de mal comprendre, de ne pas voir qu'il y a, pour continuer sa phrase, un autre chemin que celui hérissé de clous et de tessons de bouteille.

— Ils vous prendront au sérieux quand ce sera trop tard pour eux, quand on aura les clés de l'abattoir, ils seront coincés. Vous avez plusieurs coups d'avance, il ne faut pas qu'ils vous rattrapent. Qu'ils vous sous-estiment est la meilleure sécurité, rappelez-vous *Le Lièvre et la Tortue*. On ne doit pas vouloir cette méprise mais s'ils vous prennent pour des inoffensifs, des riens du tout, votre objectif ne peut pas être de les détromper. L'objectif c'est la liberté, et pas de continuer à vivre sous leur regard – qu'il soit critique ou admiratif. S'ils vous prennent pour des négligeables…

— … ça nous fera une cape d'invisibilité.

— …

— On doit leur donner l'inverse du désespoir, on doit approcher la joie. Si en te battant tu affiches une confiance et la joie que tu en tires, ou du combat lui-même, alors là… tu fais peur. Vous savez, je repense à l'autre soir. Quand j'ai traversé le dortoir vous avez arrêté de rire parce que je suis de l'autre camp. Eh bien c'était l'inverse qu'il fallait faire.

— Nous dites pas c'qu'on doit faire ; vous pouvez parler mais vous dites pas ce qu'on doit faire.

— Entendu. Bref : c'est pour ça que Cyril et moi nous voulons organiser ce concert.

— Cyril ?

— Il faut qu'on fasse la fête. On est fatigués. Ça fait cinq jours qu'on est sur les dents. Là, comme l'usine est à nous, on a eu cette idée folle, on voudrait tout faire sonner, on voudrait entendre l'abattoir, autrement, et la musique aussi, qu'elle sonne différemment. C'est d'abord pour nous mais si ça peut faire peur à tout le monde dehors–

Là, le secrétaire d'État est sorti prendre un café. Je crois que c'était une façon de laisser le projet à l'un de nous.

— C'est un concert de soutien ou quelque chose comme ça ?

— Pour récolter du fric, pour faire la fête.

Mais Cyril a poursuivi :

— On entrouvrira les fenêtres pour qu'ils entendent le barouf et ce sera tout bénef, mais c'est d'abord pour nous et ça fait partie de la lutte et c'est une partie de la solution. Si elle est étroite, la solution, si elle n'entraîne pas plein de choses, ça ne peut pas être une solution.

— Tu parles comme l'autre !

— Tu veux dire comme un perroquet ?

— C'est bon Cyril, continue.

— Le piège, c'est le désespoir. On croit que c'est ce qui nous pousse mais c'est la colère. Mettre en avant le désespoir c'est un truc désespéré et c'est d'abord nous que ça boxe. Quand tu craches comme ça ton désespoir, tu peux être sûr qu'il va te revenir en pleine gueule – comme quand on pisse debout en étant face au vent, le pantalon ramasse. Regardez… ici on n'a plus la télé, on n'a que nos discussions et déjà, au bout de quatre jours ensemble tout le monde va mieux ! Hier je lisais des trucs sur la Grèce.

À mon oreille, Hamidou :

— Il va encore nous casser les couilles avec la télé, les marchands d'armes et de médicaments ?!?

Je lui souris. C'est bien qu'ils s'énervent, les collègues.

— Je lisais des trucs sur les manifs contre le FMI, en Grèce, et comment ils s'organisent, et un mec interrogé a dit que les Grecs, en se parlant comme ça, dans la rue, ils revenaient sur un des méfaits de la dictature, dans les années 70. Un jour, les colonels se sont penchés sur les programmes télé. Ils ont décidé qu'il y aurait des beaux programmes, des grandes comédies populaires. Ils avaient un but évidemment : que les gens ne sortent plus de chez eux. Au ciné tu fais la queue avec d'autres personnes, et dans la salle aussi tu peux discuter encore. Fallait empêcher ça, les retenir dans leur salon. Les Grecs ont arrêté de sortir, ils sont restés devant la télé, les ciné-clubs ont été fermés et la dictature s'est acheté quelques années de calme.

Il y a bien eu dix minutes de débat, des discussions agitées – comme toujours dès qu'il s'agit de la télé, et c'est normal car si on la regarde trois ou quatre heures par jour ça n'est plus un meuble du salon, c'est nos yeux et nos oreilles, nos sensations. À un moment ça devient ça.

Là, quelqu'un est venu annoncer que le téléphone et internet étaient de nouveau coupés. Les flics durcissaient le siège, ayant constaté qu'on travaillait pas mal, imaginant les ateliers et les réunions qui étaient notre quotidien, qu'on alimentait à coups de recherches sur internet pour contacter des spécialistes des coopératives, et les deux avocats que la CGT mettait à notre service. Nous avions peut-être laissé trop de marge aux flics en ne convoquant pas les négociateurs toutes les deux heures.

— Il aurait fallu les étourdir.

Que faire pour qu'ils ne reprennent pas la main ? Comment continuer à les surprendre ?

— Utilisez-moi, utilisez-moi complètement. Je suis là pour ça, c'est pour ça que vous me retenez. Et tant que je suis ici, ça marche, je suis secrétaire d'État. Si vous deviez me relâcher, je ne le serais plus évidemment.

— Plus avec nous ?

— On m'expliquera que je ne peux conserver mon poste et il y aura un remaniement ministériel. Il y a 95 % de chances que je ne sois plus au gouvernement, et 5 % de possibilités qu'ils me confient un autre secrétariat d'État, encore moins visible, pour afficher une sorte de solidité. Alors profitez : je suis encore quelque chose.

— Vous pensez qu'ils ne vous remplaceront pas ?

— Tant que je suis ici, non. Ce serait vraiment fou, un lâchage vraiment dur à défendre devant les journalistes.

— Vous m'avez pas compris : vous croyez pas qu'ils sont capables de vous retirer votre valeur pendant que vous êtes ici ? Peut-être ils n'ont pas besoin d'attendre que vous soyez d'nouveau dehors… Peut-être ils peuvent réussir ça à distance, comme les chirurgiens qui opèrent à distance…

— C'est justement pour empêcher ça qu'il faut passer un échelon. Le baron Empain, quand ils l'ont enlevé, pour montrer qu'ils ne rigolaient pas, ils lui ont coupé l'auriculaire et ils l'ont envoyé–

— Oui oui, ça va, on n'est pas tous nés en 1980.

— Et Aldo Moro, exécuté à Rome. Et le président du patronat allemand, exécuté par le groupe de Baader.

Encore la stupeur et la gêne de l'entendre dire ça. On lui demande de nous laisser. On attend qu'il arrive sur la plateforme pour continuer, reprendre.

— Il a raison, on est peut-être en train de perdre l'avantage qu'on a eu en les surprenant. La fille, là, elle parle comme nous. Mais les deux types de ce matin, ils sortent d'où ? Est-ce qu'ils ont lâché les chiens, « opération commando » ?

— Certains de nos projets sont presque prêts… On peut pas aller plus vite – on dort déjà très peu.

— Oui mais l'horizon de nos actions c'est un lien avec le dehors et pour ça il faut que l'usine ne soit plus ce camp retranché qu'elle est devenue lundi midi. Il faut qu'on circule et ça c'est impossible tant qu'il est là.

— Donc la question à régler, c'est lui ?

— C'est lui !

J'ai répondu trop vite, et trop fermement. Du coup mes collègues ont entendu beaucoup plus que ces deux mots, une détonation, et leurs yeux me fixaient comme si je venais de l'abattre mais c'était eux qui sortaient du cercle, jetés en arrière par le recul de l'arme. Effrayés ils quittaient la scène chassés par cet effroi.

— C'est moi !

Tout va s'effondrer de ce qu'on a construit sur notre colère et notre intelligence. Et de voir tout ça, quatre ou cinq jours d'une révolte rare dans un pays où la classe dominante domine si fantastiquement les misérables qu'elle parvient même… Au début des années 70, l'écart entre le SMIC et le salaire des grands patrons était de 1 à 30. En 2015 il est de 1 à 240. De voir tout ça… Un très court instant, de voir toute cette fragilité, que ces quatre ou cinq jours pouvaient disparaître sans faire date…

— Il vient de gueuler « C'est moi » ?

Un très court instant je me suis fendillée à l'intérieur…

La voix venait de la mezzanine, et depuis l'autre côté de la porte du bureau de direction où on lui avait demandé de retourner, et elle passait la porte (fermée) : « C'est elle qui a raison ! Évidemment. Elle a raison » dit à nouveau le secrétaire d'État. Il augmenta de beaucoup le trouble des gens car il venait de hurler comme le détenu qu'il était, pour que sa voix passe les murs, et cette façon de forcer avait collé aux mots une inquiétude ou une urgence à laquelle je n'étais même pas encore rendue, personnellement. Dans le hall, on est interdits et silencieux, ce qui le pousse à recommencer car il n'est pas certain de s'être fait entendre, et il hurle de nouveau tandis que Terry, qui garde le bureau, lui ouvre la porte parce qu'il a cru à un problème, à un appel à l'aide ou quelque chose comme ça. Du coup il se retrouve, le ministre, à mettre dans sa voix plus d'intensité au moment même où quelqu'un ouvre la porte, alors qu'elle est ouverte, ça y est, c'est-à-dire justement quand tous ces décibels supplémentaires ne sont plus utiles, quand ils nous vrillent l'oreille, figent une partie d'entre nous, pétrifiés. L'autre moitié éclate de rire – pour se défendre de la peur sans doute. C'est le capitaine Haddock qui cherche à enfoncer une porte que quelqu'un ouvre et il se retrouve les quatre fers en l'air, ou parce qu'il s'est lui-même fait peur, ou parce qu'il a eu honte, subitement, de faire un tel barouf. Il a peur de son ombre ?

***

Le bruit des hélicoptères qui se succèdent toutes les heures au-dessus de l'abattoir… qui volent bas… comment ça vrille la tête !

***

Le lendemain, il a recommencé, il n'y avait plus d'ambiguïté, il n'était plus possible de rire.

— Il faut distinguer les projets d'après, et ceux qui sont négociables maintenant contre ma vie.

Il serait donc comme ces malades qui veulent assister à leur propre opération des intestins ou de la prostate, qui commentent ce qu'ils voient comme s'il ne s'agissait pas de leur propre corps ? On en parle toute la journée, entre nous. Personne ne comprend, je ne m'y fais pas. C'est une chose qui sonnerait faux. On se rassurait en se disant : il ne veut pas mourir, il nous rappelle seulement qu'on doit faire croire, dans les négos, qu'on peut encore le tuer. Mais a-t-on pensé un seul moment qu'on pouvait aller jusque-là ?

Je me demande même s'il n'y avait pas de l'agacement. Comment ne pas être furieux si les salauds valident le choix que tu as fait, de la violence ? Voire quand ils proposent d'aller plus loin… Tu te croyais déjà très haut sur l'échelle des audaces possibles et d'un coup tu te sens con… Tu prends une grande goulée d'air pur et tu retournes au fond immédiatement. Tu viens de goûter à la liberté, et immédiatement elle semble fade, et c'est une catastrophe, au moment où tu cherches à secouer le truc qui t'écrase au quotidien…

Le premier jour Cyril m'a fait avouer que je suis restée pour servir de garde-fou, enfermée volontaire avec les collègues les plus colère pour empêcher un drame. Mais si la personne que je voulais protéger demande elle-même… J'ai l'air de quoi ? J'n'ai rien compris ?

Et au milieu du cinquième jour on est entrés dans une zone de turbulences plus fortes. Certains ont commencé à avoir très peur, à ne plus du tout reconnaître le visage ou la forme du projet qu'ils « caressaient » (langage des journaux). Certains ont voulu descendre du train en marche, ce qu'a compris Montville au cours de l'atelier de l'après-midi, et il s'est mis à paniquer – j'ai bien vu ça –, et il est devenu très véhément. Depuis cinq jours qu'il les écoutait parler comme s'il n'était pas là, de leur travail et de leur vie, de toutes les difficultés, il se disait – au cinquième jour – que la révolution ne pouvait pas ne pas avoir lieu – on l'a convaincu –, qu'il était impossible qu'elle n'ait pas lieu, qu'il le fallait, « C'est urgent ! ».

— La catastrophe serait qu'elle n'ait pas lieu.

Mais à cause de cette véhémence, il y en a qu'ont disjoncté : « Il joue contre son camp, c'est pas possible ?! Et même contre lui, et c'est taré ! » Cinq ou six d'entre nous ont commencé à le soupçonner de vouloir nous pousser à la faute, il nous a dit lui-même que les Brigades rouges ont peut-être été poussées par les « services américains » de manière à les couper de leurs sympathisants par un crime qu'ils n'arriveraient pas à justifier. Alors quoi ?

Les trois coups d'une tragédie, je les ai entendus : au moment où il était le plus sincère, s'oubliant jusqu'au sacrifice, les autres commençaient à douter de lui. Il double à gauche, il va plus loin, plus vite, prêt à perdre cent fois plus.

Catherine aussi parle beaucoup. Non pas en réunion mais en s'approchant de tout collègue fumant une cigarette, ou soufflant sur un café brûlant, ou bien à table encore, et à ce collègue glissé dans le duvet voisin, une fois toutes les lumières éteintes. Pour dire des choses ressemblant trait pour trait à ce que les journalistes sous-entendent depuis vingt-quatre heures : le suicide de sa femme il y a six mois l'a totalement désespéré ; son attitude avec nous, quand il nous encourage à l'utiliser – à le sacrifier en fait –, parce qu'il l'a dit au moins deux ou trois fois, hein… Eh bien ce serait un geste aussi désespéré que le suicide mais… Si, comme un suicide ! Il nous dit qu'il faut y aller, « Vous devez creuser encore, pour cette liberté », mais en fait c'est seulement par désespoir, et il veut mourir.

— Son geste à lui, peut-être, mais pas le nôtre.

Catherine n'entendait pas, elle était gagnée par une colère qui entretenait la mécanique de la parole. Catherine et Gérard.

— On est ses otages !

— Avant-hier tu le draguais, aujourd'hui tu es colère ! Toi-même tu serais pas en train de nous utiliser pour autre chose ?

Des copines l'ont repérée : elles lui auraient vu l'iris multicolore, ce soir-là, tant le désir l'avait shootée, Catherine.

— Cette violence-là, on n'est pas concernés, ça n'a rien à voir avec notre abattoir. S'il veut mourir, pourquoi nous entraîner ? Dans sa chute… Si on s'en prend à lui on s'ra marron aussi. « Irréparable » comme il dit. Le geste il sera irréparable pour nous aussi. On peut lui faire tous les procès populaires qu'on veut, avoir tous les arguments, on ira quand même en taule. Faut revenir à des choses qu'on connaît, à une grève qu'on maîtrise, où on sait ce qu'on fait, où on voit les pièges. Nous on a besoin d'une SCOP pour préserver l'emploi, nos enfants, la dignité.

Elle était partie d'un truc irrecevable, *Closer* appliqué à notre monde, ou à celui de l'usine, mais sa conclusion effaçait la dégueulasserie première. Beaucoup l'ont écoutée, car elle n'était pas la seule à voir l'occupation de l'abattoir devenir un cheval fou. Et si nous avions pris la décision de le séquestrer, c'était lui, en quelque sorte, qui avait souligné la valeur de cette prise de guerre, et tout ce qu'on pourrait en faire. C'était lui le cheval fou, et la situation. Toute la soirée j'ai vu le fossé grandir entre ceux qui s'étaient jetés dans tout, depuis lundi, à corps perdu, et ceux qui se montraient maintenant paralysés par l'extraordinaire de ce qu'on était en train de faire (tenir la dragée haute à tout l'État) et ceux encore qui s'éloignaient sans savoir comment descendre du bateau (un bateau maintenant, oui, après le train et le cheval fou) et qu'on voyait errer autour de la chaîne, qui essayaient de manquer les ateliers, les réunions, qui cherchaient un truc dans tel ou tel recoin, qui feignaient d'avoir des carottes à râper, du mauvais pâté à étaler sur des baguettes qui n'étaient pas encore livrées.

Et parce qu'il a voulu accélérer la préparation du concert pour que la révolution ait lieu, certains se sont demandé s'il était en train de perdre les pédales, d'entrer dans ces moments de grande agitation qui disent l'angoisse devant la mort. Les vieux parfois nous quittent comme ça. Il insistait sur le fait que sa mort faisait partie des possibilités, et si l'on avait d'abord pris cela pour un brouillement d'idées, si on l'avait d'abord décrit comme l'excitation du militant qui se trouverait enfin où il doit être, on ne voyait plus dans cette insistance qu'une forme de panique, un vaste truc d'attitudes désordonnées, et aux yeux de certains – qui avaient dû entendre des arrière-grands-mères bretonnes parler un peu comme des sorcières – la manifestation – comme certains fantômes se trahissent en renversant un pot de fleurs, ou en laissant des traces de pas – d'une mort (la sienne) qui ne viendrait pas de lui, qui serait bel et bien de notre ressort, notre intention, qui serait dans nos yeux, dans nos pensées. Qui nous découvrirait, nous trahirait.

47

Pin-Pon – mais elle veut qu'on l'appelle Britney,
salariée

Et tous les soirs écouter une autre histoire : les fous marchant dans la campagne du Loir-et-Cher à la recherche d'un lieu pour vivre ; les ouvriers de Turin ou de Milan donnant des formes inédites à leur révolte, donnant à l'intelligence des foules ces vitesses qu'on lui conteste ; l'insurrection noire de la prison d'Attica, sa répression immonde, criminelle... Tous les soirs des histoires pour nous aider à rallier l'aube, pour nous défendre des monstres qu'Hamed a bien décrits, ou plutôt pour les dompter, en faire des animaux de compagnie ou des dragons domestiqués, qui deviendraient des chevaux de trait.

Le mot « fête » comme une chose luxueuse du coup, mais nécessaire à cette occupation, à cette grève, à cette séquestration... Nan peu importe, t'appelles ça comme tu veux, tiens, et d'ailleurs pourquoi pas « fête » ? Au lieu d'occupation dire « fête ». On appelle ça fête et c'est réglé. Pour beaucoup, là maintenant, c'est évident comme la lumière d'un phare depuis la mer, une chose dont ils comprenaient – à l'envie qu'ils en ont maintenant – que pour X raisons ils n'ont pas eu droit à cette chose luxueuse, ou qu'ils ne se sont pas autorisé la dose de joie qui est cachée dedans, ou c'est l'occasion qui ne s'était pas présentée, ou peu importe et je m'en fous. Oui VOILÀ, c'est ça : un jour tu n'inventes plus de raisons de faire la fête, et tu t'en tiens à ce que propose le calendrier – quelques dates dans l'année, ou un permis de conduire obtenu, ou un mariage, ou un baptême –, exactement comme on se met à vivre avec les épaules en dedans, et le dos moins droit, c'est-à-dire les seins moins en avant, qui ne partent plus en éclaireurs, qui ne t'ouvrent plus la piste. Le mot « fête » à laisser infuser dans nos têtes fatiguées, qui les tire vers le haut, et tout le buste, comme s'il se préparait à être décoré avec des médailles découpées dans l'aluminium des canettes de Kro, avec des pattes de poulet et je deviens Grand Cordon de la Volaille, ou des morceaux de carton siglés – des trucs qui ne pèsent pas, qui ne font pas de vous des anciens combattants mais donnent envie de se tomber dans les bras et de danser – on l'a fait, WE DID IT ! Le mot « fête » comme une chose luxueuse à rouler en bouche, le mot fête qui te remonte les mêmes seins sans artifices, sans armatures ni bretelles de soutien-gorge et tu bombes le torse fièrement. On te parle tous de communauté parce qu'on bosse pour la même boîte, mais aujourd'hui je sais que ça suffit pas car avant qu'on s'installe dans l'abattoir et qu'on y dorme j'ai jamais voulu tomber dans les bras de mes collègues, ceux de mon atelier pas plus que les autres. Au contraire, là, d'heure en heure, et malgré les engueulades, on est tellement fiers, à s'embrasser chaque fois qu'on se croise – même ceux que je connais à peine. C'est la communauté par le haut, ça n'a rien à voir avec la communauté par le malheur ou bien l'abrutissement. Dans la tête j'ai un chien fou, il casse tous les bibelots, il se suspend aux voilages couleur de pisse, il se fait les dents sur la télécommande et en avale les piles, un chiot radioactif avec le ventre phosphorescent qui pisse dans le lave-vaisselle ouvert et va se frotter sur la moquette du salon que je voulais brûler. Les autres ont le même dans la poitrine, je m'en rends compte, ou dans le bassin, ou dans les jambes. Il faudrait que le musicien soit déjà là et qu'il commence à jouer, il faudrait qu'il ait un son énorme et des enceintes où les autres ont des poumons seulement – ce serait parfait.

***

Je voudrais aussi raconter ça.

On déchargeait les dons récoltés par les camarades pour le septième repas, et sous les salades Hervé a trouvé six flacons de vinaigrette. C'était un peu la fête, la salade n'allait pas s'abîmer dans le saladier – depuis deux jours personne n'y touchait plus. Hervé le premier : il a pris de la frisée à pleine main, ça faisait comme une colline dans son assiette, et il a aspergé ça de plusieurs rasades de sauce, bien grasse, aussi furieux qu'un paysan ayant de nouveau de l'eau, après plusieurs jours de sécheresse. Alors évidemment, quand il a commencé à la manger, il s'en est foutu partout. (C'est tout de même fou la salade : les bien élevés passent leur temps à te faire un point culture en te disant que ça s'fait pas de couper la salade, donc tu la piques et au bout de ta fourchette c'est toujours trop grand pour ta bouche de rien, et en même temps c'est LE truc qui se prend avec un assaisonnement ! Donc POUR respecter les bonnes manières t'es OBLIGÉ de t'en foutre partout – ou alors il me manque une info, une partie du raisonnement… Hervé s'en est foutu partout, avec gourmandise. On est entre nous, ok ; le type se fout des bonnes manières, ok. Mais sa femme est assise à côté, elle l'observe comme moi, comme Christian. Elle le regarde, elle va lui dire quelque chose et puis non, ou je n'ai pas compris : elle lui tourne la tête d'autorité et elle l'embrasse à pleine bouche ! Un truc de dingue, qui dure un peu, qui dure suffisamment pour qu'on se mette à regarder ailleurs, nous. Ensuite elle va le laisser reprendre ses esprits, et me tournant à nouveau vers eux je vais voir le visage d'Hervé passer de la surprise à une rougeur qui ne lui est pas venue tout de suite, comme s'il comprenait, la raison peut-être du mouvement de sa femme, qu'on n'avait jamais vue, nous, si spontanée… si… libre… Alors je ne vais plus le lâcher des yeux, et quand il va aller chercher un yaourt dans les pas de Nadine elle-même, près de la table, je vais les coller alors que j'ai pas droit aux produits laitiers :

— Avant tu m'aurais dit : « T'as de la sauce sur le menton. » T'aurais murmuré « Essuie-toi » ou t'aurais fait un geste…

— Ben oui, mais ça c'était avant.

— C'était pour m'embrasser ou m'essuyer, tout à l'heure ?

— Que t'es con !

48

Céline Aberkane,
conseillère du ministre

Ça ne peut plus durer. Là je flotte parce que la situation dans l'usine est exceptionnelle et parce que le ministère est décapité, mais à un moment ou à un autre quelqu'un se souciera de moi, de me licencier ou je ne sais quoi. Pour l'instant je suis comme en apesanteur. Ce n'est pas agréable. Ce n'est pas un congé ou une respiration : je garde la même raideur dans le cou, les épaules… Dans le dos aussi. Cette lourdeur à laquelle je me suis habituée ne disparaît pas avec le déraillement du quotidien – il n'a donc pas déraillé pour moi ? Il se passe quelque chose mais pour les autres seulement ? Raide ou crispée, sur le lit, à attendre que ce téléphone de merde me siffle enfin, je fixe les taches du plafond, je vois des ronds de fumée qui montent en s'agrandissant de plus en plus fins, des formes, des figures, et cette autre Céline Aberkane qui flotte si mal, qui pourrait apprendre la légèreté, cette autre Céline avec laquelle j'arrive à parler de loin en loin. Je ne sais pas si l'on échange, mais nous gardons le contact, au moins de loin en loin. Un jour elle m'a dit – quand je me séparais de Youcef avec l'impression d'être quittée : « Je suis fatiguée des hommes, mais pas rassasiée. » J'ai presque sursauté, je l'ai subitement pressée de questions mais le rond de fumée venait de se briser, ou la bulle de savon. J'aurais voulu la serrer dans mes bras, m'accrocher à la force que j'entendais dans cet aveu ; c'était une femme que je n'étais pas qui venait de parler, et tout de suite j'ai voulu lui ressembler. C'était comme sortir d'un rêve à l'instant où quelqu'un vous dit « Je vais te révéler le secret de ta vie », ou « Regarde, là : tire ce zip et tu pourras te démouler toute seule ».

Cette Céline, ma compagne du sommeil paradoxal – c'est le nom ?

J'ai tellement cherché du côté de ce qui avait une tête syndicale, ou une tête politique, que je ne sais plus voir vraiment les autres formes, ni les nommer. J'ai tellement cherché ça que je ne me suis plus rendu compte, très vite, qu'il y avait un élan dans cette recherche – la fin de la phrase a mangé le début de la phrase, un ballon gonfle en comprimant tout ce qu'il y a dans la même pièce.

Je me rendors et vois une femme qui descend une rue. Elle marche vite, elle court un peu, elle est surprise par des voitures qu'elle n'a pas entendues venir, qui klaxonnent pourtant. Est-ce moi comme ça de dos, prise dans les phares méchants ? Est-ce un bout de film ?

Je me réveille parce que j'ai cru entendre mon téléphone sonner. Rien depuis des heures, non. C'était un autre rêve. Il ne sonne plus, on ne me rappelle pas, je vais devoir me faire à ce flottement.

Sous la douche pour me délasser – est-ce que l'eau peut faire partir la tension avec la crasse ?

Chercher ces adaptations ?

Je sors et me casse la figure sur le carrelage. Surtout ne pas regarder le bleu que j'aurai, demain. Me couper un bras plutôt. Je pourrais pleurer, je le sens.

La ligne 6 jusqu'à Bercy, et la Cinémathèque. La secrétaire du ministère m'a dit que j'y trouverai les films que je cherche. Je me trompe de rue et me retrouve devant la gare encombrée d'Italiens et de valises énormes, et c'est bruyant, bordélique. Je longe un bus qui va quitter Paris pour Barcelone, où je ne suis jamais allée. Je regarde tous ces gens partir. L'espèce de lourdeur et de légèreté qu'il y a dans ces voyages. Je quitte le parking, essaie un escalier qui me mène – bingo – face au restaurant Les 400 Coups.

Les platanes qui accrochent le ciel.

Disparaître dans un bus comme j'espérais, plus tôt, qu'une simple douche pourrait me laver, me faire renaître.

J'explique ce que je veux au documentaliste. Il me fait répéter les noms de Kozintsev et Kurchevskiy, je dois les épeler et là, du fond de la salle, quelqu'un se fait entendre :

— Qui demande Kurchevskiy ?! ?

Je me retourne, un type jaillit de la place qu'il occupe, il a gardé son casque audio autour du cou, branché, le jack attire et fait tomber l'ordinateur portable. Il le regarde par terre sans doute cassé mais ne le ramasse pas et se libère du casque tout en gueulant :

— Kurchevskiy était un génie !

Il s'avance vers la borne d'accueil. Il est grand, les cheveux coiffés comme les ados avec une grande mèche qui lui barre le front. Une voix de théâtre. Il parle (il gueule) avec un accent, espagnol ou italien. Une petite moustache bizarre.

— C'est vous qui voulez voir un film de Kurchevskiy ? Lequel ? Quoi ? C'est bien vous ? Celui sur Don Quichotte ? Mais c'est extraordinaire ! Vous ne pouvez pas savoir à quel–

— Albert, moins fort s'il vous plaît.

Moi :

— Vous vous appelez Albert ?

Il a des bagues à tous les doigts.

— Albert Serra. Prenez votre manteau, je vous offre un verre. Allons, vite.

Kurchevskiy m'a attendue plus de trente ans, il peut bien attendre deux heures de plus. Albert retourne à sa place, il ramasse l'ordinateur mais il s'en fout, il attrape son manteau – un manteau de Castafiore (« C'est du ragondin, sous les manches il sent encore la vase. Vous aimez les ragondins ? »).

— Vous êtes russe ?

— Vous êtes complètement folle, je suis catalan. Venez, j'ai soif. Ça fait trois heures que je suis là.

— Mais je viens d'arriver moi...

— Quelle importance ! ?

— Et ce *Don Quichotte* génial ? !

— Je vais vous le raconter et vous le trouverez fou.

On est entrés dans une brasserie atroce. Mais au moins nous étions seuls, et il a obtenu – ce que c'est que l'autorité – que la musique soit supprimée par le garçon.

Et il va me raconter le film, effectivement. En parlant beaucoup des moulins – j'ai lu ce passage – mais en le rendant quasiment obscur. C'est Albert qui est fou, ou le film russe qui est étrange ?

— Don Quichotte voit des géants parce qu'il est en quête d'un combat qui aura de la gueule comme vous dites, les Français ; ses fantasmes commandent à ses yeux. Le comique s'arrête ici. Le plan suivant c'est le visage de Kostinovitch et là, quel jeu d'acteur ! Fini l'humour ! « Ce sont des géants donc j'y vais. » Voilà ce que disent les yeux, les sourcils, et puis la bouche. Ce *donc*... « Ce sont des géants *donc* j'y vais»… Il est tout entier dans le plissement des yeux et dans l'ébauche d'un sourire qui efface l'inquiétude qu'on trouvait sur son visage depuis le début. Ce changement est discret mais colossal t'entends ? T'es en haut d'un immense toboggan, et, ça y est, tu te laisses aller au bonheur de la descente. «Ce sont des géants *donc* j'y vais.» Les mauvais commentateurs de *Don Quichotte* disent que ce *donc* redouble la folie. Alors qu'il la compense, c'est évident, et c'est ça que filme Kurchevskiy, c'est l'héroïsme de ce *donc*. La voix de la raison serait de dire «Les géants, je dois les fuir» mais la raison, depuis longtemps, est l'otage des lâches. «Pleutres» c'est bien français, non ? La raison ça devrait être de citer La Boétie : «Ce sont des géants parce qu'on est à genoux.» Ou carrément Descartes : «Je vois des manteaux et des chapeaux et je dis que ce sont des hommes.» Don Quichotte sait qu'en s'approchant il gagne. Il y va, et automatiquement les géants vont perdre de leur superbe. Les géants sont dans la tête nous dit Cervantès, comme La Boétie – au même moment, 1600 et des bananes, comme vous dites les Français – en catalan on dit «*escaig*». S'avancer malgré leur taille, c'est déjà les voir moins grands. Le premier pas nous coûte, on nous a appris à courir dans l'autre sens, mais ça y est, ils font déjà beaucoup moins peur.

Albert racontera aussi comment Don Quichotte finira assommé par une aile du moulin, «c'est le plan 137», et comment le film de Kurchevskiy verse à ce moment-là dans un monde d'images bizarres, sortes de rêves, de visions. «De toutes les façons, on est depuis le début dans la tête du chevalier !»

Je regarde la bouteille de ce vin râpeux acheté au prix d'un grand cru : vide !

— Je vous jure que je le raconte plan par plan. Et je suis sûr à 90 % de n'en oublier aucun.

Mais à la fin de son récit, que j'avais fini par écouter comme une petite fille qui ne demande qu'à être émerveillée, je lui ai posé la mauvaise question. C'est l'histoire, le récit que j'avais écouté, et non le découpage des plans. Je suis incapable d'évaluer ce que le Russe a fait de ce roman.

— Et pourquoi le trouvez-vous si génial ce film ?

Évidemment, après le spectacle qu'il venait de donner – le grand jeu, la totale – c'était désarçonnant.

Il n'y a pas longtemps, j'ai croisé un ami qui m'a fait ce coup-là. Il m'a demandé comment j'allais – il était au courant pour Youcef et moi – et je n'ai pas triché : je lui ai expliqué à quel point j'étais perdue, déstabilisée, incapable de débrouiller mes sentiments et mes désirs. Il m'a écoutée peut-être dix minutes et quand je me suis tue il m'a demandé :

— Et sinon, ça va ?

À quoi pensais-tu, connard, pendant que je me confiais ?

« Est-ce qu'elle m'a écouté ou est-ce qu'elle est à ce point débile ? »

— Je ne connais pas le roman ni aucune adaptation du livre au cinéma.

Il ne dissimule rien de son incrédulité.

Ton accent, tes mains, cette mèche de cheveux.

— Mais alors pourquoi demander Kurchevskiy ? !

Je lui explique l'histoire. Il se fout pas mal de la séquestration en cours, il s'en fout pas mal. Il a vu des images de l'abattoir quand il était à Barcelone mais sans chercher à écouter le journaliste.

Il est drôle, il est peut-être beau, un peu déglingue, un peu dandy, mais je suis toute rouillée.

Et j'en suis venue à mon enquête : la malédiction qui s'acharnerait sur les cinéastes désireux de filmer le livre de Cervantès. Je raconte l'obstination d'Orson Welles, les quinze ou vingt années de tournage et de montage. « Welles le champion du montage » – Albert lève les yeux au ciel – qui tombe sur un os avec *Don Quichotte*. « L'Anglais Terry Gilliam » qui en est au moins à trois tentatives : une fois il aura touché du doigt le but mais au bout d'une semaine de tournage il doit renoncer et par deux fois ensuite il essaiera de…

Albert s'ennuie lorsque je parle.

— Mais pourquoi dire « malédiction » si d'autres ont réussi à l'adapter ?

À nouveau parler trop fort.

— Les films tournés sont moyens, ou nuls ; la malédiction concerne les très grands cinéastes, qui auraient sans doute fait un chef-d'œuvre.

Je suis toute merdeuse. Il y a quelque chose de dégradant à valider cette hiérarchie entre des films existants qu'on ne veut même pas prendre en compte, et d'autres qui n'existent pas en fait. La violence de ma réponse, il la refuse.

— Vous les avez vus les autres ? Qui a dit qu'ils étaient nuls ?

Parce qu'il était fumasse, j'ai compris que je venais de parler ou penser comme ces patrons qui se foutent pas mal de quelques milliers de chômeurs en plus. Ces choses qui n'existent pas, auxquelles on ne concède même pas un regard, qui n'appartiennent pas à telle ou telle aristocratie. Peut-être sont-ils effectivement nuls, ou laids, ces films, c'est possible, mais je valide l'avis de qui en ne les voyant pas moi-même, en répétant seulement : « Il y a une malédiction, ce livre est impossible à adapter » ? Celui de quelques snobs ? De quelques critiques qui ne font que répéter le goût du jour ?

Pourquoi est-il si plaisant ce mot, « malédiction » ? Qu'est-ce qui m'a plu dans ces quatre syllabes pour que j'en vienne à faire une réponse si dédaigneuse ? Est-ce moi que ça intéresse, ou le ministre ? C'est lui qui m'a demandé de chercher ça… Ça plaît, ça parle, mais quelle langue ? Celle d'un truc qui te dépasse, qui t'écrase. La malédiction c'est un type avec une voix puissante et derrière lui ou derrière elle une pluie de grenouilles. C'est une scène qui a cette gueule : Dieu, et puis les éléments. Tu échoues mais ça a de la gueule. Tu échoues mais c'était foutu d'avance. Tu échoues mais c'est normal et tout le mérite consiste à être allé quand même. Tu n'es plus comptable de la débilité du projet parce que la catastrophe le pare quand même d'une certaine beauté. Il n'y avait pas d'alternative. Il n'y en a pas.

Et c'est moi ça ? Ce truc de droite… ? C'est moi cette femme de droite qui, quand elle se sent très forte, peut reconnaître aux gens de gauche une générosité qui fait envie, à laquelle on aimerait se laisser aller aussi, bien sûr, si l'on ne savait pertinemment que « c'est n'importe quoi, ma chérie, tellement irréaliste par rapport à la nature humaine, à ses besoins profonds. Le loup ! L'homme est un loup pour l'homme ! ».

C'est moi cette femme syndicaliste le jour, qui, à la nuit tombée, s'y retrouve peut-être mieux quand on lui dit qu'il ne peut rien se passer ? Cette femme qui pense que, perdu pour perdu, on peut se consoler en trouvant beaux tous ces échecs, et beaux les moustiques qui se précipitent contre les néons bleus où ils grésillent et c'est leur chant du cygne ?

Quand tu m'as quittée (ou était-ce moi ?) des petits boutons sont apparus sur mes bras, et de l'eczéma sur le crâne, heureusement masqué par les cheveux. Est-ce que c'était de la somatisation ? Tu me quittais, et mon corps aussi. Tu me quittais avec mon corps. Tu l'emportais avec toi.

49

Vanessa Perlotta,
salariée

Hier soir quelqu'un s'est plaint : « J'en peux plus des salades de crudités. » Personne n'a répondu vraiment, ni pour dire que c'est super la baguette molle caoutchouteuse, ni pour vanter les boîtes de thon. Moi qui ai l'impression d'avoir fait sept ou huit guerres, je sais que c'est à ce moment qu'on peut les perdre : quand quelqu'un en vient à se plaindre du goût du pain. Il a raison l'otage : dès que l'enthousiasme baisse d'un cran, on est à nouveau biscuit ou porcelaine. Je me souviens d'un livre de Marcel Pagnol, c'était en sixième, et de cette scène où le garçon réalise, parce qu'il entend son amoureuse vomir dans les toilettes, que le palais de sa princesse est en fait une maison normale, que le miroir est ébréché, que le marbre de la cheminée c'est du plâtre peint, etc., et il se casse avant son retour. Malgré ça je n'ai pas trouvé les mots qu'il aurait fallu, pour chasser l'amertume. C'est l'otage qui a trouvé. C'était pourtant simple : « Mais, et les poulets ? » En 1973, les Lip ont mis la main sur le stock de montres dont l'assemblage était fini. Ils savaient que c'était leur trésor de guerre, qu'il fallait le planquer. Ils en ont fait différents lots et ils sont allés mettre en lieu sûr tous ces paquets aux quatre coins de la Franche-Comté, chez des soutiens, des familiers.

En déployant des ruses de Sioux car ils savaient qu'ils avaient les flics au cul. En revendant ces montres pour le compte de l'usine désormais autogérée, ils assuraient une partie des salaires et la motivation de tout le groupe.

Rien de semblable avec nos poulets qui ne valent rien, que les autres poulets ne prendront pas en chasse, non, mais au moins taper dedans, ça oui, on pouvait, on *aurait dû* y penser. Qu'est-ce qui nous a empêchés, quel mécanisme dans la tête nous a retenus d'arriver jusqu'à l'idée et ensuite jusqu'aux frigos ?

— C'est comme cette tribu des bords de la mer Caspienne je crois, qui meurt de faim. Ils pêchent des poissons mais leur islam interdit qu'ils consomment des poissons à écailles. Or il n'y a pas beaucoup de passage dans leur désert donc ils ne gagnent pas d'argent et ils se laissent crever.

Et Fatou ajoute à voix basse :

— … mangés par les poissons.

On s'est presque tous levés pour partir à la recherche du mirifique repas. On venait de terminer les yaourts, mais peu importe. Il fallait traverser l'usine, la chaîne, les entrepôts, pour arriver jusqu'aux frigos. Plusieurs d'entre nous n'étaient jamais vraiment venus jusque-là et ils ont été impressionnés par la taille des trucs, et qu'on puisse tous entrer dedans. On se trouvait devant des portes qui mesuraient peut-être 2,50 mètres de hauteur, lourdes, barrées par un thermostat énorme – une sorte de sceau posé par un huissier ? Ça pouvait être un tribunal, ou une prison.

Par contraste, on ne s'est plus sentis de taille.

Quelques-uns sont entrés pourtant, et ils ont trouvé à l'intérieur l'abattage des quatre jours précédant le lundi de l'occupation. Soit un nombre énorme de bestioles. Mais on aurait pu tous y entrer, le droit de le faire on venait de le décréter, et ces bêtes qu'on manipulait la veille encore sans réfléchir étaient tout à coup une sorte de champagne, un repas, de la force et du sang frais. Alors pourquoi non ?

— Ou on les distribue aux CRS dehors...

Quelqu'un a éclaté de rire, Christiane a demandé si ce ne serait pas une bonne idée, « en vrai ». Il infusait, le truc sur la joie – merci l'otage.

— Faisons peur aux flics dehors en leur distribuant des poulets égorgés par nous, oui, tiens !, ça c'est une idée.

Tout le monde se tenait les côtes, l'otage avec nous. Qu'est-ce qu'on a ri ! Et elle a disparu de nos bouches la sensation de la baguette molle.

— Et ensuite on leur demande de déposer les armes.

— De soutenir l'insurrection !

« Ces vieux rêves naïfs et lointains de fusion, de rassemblement, ces vieux rêves de bisounours ou d'embrasement total, quand la troupe refuse de tirer sur les manifestants... » a dit l'otage. Les mots de la moquerie avec les larmes de la tristesse. C'était bizarre, venant de lui.

De mon côté c'était plutôt : « Un poulet offert et tout le monde trouve à nouveau un sens à la vie ensemble ? » Je me retiens, je ravale tout ce qui pourrait sortir d'acide. Les altercations de mercredi ne leur ont pas suffi : c'était nos collègues ! Ou ça les a tellement choqués qu'ils voient maintenant des CRS tomber le casque et poser au sol leur spray au poivre pour un poulet et quelques pommes grenailles... !

On s'est servis dans les frigos (« Le temps qu'ils décongèlent ils seront prêts pour la cuisson demain midi »). Certains allaient retourner dans la partie où nous vivons depuis cinq jours quand une femme a demandé comment les cuisiner.

L'otage :

— Ben vous devez bien avoir une–

Moi :

— Il y a les cuisines évidemment.

Quelqu'un :

— Quelles cuisines ?

J'ai indiqué les portes qui nous faisaient face et qui nous entraînaient encore plus loin que les frigos. Je l'ai fait sans cacher mon agacement. Je devais précéder l'otage, il ne fallait pas que ce soit lui qui apprenne à certains de mes collègues l'existence d'une cuisine ici. Tout le monde ne le sait pas car elles servent uniquement lorsque des huiles visitent l'usine, et on ne les voit pas, ou passer au loin, très vite. La direction fait alors venir un chef qui a son resto dans Brest, et il prépare un repas que les invités bouffent pas, ensuite, non ; pour le ventre ils vont à Brest justement, ou à Quimper. C'est les sous-directeurs qui emportent les plats chez eux, ou s'ils n'en veulent pas c'est pour les commerciaux.

Ou quand ils font une campagne de pub, avec photos et tout, et des films publicitaires. Et quand l'école hôtelière organise un examen.

On a poussé les deux battants de la porte et après un long couloir on s'est retrouvés dans une cuisine immense et le groupe a ralenti, et il s'est resserré. L'inconnu, l'espace hostile… Nous ne sommes pas autorisés, les regards sont craintifs. Si un froissement d'ailes s'était fait entendre on se serait tous vus mulots ou campagnols. À chaque pas dans la cuisine immense, et déserte, on se redit qu'on est des révolutionnaires, qu'il n'y a pas d'autorisation à demander, pas de badge à biper. On casse les serrures, les portiques, et on arrête de mettre les patins, de s'excuser, on arrête de se laver les mains pour tuer la vermine qu'on porte pas, ou qu'on porte et on s'en fout. Il faut. Personne pour nous mettre un blâme, je couche avec le voisin. Si je ne m'épuise pas à gueuler sur mes collègues. Je vois qu'ils ont peur et si je n'étais pas furieuse ça me ferait pleurer. On est dans les parties nobles. C'est les cuisines mais comparées à la chaîne d'abattage c'est carrément les parties nobles, la poire ou le rumsteck. Et alors quoi ? Demain, par réflexe, il y en aura pour demander le croupion plutôt que les blancs du poulet ou bien les cuisses. On est en train de conquérir tous les espaces de notre usine mais ils ne sont pas en train de découvrir le corps d'un amant ou d'une gonzesse et de respirer mieux, non, il faut plutôt imaginer. C'est un prisonnier qui voit la porte de sa cellule ouverte, il s'aventure dans la maison, qu'il ne connaît pas, à l'écoute des voix de ses tortionnaires, cherchant la sortie pour s'échapper. Ils tâtonnent pareil, c'est horrible. La cuisine est immense, il y a cinq plans de travail, une dizaine de rôtissoires, cinq fours, des plaques un peu partout, mais on reste près les uns des autres, poussins serrés les uns contre les autres, dans les pattes de la maman, et peu importe si le grain est ici plus rare.

Une dizaine d'entre nous revient au frigo pour se servir. Nous avons quatre repas avant l'orgie de dimanche. Pour nous déjà. Grand luxe, ça se voit dans tous les regards. Mais là encore certains vont se comporter comme s'ils n'avaient jamais touché une bête. Ils en manipulent des centaines par jour mais la bête est pour eux cette fois, et ça les rend presque timides ou maladroits. Elle est plus précieuse que d'habitude.

On en ramène vingt dans un grand bac, on les dispose sur trois des plans de travail. Et on attend. On attend quoi ? Va savoir. On attend. Montville revient au bout de cinq minutes et finit par demander :

— Qu'est-ce qu'on attend ?

Personne ne sait vraiment.

Il examine les poulets. Glisse son doigt dans le repli de l'aine et le ressort.

— Ah mais non !

Il passe au deuxième et rebelote. Son doigt s'attarde sur le troisième, il le retourne pour en tâter la poitrine.

— Vous les avez pris au hasard ?

Il met le troisième à l'écart. Le quatrième. Mais les trois suivantes vont rejoindre les deux premières cocottes.

— Si la peau est humide à cet endroit-là cela veut dire que la bestiole a attendu. Et si elle est poisseuse il vaut mieux ne pas la manger.

Sur les vingt que nous avons apportées, il en rejettera sept. On en ramènera sept autres du frigo, après avoir inspecté les carcasses nous-mêmes – mais encore presque congelées.

— Bon bon, dit-il avec appétit, gourmandise. On les prépare comment ?

— Avec des frites ? On a trois sacs de pommes de terre…

— Oui, d'accord, mais on les prépare comment ?

— « Comment » ?

Christine :

— On chauffe le four et quand il est à 180°, on glisse le–

— Ou sur la rôtissoire.

— En tout cas il faut l'arroser régulièrement avec la graisse qui goutte.

Montville s'impatiente, mais toujours avec le même appétit :

— Mais quelle recette ? Des blancs de poulet aux endives ? Un poulet farci à l'estragon ? Avec des morilles et du vin jaune ? Ou grillé et à la crapaudine ?... Il y a plus simple encore : des blancs de poulet aux pommes et au cidre (mais il faut un peu de sauce Worcestershire pour accompagner le poivre noir et les échalotes…).

Le silence était complet mais il était, lui, lancé – un gosse :

— Non ? Ou avec des poivrons et des tomates, le poulet basquaise quoi. Ou à la crème mais il faudrait de l'ail, du thym frais, du laurier, du persil… Ou des blancs de poulet aux champignons, avec des oignons blancs… Ou comme en Espagne, avec des poivrons, des olives et du chorizo ! C'est extra ! Ou un curry de poulet aux épinards ?

On s'est regardés, on était groggy. Il n'a pas pu ne pas s'en rendre compte.

Montville s'est tu sans demander à comprendre – pas tout de suite. Est-ce qu'il s'est dit qu'il s'était un peu viandé en parlant de tous ces ingrédients qu'à l'évidence on n'avait pas ? C'était l'explication la moins vexante, « Il est lunaire et puis c'est tout ». « Il est agaçant à force d'être largué. En fait il est comme tous les autres qui sont comme lui. » Moi, sans trop réfléchir, j'ai dit que cette liste prouvait sa bourgeoisie. Pourtant à y repenser, ce sont des trucs qu'on peut acheter (les poivrons, les oignons). (Même le curry.) Alors pourquoi ce malaise ? Il choisira, plus tard, avec l'assentiment très mou de quelques-uns (et le silence des autres), de préparer des blancs de poulet car nous avons des boîtes de champignons de Paris mais aussi des petits oignons nouveaux, frais, en assez grand nombre, offerts par un maraîcher de Daoulas, mercredi matin.

— Vous connaissez les proportions ?

— On va tâtonner, ce n'est vraiment pas le problème.

Il est enthousiaste et volontaire comme un chef entouré par ses commis. Il demande de l'huile d'olive (« Une cuillère par poulet donc vingt cuillères c'est-à-dire au moins 50 centilitres hein ? »), du sel et du poivre noir, quatre oignons nouveaux (« Qu'il faut laver d'abord, puis émincer »). « Il faudrait aussi de la crème fleurette pour la sauce, et de la farine. »

Je fais les gestes qu'il demande, qu'il nous montre. Je m'applique. J'essaie de comprendre où est Fatou, si elle me voit… J'essaie de ne pas réfléchir. Est-ce qu'il y a un malaise ? Oui – autrement je ne chercherais pas à m'oublier comme ça, appliquée. Est-ce qu'il en a conscience ? Oui, autrement il ne se donnerait pas autant à cette recette, à la préparation de notre déjeuner.

***

Le surlendemain, Gérard venait de retrouver le téléphone portable du secrétaire d'État et j'ai lu un des derniers textos envoyés par lui depuis l'usine. À 15 h 37, c'est-à-dire après le déjeuner et les blancs de poulet aux champignons. Je ne l'ai pas noté tout de suite : le destinataire était une Montville, c'est-à-dire sa femme. Décédée. Peu de chances pour qu'il s'agisse d'un homonyme. Aucune chance. Je me défends bêtement contre l'émotion : il lui écrit encore. Il n'aura pas résilié son abonnement. Quelque part dans leur appartement un téléphone bipe alors dans le vide, il lui écrit encore. Il lui décrit la matinée, il s'est senti écrasé de tristesse, mais il a tout fait pour ne pas le montrer. Il s'est appliqué comme jamais pour prélever les blancs de poulet, et récupérer les petits foies, disant à haute voix tout ce qu'il faisait. Mais il écrit aussi que notre silence l'a bouleversé. « Ils manipulent des poulets depuis des années… Moi qui ai les mains propres, j'aurais des dizaines de recettes à suggérer. Pendant toutes ces années, toutes les semaines, la même recette, le même goût – jusqu'à mourir d'ennui ? » Que même on ne savait pas qu'il faut le mettre sur le côté, dans le four, de façon à ce qu'il cuise harmonieusement. « Je sais que tu n'aimes pas que je te parle de bêtes mortes, mais si je ne peux pas t'écrire il ne me reste rien. Tu ne me répondras pas mais j'entre tout entier dans cette bouteille à la mer. Je viens de rendre évidente cette domination. Qu'un ouvrier de Rolex ne puisse pas se payer une montre qu'il a assemblée, tout le monde comprend, et lui aussi. Mais que je sois le seul à connaître dix ou quinze recettes pour jouir d'un poulet… Ils ne sont qu'assommés heureusement. Heureusement la honte est tout entière pour moi. Aucun problème mon amour, je la prends sur mes épaules si ça permet qu'ils tiennent debout. Que leur colère reste sans tache c'est complètement vital. »

50

Cyril Bernet,
salarié

Avec le secrétaire d'État on se retrouvait à l'aube et à la nuit tombée pour préparer le concert. Il y avait la question de la musique, des musiciens, et celle de la fête (les poulets). Pour la musique on s'est entendus très rapidement : Archie Shepp. « Que perdrait-on, à demander… ? » Un sourire : « Rien, ok. » Retenir un ministre et racheter l'usine est tout aussi hors de portée qu'entendre Shepp jouer ici dans l'abattoir. Donc on l'appelle en premier et pas le prof du conservatoire qu'a signé la pétition de soutien.

— Pourquoi ? C'est qui ? demande Fatou.

— Un saxophoniste américain, il vit en France, il a 80 ans je crois. Et Pascal et moi–

Quelques murmures narquois, « Pascal et moi ! ». Presque des remous. Gérard certainement : « Ces deux-là sont cul et chemise pour nous la mettre ! » (Je sens la sueur de ma voisine de gauche, et sa colère, j'ai le nez dans sa blouse – des collègues n'ont pas voulu les enlever « pour ne pas perdre de vue les raisons qu'on a de tout vouloir foutre par terre ».) Des esclaves, exhibant leurs chaînes – mais ça se tient. C'est une trahison pour eux, cette proximité, ou ils sont jaloux ? Si c'est de la jalousie cela signifie qu'au bout d'une semaine – et malgré tous ses efforts – il est encore l'homme important qu'il était en entrant ici, dans leurs têtes il aurait encore cette importance. Ils ne se rendent pas compte que c'est peut-être nous qui lui donnons cette importance. On aimerait que c'qu'on en a fait, en réalité. Et cette chose maousse, il ne l'était pas avant d'entrer ici. Est-ce qu'il n'est pas devenu l'image de notre force ?

— Il a enregistré avec tous les plus grands, avec Coltrane par exemple, avec Chet Baker, Don Cherry, ou la chanteuse Jeanne Lee – vous connaissez sa version a cappella du negro spiritual « He's got the whole world in his hands » ? Bon, plus tard. Dès ses débuts en 1960, Shepp il a ce gros son énorme, rauque, et dès ses débuts, alors qu'il invente un nouveau son, il y a des gens pour entendre que c'est pas seulement un révolutionnaire, que c'est aussi quelqu'un qui porte avec lui l'histoire du jazz, que c'est malgré les apparences un héritier de Duke. Ellington. En fait c'est un des plus grands. Tout de suite Coltrane a envie d'enregistrer avec ce jeunot de 23 ans. Et de lui on aime tous les deux un album dingue, *Attica Blues*, qu'il a enregistré en 1972.

— Cyril, CYRIL !

Josie m'énerve à me reprendre toujours comme si je n'avais pas ma tête ; ses collègues seraient trop cons et il faudrait toujours les avertir, ou leur expliquer – elle ne se rend pas compte… Mais quelqu'un d'autre :

— Pourquoi qu'il viendrait à Châteaulin ?

— Attica c'est le nom d'une prison, près de New York. En 1971, des prisonniers noirs se sont révoltés pendant une semaine parce qu'à l'autre bout du pays un militant des Black Panthers venait de se faire abattre par les gardiens du pénitencier de San Quentin.

— Son nom ?

— George Jackson. Il était en prison depuis longtemps. Le FBI l'a peut-être indirectement aidé à s'évader, à essayer de, pour que l'abattre devienne légal. On ne sait pas. Ça c'est en Californie. Mais près de New York, donc, et dès le lendemain je crois, huit cents prisonniers portent un brassard noir en signe de deuil et ils refusent de petit-déjeuner.

Ce détail fait sourire Hervé, il est certain que je pipote.

— D'où tu sors ça ?

— J'te l'ai dit, cet album d'Archie Shepp est un disque faramineux. Je l'ai tellement aimé que pendant des années j'ai lu tout ce que je pouvais trouver dans les magazines de jazz.

C'est Sam Melville, un détenu blanc, qui est à l'origine du bordel. Il était antiraciste à une époque où, aux États-Unis, les Noirs pouvaient se faire abattre comme ça, ou chez eux, ou dans la rue. Est-ce qu'on a retrouvé l'assassin de Martin Luther King ? Certains de ces assassinats ont entraîné des insurrections d'une ampleur folle. Pourtant elles ne sont pas connues, pas tant que ça. Il faut voir ce qui s'est passé la semaine suivant l'assassinat de Luther King ! Un truc de fou ! Mais dans ces incendies et ces émeutes, très peu de Blancs, que des Noirs. (C'est pour cela, j'aurais pu répondre, que j'ai retenu le nom de Sam Melville.)

Dans la journée évidemment, les raisons d'être en colère vont devenir du feu : ils veulent plus de douches – ils ne peuvent en prendre qu'une par semaine ; et du PQ – je m'en souviens car ils n'avaient droit qu'à un rouleau par mois. Ils veulent du PQ à volonté.

— Ah mais alors on est les nègres de la boîte, car nous aussi nos pauses pour les chiottes sont comptées !

C'est Christian qui vient de se comparer – Christian, celui qui avait presque hurlé : « Ah mais je m'en fous moi, du Cameroun ! »

— Et pouvoir étudier aussi – après le cul, s'occuper de la tête –, et que les droits de visite soient accordés – le cœur – et des soins médicaux, etc. Le racisme des gardiens, et qu'ils soient mieux formés…

Là, trois ou quatre collègues éparpillés vont applaudir. Quel est le sens ? Il va falloir que j'en bricole un : une lutte doit tout emporter, et déshabiller l'ennemi de son uniforme pour voir dessous quelqu'un qui souffre autant peut-être, quand bien même une fois l'uniforme sur lui il se comporte comme un chien de chasse ou des fachos. Et c'est quoi, un facho ? Un blessé crispé sur la mauvaise réponse. Mais est-ce que c'est pas la réponse elle-même qui le fait connard ? Qui le transforme en tortionnaire, en bras armé d'un système dont il est l'autre victime… Quand les surveillants d'Attica se servaient de leur « matraque à nègres » c'est aussi sur eux-mêmes qu'ils frappaient, on peut dire, et c'est aussi eux par conséquent, les matons, qu'il fallait sauver de cette violence.

— Peut-être même à leur corps défendant, ce corps qui aime taper, humilier, qui jouit de faire mal au sous-homme nègre…

— Les taulards réclamaient aussi des programmes d'éducation et de réinsertion, etc. Tout a dégénéré et au bout d'une semaine disons, les détenus se sont emparés de toute une cour et tout un bâtiment, et ils ont séquestré quarante gardiens. Ils ont hurlé une déclaration depuis le bâtiment, dans laquelle ils disaient à peu près : « Nous sommes des êtres humains ! Nous ne sommes pas des bêtes et n'acceptons pas d'être traités et brutalisés comme telles. Nous avons exprimé des revendications qui nous rapprochent du jour où disparaîtront enfin ces institutions carcérales, qui ne servent qu'à ceux qui voudraient asservir et exploiter la population d'Amérique. »

— Nan mais qu'est-ce que vous avez, là, tous les deux, à réciter des discours tout le temps ?

Éclats de rire.

— « Nous sommes des êtres humains ! »

Ils sont plus de mille à se révolter. Un gardien meurt. Beaucoup de demandes sont acceptées mais, au bout de quatre jours, cinq cents militaires prennent la prison d'assaut. Le bilan final est dingue : dix gardiens tués (dont neuf par les armes de la police hein) et vingt-neuf prisonniers, tués aussi.

Pascal conclut :

— Le lendemain un journal a titré « J'ai vu des gorges ouvertes » mais les expertises médicales ont prouvé que c'était faux, que personne n'avait été égorgé.

J'en vois sourire après un temps – amusés que Montville trouve à redire aux conneries de la presse. Est-ce qu'il faut faire un parallèle avec notre situation, ou avec la sienne ?

Quatre jours après le massacre d'Attica, un groupe d'activistes a fait sauter la direction de l'administration pénitentiaire d'Albany, en représailles. Après avoir téléphoné pour que tout le monde sorte du bâtiment et qu'il n'y ait pas de victimes.

— Et votre musicien dans tout ça ?

— C'est un des fondateurs du free jazz, au début des années 60.

— Ah là là ! Je déteste ! On peut pas écouter ça !

Pascal s'en fout, il est lancé :

— J'adore les albums *Fire Music* et *Mama Too Tight*. En 1969, il participe à ce truc qui a dû être complètement dingue, le festival d'Alger, où toute l'Afrique se retrouve et toutes les luttes d'indépendance : les Palestiniens, Cuba, les Black Panthers… Mais ensuite il fonde un big band et il enregistre l'album *Attica Blues* qu'est carrément de la lave en fusion : ça déborde de partout, les chanteuses hurlent, les instruments aussi, c'est tout poisseux, c'est un gros son, c'est fantastique, révolté, une sorte de jungle épaisse… Six ou sept chanteuses déchaînées qui viennent de la soul et non du jazz.

— Ils enregistrent moins d'un an après les événements je crois, en 1972. Depuis les années 60 il militait pour la cause des Noirs, Archie Shepp. Là, toute la communauté est effrayée par le carnage. Le besoin de crier sa colère, partout, ça donne ce disque. Où tous les instruments parlent pour eux-mêmes. On est en même temps dans la prison, pointée par les flics, et dans un bordel, dans un temple, et au bord d'un lac, et dans une arrière-cuisine pas propre qui donne sur une basse-cour…

Parce qu'il y avait des chances pour que les communications émises depuis l'usine soient interceptées et lues par les informaticiens de la cellule de crise, on a glissé un bout de papier dans la main de ma fille, à l'heure du ravitaillement, pour que ma femme écrive à Shepp par l'intermédiaire d'un ancien disquaire de Crocojazz devenu l'ami de Montville. Il a donné à ma femme le mail d'une assistante de Shepp, et elle lui a écrit sur nos indications (via la petite main de notre fille) en faisant référence à son passé de militant, de musicien engagé pour les droits civiques, et auprès des Black Panthers. On lui disait que sa musique avait d'autres révoltes à encourager, qu'il n'en avait pas fini avec le monde, qu'on avait besoin d'elle, de lui, pour rester affûtés, et faire peur aux flics massés dehors.

Quelques heures plus tard, c'est de Fatima que nous avons reçu la réponse – l'assistante l'avait écrite sous la dictée du géant : il était « peut-être » de tout cœur avec nous, avait entendu parler de l'occupation de l'usine par la télévision, mais il ne se sentait plus la force. Capable de jouer parfois sur Paris, oui, mais plus de voyager. Il acceptait qu'on le cite comme un soutien si cela nous semblait opportun « si et seulement si la vie de l'homme que vous retenez n'est pas en danger ». Il était impossible de lui répondre que l'homme en question avait lui-même dicté l'invitation, qu'il pouvait donc dormir tranquille, Shepp, et nous soutenir sans crainte ; « Il faut à tout prix laisser croire aux RG qui nous écoutent que tout reste possible, me dit Pascal ; autrement c'est mort ».

— Une mort contre une autre ? je lui ai demandé.

Il n'a pas répondu.

— Quelque chose doit donc mourir ?

Il a haussé les épaules, mais je n'ai pas su interpréter. Il était déjà en train d'écrire à Pierrick Pédron dont il avait le mail, pour le coup, parce qu'il avait pris une bière avec lui, après un concert à Juan-les-Pins.

— Pierrick Pédron est bien mieux qu'un second choix.

— On l'a vu en concert. Le ministre sur la tournée *Cheerleaders*, moi depuis le milieu des années 90, avant qu'il ait son propre groupe. D'emblée il m'a rendu fou, vous pouvez pas imaginer !

— Alors pourquoi tu nous en parles ?

L'instant d'avant, il était calme mais en disant « vous pouvez pas imaginer » je viens de lui cracher dessus.

— Pourquoi tu nous en parles si on peut pas imaginer ?

La révolution c'est d'abord dans la tête et dans la façon qu'on a de s'adresser aux autres. Récitant le communiqué d'Attica, tout à l'heure, mes oreilles ont sifflé en entendant « Nous ne sommes pas des bêtes et n'acceptons pas d'être traités comme telles ».

Il est furieux mais il a complètement raison. Je viens de faire ce que je reprochais à Josie une heure plus tôt.

— Je m'excuse, ok, je m'excuse.

— Sur l'album *Cheerleaders*, on est tous les deux d'accord, il a son poids de forme – je veux dire que par rapport à sa force de frappe, à sa folie bop, l'orchestre est un partenaire à sa mesure, à la mesure de son énergie. Il faut plein de musiciens, en quartet il semble trop énorme et il les bouffe, il n'y a qu'un orchestre ou une fanfare pour l'accompagner vraiment.

Pédron a mis plus de temps à nous répondre. Mais le lendemain, en le lisant, c'était l'euphorie. Il acceptait, s'était renseigné, il acceptait. Il posait tout de même quelques questions pratiques. « Comment allez-vous me faire entrer ? Le concert est-il officiel ou bien secret ? »

Ces questions, nous nous les étions déjà posées : une arrivée secrète mais ensuite un concert tonitruant, au grand jour – le moins discret qui soit.

Pour autant nous n'allions pas chercher à faire entrer d'autres musiciens que lui, c'était compliqué et de toute façon… je voulais être le bassiste, Montville prenait la batterie, et la basse comme la batterie ça peut se bricoler. Évidemment ça fait montage de pots de yaourt, mais nos pots de yaourt bloquent deux compagnies de CRS depuis cinq jours ! On est nombreux, en outre, ici, et il y en a qui chantent, ou qui aiment ça. On imaginait former une sorte de chorale, et que certains prennent des voix de trombone ou de trompette.

Et on pouvait monter en deux nuits un groupe de percussionnistes assez valable, avec toutes les casseroles qu'on venait de trouver, et les instruments de cuisine.

— Vous le verriez quand il est en plein solo ! Il n'est pas grand Pédron mais bien costaud, bien posé, et quand il joue c'est comme si son corps était aspiré par un ciel nerveux, qui tourne à l'orage. Ses jambes, ses genoux peuvent remonter jusqu'à la hauteur de ses hanches, il est presque tout le temps sur la pointe des pieds, le sol est fait de braises et il serait pieds nus.

Dominique lui achètera son billet de train, à Paris, et un bus l'attendra à Brest, qui l'emmènera à Châteaulin où il retrouvera ma femme. Il nous a donné ses disponibilités, le concert et la fête auront lieu trois jours plus tard.

— Alors va falloir tenir trois jours ?

— Je ne comprends pas…

— Pourquoi faut-il encore tenir trois jours ?

— Il faut encore deux jours au moins pour que nos avocats portent plainte contre la direction. Et sans doute plus pour boucler le dossier concernant la reprise par vous de toute l'usine, qu'on ira tous déposer ensemble, au tribunal de commerce. Si on arrive à déposer ça, ce n'est pas dix jours qu'il faudra tenir mais deux ou trois mois tu sais. On s'organisera autrement, l'occupation prendra une autre forme mais pendant trois mois au moins il faudra qu'on reste sur nos gardes. H24. Pour que La Générale ne soit pas déshabillée, les machines volées par les propriétaires, etc.

Une paroi en moi s'est effondrée quand il m'a dit « deux ou trois mois ». Un pan de banquise tombe dans la mer. Les épaules flanchent. Tout d'un coup c'était trop fort, trop long pour moi ; je ne me voyais pas tenir aussi longtemps.

— La fête ce n'est pas ce qu'on organise à la fin d'une colonie de vacances, c'est pour lancer la nouvelle phase de ce combat. Celle qui ne sera plus polarisée par ma personne.

51

Malek Hamizi,
salarié

Dans mon dos – je ne me retourne pas pour voir qui parle :

— Tu t'accroches à cette bouffe de merde, je comprends pas !

— J'ai la reconnaissance du ventre, moi. Cette bouffe de merde elle m'a porté jusque-là. J'ai été payée pour elle, et c'est elle que j'ai mangée aussi, avec l'argent de la paye. Et c'est elle que les mômes ils me réclament le soir avec dans la voix un vague truc de gourmandise. À c'que j'sais j'ai pas de cancer, pas encore. Je dis pas que j'en crèverai pas mais le cancer j'l'ai pas. Je m'y accroche à ces tranches de jambon avec je sais pas quel phosphate dedans, à ce cordon-bleu qui contient plus de plastique ou de pétrole que de vraie viande et de vrai fromage. Je m'y accroche, oui, c'est presque une liane. Je le défends ou je me défends contre Montville qui agite le cancer sous mes yeux. Elles m'ont pas encore tué ces tranches de jambon mais lui par contre, ça y est, il nous a foutu la trouille, en suppositoires ; je l'ai, ça y est, la trouille. Alors j'ai plus de reconnaissance pour le cordon-bleu, je m'y accroche, c'est lui mon ami, j'ai les deux mains dessus.

— Il nous a tellement répété qu'on faisait de la malbouffe, qu'elle n'était pas à sauver notre activité, que le voir maintenant aux fourneaux à nous préparer tous ces poulets avec une joie de gosse… c'est comme une revanche sur lui. « Elle est pas si dégueulasse notre volaille, hein ? » Il est désarmé, il sait pas quoi dire, son sourire se brise en mille morceaux, ou non : il continue de sourire mais comme un idiot surpris en plein mensonge.

— Autour de Tchernobyl, certains paysans ont continué de manger des pommes et des légumes après la catastrophe, malgré l'interdiction. Ils leur trouvaient bon goût, « aussi bon qu'avant ». Ils sont tous morts quelques semaines après.

Ils ne lui répondent rien. Aucun bruit de chaises, ni de pas. C'est le même silence que celui qui, deux ou trois heures plus tôt, a fait monter la tension d'un cran – quand la dernière rangée de gobelets neufs a été glissée dans le magasin de la machine à café, Hassan a gueulé bien fort « C'est les derniers ! ». Alors au fil de la matinée quelque chose s'est mis en place. C'est de l'humour d'abord, et à chaque fois que quelqu'un va glisser une pièce dans la machine on sera une bonne douzaine à gueuler « un de moins », et vers 11 heures, « plus que dix ». « Non : plus que neuf », comme les joueurs de tarot comptent les atouts pour savoir ce qui reste aux autres. Mais vers midi on en est venus à guetter le moment où l'un d'entre nous hésiterait à presser le bouton (Est-ce que je vais voir mon café s'écouler sans gobelet en dessous pour le récupérer, perdu pour moi et ravalé par la machine ?)… Le suspense bon enfant s'est changé en quelque chose de plus nerveux, la fatigue aidant, et la crainte d'une entrée des CRS perturbant toutes les pensées. Glisser une pièce revenait, au fil des gobelets qui tombaient, à armer le chien du revolver pour la quatrième fois – c'est une roulette russe, les trois premiers coups n'ont percuté aucune cartouche et la tension monte encore d'un cran… Le dernier gobelet peut maintenant tomber d'un instant à l'autre et celui qui aura pressé le bouton…

52

Cyril Bernet

Quand il réclame de l'organisation, Gérard... Il n'aime pas « l'improvisation », il le dit sur tous les tons. Quelque chose m'énerve... Je rumine, je fais sonner tout ça... Gérard dit « Notre action doit être organisée » et non pas qu'on doit s'organiser. À mes oreilles la menace est évidente : la lutte d'un côté, et, prête à lui tomber dessus, l'organisation que Gérard veut plaquer sur ça. D'un côté la colère, et de l'autre les cases où on la fera entrer, au chausse-pied si y a besoin, en s'amputant des orteils quand ils dépassent. Mais quand elle est transformée, la colère, ça ne peut être que dans le sens d'une direction, c'est-à-dire canalisée ? Donc déjà là il ne faut plus y croire du tout. Plus du tout, tu m'entends ? J'me suis trop laissé avoir.

— Dis-moi autre chose.

Quoi autre chose ?! Les gens qui ont peur du bordel, ceux qui ne voient pas qu'il est traversé et soutenu par de l'intelligence... Les gens qui ne croient pas qu'il y a de l'intelligence dans les effondrements, ils sont foutus. Est-ce que c'est des ennemis ? Je ne sais pas mais je ne veux plus leur parler, je refuse. Pendant longtemps j'ai pas bien vu que la différence était énorme, impossible à négocier. Quand on a manifesté pour les retraites, à un moment du parcours j'ai lâché « Ils font chier avec la sono ! » et un type que je ne connaissais pas m'a rétorqué « Au moins on entend bien comme ça ».

— Ah ça ! On entend tellement bien qu'on s'entend plus !

— Parce que tu voulais dire quoi toi ?

Ça m'a scié. Le mec ne se dit pas qu'il pourrait exprimer son sentiment, et surtout il ne pense pas « Mon voisin a dans la tête des choses que je veux entendre ». Non, il se dit « On est des petits, il faut qu'ça vienne de la centrale »... Il se dit pas « J'connais des chansons » ; il veut Noir Désir parce qu'il pourra jamais diffuser aussi fort « Un jour en France » dans son deux-pièces, et emmerder le bourgeois comme la sono le fait maintenant, boulevard de Port-Royal, dans le 5e arrondissement.

— Dis-moi autre chose.

Je vais te raconter une soirée dans un studio de New York, en 1945.

— Encore le jazz ?!

— Écoute !

Je raconte la session du 26 novembre. Parce que c'est comme l'enregistrement d'*Attica Blues* en 72 : je sais tout de ce 26 novembre 1945. Bud Powell devait être au piano mais il est ce jour-là, dit la légende, à 200 kilomètres de New York, « chez Maman ». C'est Dizzy Gillespie qui va poser sa trompette pour jouer ce que le pianiste aurait dû jouer. Pas grave, un trompettiste est là, un petit jeune bien prometteur qui va enregistrer ses tout premiers solos : Miles Davis. Sur « Billie's Bounce », pas de chance : la troisième prise est la meilleure, en ce qui concerne Miles, mais elle ne sera pas retenue car le saxo de Bird il siffle un peu. Suffisamment pour que l'ingénieur du son l'entende. Du coup, Parker va vouloir humidifier le tampon mais–

— Lequel ?

— Quel tampon ?

— Oui.

— Pfffff ! En vrai tu te moques tout le temps ! Est-ce que tu sais faire autre chose ?

— D'où tu tires tout ça aussi ?! Tu inventes, pour être aussi précis…

— Je te l'ai dit : je lis tout sur les albums que j'aime. Par exemple Franck Bergerot, dans ses articles. C'est une vraie mine. *Jazz Mag* je le trouve à la médiathèque de Brest…

— Mais si tu mémorises tout ça, qu'est-ce que tu fous ici avec des cons comme moi ?

Souvent je me parle mal, je suis ouvrier dans un abattoir de volailles et je me parle mal, j'ai validé il y a longtemps que je ne suis rien.

Mais ensuite il siffle à cause de l'eau le saxophone du grand Charlie Parker – c'est l'histoire du remède qui rend fiévreux. Le producteur s'inquiète. Et il s'énerve carrément car ce n'est plus Gillespie, au piano, mais un type qu'il ne connaît pas, Argonne Je-ne-sais-plus-comment – en fait le premier nom de Sadik Hakim… (Et même sous ce nom-là il n'est pas très connu…) Pour un morceau au moins, « Anthropology », qui est un démarquage de « I Got Rhythm », c'est donc Argonne Bidule qui est au piano. Mais à ce moment-là le titre en est encore « Thriving From A Riff ».

— Tu suis ?

— Pfffff !

Et Parker on ne le trouve plus, alors le producteur s'arrache les cheveux. « Il a filé chez son réparateur » on lui répond.

Lorsqu'il revient avec son saxophone, un représentant du syndicat des musiciens est dans le studio. Argonne Truc se fait discret car il n'a pas sa carte, et Dizzy reprend le clavier. Cette fois c'est Miles qu'on ne trouve plus. Vraie salope, la légende dit qu'il a eu peur de se mesurer à ce que Parker avait écrit pour lui, parce que c'était très difficile. Ce sera donc pour Dizzy – à ce stade, on comprendra qu'il devienne difficile de noter qui joue quoi et sur quelle piste. Le commis de l'ingé son est donc au bord de la crise de nerfs, et les saltimbanques vont l'y pousser, et l'ingé son aussi, et le producteur, car le morceau d'après c'est « Cherokee » ; le patron s'étrangle : « C'est quoi ça ?! » Quelqu'un répond « Ko-Ko », un peu à l'improviste, pour que le producteur n'ait pas à payer de droits (« Cherokee » n'est pas une compo originale). Du coup ils ne joueront pas le thème, seulement l'intro. Après quoi Parker prend deux chorus au cours desquels – mais pourquoi ?? – Argonne Machin laisse à nouveau sa place à Gillespie – comme un diable il est partout – jusqu'au solo de Max Roach, qui est bien, lui, derrière sa batterie, mais on lui aurait demandé de prendre un solo pour que Gillespie ait le temps de reprendre son instrument, et non pas tant pour l'art. De tout ce bordel les premiers à acheter ce disque ne sauront rien puisque le piano, disaient les pochettes, était tenu par un certain Hen Gates (Argonne n'avait pas sa carte, ok, mais il y a aussi que Dizzie était sous contrat avec une autre maison, et n'avait pas le droit, contractuellement, de participer à cette session).

— Tu dors ?

— Pfffff !

Je mords dans mon sandwich, il en reste à son agacement :

— C'est quoi le rapport avec ce qu'on vit ici ?

— Si tu n'as pas compris, je recommence.

Il mime l'évanouissement. J'ai eu pitié de lui ? Va savoir…

Alors que le patron du studio et le producteur s'arrachent les cheveux à courir après les uns, après les autres, à vérifier que tel ou tel agent ne traîne pas dans les parages, avec leurs habitudes de flics ; alors que l'assistant de l'ingé son erre complètement hagard, cherchant quelqu'un sans savoir qui, ni pourquoi… il faut imaginer Parker heureux parce que ce bordel n'est pas une catastrophe, mais un feu d'artifice, un volcan, une éruption.

Depuis les années 60, et tous les musiciens s'accordent à dire que cette session est une des cinq ou six journées les plus importantes dans l'histoire de la musique au XXe siècle. Sur les rares films où on le voit, il a beau jouer à 250 km / heure, il a le sourire de Bouddha, et le Bouddha est celui qui a trouvé un soleil dans les épluchures.

— C'est ta conclusion ? Quel rapport avec Gérard ? !

53

Céline Aberkane

Je tourne en rond. Comme un chien qui cherche à mordre sa queue je m'agace de cette malédiction, je me griffe: pourquoi ai-je mordu à cet hameçon? Je tape du pied dans le mur, dans l'arbre, sur la margelle du trottoir.

Si je savais pourquoi… Je déteste le fait d'avoir été attrapée par le mot « malédiction ». Si j'identifiais l'oreille interne pour qui ce mot est doux, je m'en amputerais. Je trouverais un scalpel et j'inciserais.

> Un humain me donne des tapes sur le crâne en me répétant: hé le toutou, c'est ta propre queue, là, regarde; ne cherche plus à l'attraper.

Par une documentaliste du ministère je parviens à commander les copies DVD de trois des six adaptations que je ne connais pas encore. Elle ajoute que je peux trouver le dernier dans le commerce. Elle l'a vu – « un peu par hasard » – lorsqu'il est sorti en salle. Elle se souvient s'être endormie. Je fais dérouler son mail pour relire la liste… *Honor de cavallería*, par Albert Serra, en 2006.

Wikipédia, un peu ahurie:

Albert Serra est un réalisateur catalan né en 1975 à Banyoles.
Honor de cavallería, d'après *Don Quichotte* de Cervantès, est présenté à la Quinzaine des réalisateurs au Festival de Cannes 2006. Son troisième film, en noir et blanc, *Le Chant des oiseaux* (*El cant dels ocells*), mettant en scène les Rois mages, est inspiré de la chanson traditionnelle catalane de Noël « El cant dels ocells ».
Le 17 août 2013, il remporte le Léopard d'or au Festival de Locarno pour son film *Història de la meva mort*.

Il a été édité en DVD en France, mais je le trouve en streaming.

Le grain est gros. Je retire un écouteur pour demander pourquoi.

— Ils ont tourné en vidéo. C'est pas de la pellicule.

— Ça coûte moins cher ?

— Carrément.

Une autre raison ? Il doit y en avoir une autre. Quand l'image est propre, nette, tranchée, on l'oublie et on peut croire que c'est pas du cinéma. Là, immédiatement, c'est une image, un film, et c'est moderne. C'est bizarre.

***

Les heures passent, je me promène dans le film, dans la Mancha espagnole – est-ce qu'ils ont vraiment tourné là-bas ? J'ai vu le film une première fois, complètement, mais je le relance entre deux flashs d'info. Je suis une gymnaste, je pars à l'échauffement : plus je le relance et plus je suis au bord de cette rivière, avec ces deux corps-là, avec celui, squelettique, de Don Quichotte, et avec l'autre, plus terrien, de Sancho qui ne l'ouvre pas, jamais. Ils ne font rien, ils se baignent. Je m'endors à mon tour, mais en ayant l'impression de verser dans un rêve très beau. L'Élysée et le parking de Châteaulin je les oublie, je suis au bord d'une toute petite rivière, il y a des rochers, des arbres… On dirait un saule… Les images ravivent la gêne ; certes je ne suis pas l'auteure de cet article idiot sur la malédiction, mais cette idée m'a plu alors qu'elle est pourrie au fond. Albert Serra n'est pas encore présenté comme un génie quand son premier film est montré en France. En 2006. Alors qu'il ait réussi son coup – je suis dans son film avec les deux autres, à baigner nos corps crasseux dans cette rivière, à enlever la sueur – ne suffit pas à contredire l'hypothèse de cette malédiction. La malédiction met en scène des forces colossales : un génie tente d'en choper un autre et il n'y arrive pas. C'est un combat de titans, la terre doit trembler. Impossible de parler d'une inversion de la malédiction quand c'est un petit David qui se présente pour niquer Goliath. On ne l'a pas vu venir alors s'il doit gagner sa victoire sera un peu illégitime. Le géant qui se moquait du moucheron, il n'est tombé que par surprise. C'est ce qui se passe quand une grande équipe de foot se fait battre par « le Petit Poucet du championnat » : des gens se révèlent légitimistes ; les surprises, ils cherchent à leur retirer un peu de leur réalité, « un mauvais rêve idiot ». Le film d'Albert Serra ne jouait pas d'emblée dans la cour des grands, il doit encore faire ses preuves, confirmer l'essai. Magnifique et beau ça ne suffit pas. Il faut qu'il y ait une œuvre ou un artiste. Le film ne suffit pas. Il faut que d'autres films suivent, qui transformeront le réalisateur en valeur sûre. Pourtant magnifique, le film ne suffit pas. La beauté ne suffit pas, il aurait fallu un réalisateur *installé* pour que cette adaptation permette de dire qu'en ayant attrapé Cervantès il était aussi – coup double – celui qui venait d'avoir la peau de la malédiction, crevant cette baudruche gonflée par les journalistes ne racontant que des scénarios kitsch (un démon, une malédiction), sans générosité (pas d'intérêt pour les petits, il ne faut que des people), aristocratiques à la petite semaine (séparation nette entre les stars et les entrants, entre l'Histoire fascinante et notre époque pourrie).

Sans réfléchir, j'ai validé le fait qu'un Petit Poucet ne pouvait pas faire de grandes choses. Ce qu'on valide sans réfléchir, qui le valide ? Qui parle à ce moment-là ? Celui qu'on est vraiment ? C'est quoi, « être vraiment » ? Comment ça se mesure ? À notre façon de se tenir à table, de jouir en se mordant les lèvres ou en hurlant, de s'accorder un verre de vin dès 10 h 30, ou jamais avant 18 heures ? Sans réfléchir j'ai formulé un truc. Ça veut dire qu'une autre personne l'aura pensé pour moi, ou que quelque chose d'autre *en moi* l'a pensé avant mon cerveau ? Est-ce qu'il y a des psys pour penser que ça n'a que la valeur de ce qu'on dit sans réfléchir, et rien de plus ? J'aimerais qu'on me sorte de là… Ce qu'on dit sans réfléchir, est-ce qu'on l'aurait dit (toujours sans réfléchir) cinq ou dix ans plus tôt – on tiendrait alors vraiment la personne qu'on est depuis toujours, et jusqu'à la fin ? Est-ce que j'ai toujours pensé ça sans réfléchir ou est-ce que cette pensée est le signe que j'ai changé ? « T'as bien changé connasse ! Jamais ce mot de "malédiction" ne t'aurait parlé avant ! » J'ai changé ? Je suis quoi aujourd'hui ? Qu'est-ce qui m'a poussée dans les bras de cette idée qu'un petit ne compte pas, qu'il ne peut pas y arriver ? Un petit c'est un rien du tout ? À partir de quand est-ce qu'on commence (à compter) ? C'est un mouvement vital qui m'a poussée dans ces bras-là, ou rien qu'une histoire, une pauvre histoire ? Ce qui a lieu ne pouvait qu'exister ou est-ce que c'est le signe d'une force qui n'était pas obligatoire ? Est-ce qu'un truc qui existe peut être le signe qu'une faiblesse s'est faufilée sans qu'elle l'emporte sur une force nécessairement ? Est-ce que je suis loin de ma base en n'étant plus avec Youcef ? Est-ce que j'ai une base ? Est-ce qu'on a une base ? Je lui écris un texto en me mordant les lèvres : est-ce qu'il veut dîner ce soir ? Avec moi…

Dans un souffle je lui ai demandé de me tenir par les cheveux. Je voulais être emportée. Mais il a ri et m'a demandé si je voulais qu'il aille chercher mes barrettes dans la salle de bains.
Je ne lui ai plus jamais rien demandé de cet ordre.

Deux heures plus tard, ayant ruminé ce que sa blague avait d'idiot et de vexant car il aurait dû noter, mieux, comme j'étais coincée sur certaines choses – mais il avait été leurré par des audaces que j'avais eues –, il m'a proposé de reprendre ce jeu. J'ai reconnu cette voix, la sienne – celle qui sort de sa bouche quand la colère est partout dans sa tête, quand il fuit ce qui l'étouffe. « On choisit un sujet de conversation et je te prends d'un coup pour la reine des connes et je t'humilie intellectuellement. D'ac ? » Merci d'être con comme ça, l'homme à qui j'ai dit *je t'aime*. « Pourquoi est-ce que ça passerait quand

on fait l'amour et pas quand on discute ? C'est bizarre… Pourquoi dans un cas tu veux être ma chienne et pas dans l'autre ? » Est-ce qu'il avait raison ? Peut-être. Mais son agressivité montrait qu'il s'en voulait d'avoir été si peu sensible, si peu fin.
Difficile de savoir qui était le plus malheureux des deux à ce moment-là.

***

Je retrouve Albert. Il a son grand manteau de fourrure. Je ne sais pas ce que c'est, je n'arrête pas de le toucher. C'est du castor ? Du ragondin ? « C'est lourd comme de l'astrakan. » Je voudrais me glisser dedans. Avoir sur moi tous ces animaux qui ont fait le manteau, me glisser avec eux dans l'eau, cheffe d'une meute. Est-ce qu'on peut faire un manteau avec des peaux de loutre ? Les Indiens sans doute savaient faire ça. Je voudrais me glisser dans la rivière avec la facilité d'une loutre. Je ne ferais pas la moindre vague, à peine un friselis à la surface. Je voudrais ne pas être une erreur, mais un animal en harmonie, ou l'eau elle-même et tous les éléments capables d'accueillir.

On est dans un bar. Le Moka. Loin de la Cinémathèque, à l'autre bout de la ville. On est dans le 15e. Il me parle d'un film qu'il veut tourner, qu'il a tourné – je n'écoute pas complètement. *Casanova dans les Carpates*, c'est ton titre ? *Casanova dans la forêt* ? Dans une forêt sombre. Dans un petit château désert. Du XVIIIe siècle. Les grains de raisin qui éclatent dans sa bouche. Les dents noires du jus des grains. Je me dis : « Tu bois avec un homme qui a réussi là où Orson

Welles et Terry Gilliam se sont vautrés. » Un whisky aux épices. J'ajoute : « Tu te la racontes, il y a deux jours tu ne connaissais aucun de ces noms. » Avec de la cannelle aussi. On sort un peu ivres, et quelqu'un appuie pour moi sur le digicode, de l'immeuble voisin, et la porte s'ouvre – malgré l'heure, malgré la nuit. Il croit que je veux lui montrer une cour pittoresque, il est un peu bête comme n'importe quel homme, je l'embrasse à pleine bouche contre les boîtes aux lettres, et passe mes mains sous la peau de castor puis sous la ceinture et je lui prends les fesses, et il me caresse le ventre. Sa main sous mon pull, son haleine à l'orange, au vin rouge, au Cointreau, à la cannelle… On s'embrasse passionnément. J'y mets beaucoup de désespoir, lui rue devant ma douceur comme un taureau inquiet. Je me sers des gousses de vanille et des clous de girofle comme de harpons, on pourrait rester toute une nuit dans l'ombre de ce porche, je l'embrasse encore, je l'embrasse comme il s'est emparé de *Don Quichotte*.

Les mânes des poulets,
les cuisses des majorettes

54

Kevin Deshayes,
lieutenant du GIGN

On nous a expliqué hier qu'il y aura au moins deux fois des mouvements de troupes. Qu'ils seront autre chose qu'une relève de la garde après deux heures de position. Le colonel veut créer de l'inquiétude à l'intérieur de l'abattoir. Ces mouvements ne seront pas le début d'un assaut. Il s'agit de les faire sursauter et qu'ils s'épuisent à sursauter ou à se précipiter contre les portes. Si l'ordre d'aller chercher le ministre devait enfin tomber, on les trouverait épuisés, nerveusement, et on les cueillera comme des fruits mûrs.

Contrairement aux précédentes missions, le colonel ne précise pas que cette stratégie de la tension est exigée par l'Élysée. Est-ce une initiative pour se sortir de ce billard à trois bandes ? Il me l'a redit hier : quand des questions politiques sont en jeu, l'armée peut se retrouver prise en sandwich. On lui attribue alors l'échec de l'opération mais si elle avait eu les mains libres, elle aurait réglé le truc. Son histoire de mouvement a certainement pour objectif de mettre la pression sur l'abattoir mais aussi sur la cellule de crise. Il va leur signifier qu'on n'aime pas cette position où nous confine leur manque de courage politique ; qu'on ne la supportera pas longtemps ; qu'on a des fourmis dans les jambes, dans les bras, et ça démange grave !

55

Cyril Bernet,
salarié

Plus tard Pédron dira qu'il est d'abord venu aux abords de l'abattoir. « Je n'ai pas la télé, je voulais me faire une idée. » Constatant les gendarmes et les journalistes, tout ça, il s'est éloigné, imaginant que le périmètre était quadrillé par les caméras de la gendarmerie qui filmeraient tout – des heures d'images où on verra nos gosses, les collègues solidaires fumant clope sur clope, se relayant pour assurer une présence, ou la bande habituelle des autonomes, des anarchistes – et parfois les CRS doivent se demander s'ils ne les marquent pas à la culotte car ils les voient rappliquer sitôt qu'ils prennent racine. (Ou c'est l'inverse ? Des deux groupes, qui est la ruche et qui est l'ours ?) (Et là ce ne serait plus notre famille, mais la leur – celle des flics.)

Ensuite Pédron avait rappelé Cynthia pour lui dire qu'il acceptait l'invitation si peu banale. Mes filles sont allées dormir avec ma femme et elles lui ont laissé leur chambre pleine de doudous, de chatons, de princesses.

Le lendemain, on a donc observé avec un œil neuf l'arrivée du quatrième convoi de cagettes, portées par les enfants. Les cubis et les gros pains de campagne. Il fallait évaluer la difficulté, voir s'il y avait des failles dans le filtrage de tout ça par les gendarmes. Au bout d'une heure et demie, il a été clair qu'il y avait une tolérance curieuse, voire sidérante. « Au moment de l'arrivée des enfants, le piquet de grève s'écarte pour les laisser passer mais en fait il les entoure pour les saluer, ou les embrasser, et certains sortent de l'usine aussi, à ce moment-là. L'attroupement complique beaucoup le travail des flics et les commis de la boulangerie se retrouvent mêlés au groupe. »

— Les flics ont cette image-là, les trois dernières livraisons se sont déroulées pareil. Les adultes portant ce que les gosses sont pas capables... ils sont fouillés mais ça ne va pas plus loin. Les cubes et les cagettes sont inspectés, vaguement... Guy propose que le musicien prenne demain la place d'un commis du maraîcher ; qu'au lieu de déposer le sac de pommes de terre ils s'avancent tous les deux jusqu'à la limite de l'ombre ; là, ils passeront sa blouse au fils d'Hervé qu'est assez grand pour le contrat d'apprentissage, c'est crédible, et hop, ils rechargent les caisses et retraversent le groupe des enfants et du piquet qui s'arrangera pour faire embouteillage, « pardon pardon », etc. Un truc comme les tiges des anémones de mer, un truc souple, une confusion. Et les flics sont bernés.

Le lendemain midi c'est d'abord son saxophone qui arrivera en pièces détachées : le bec au milieu des radis, le bocal sous les courgettes, et la plus grosse partie, avec les clés et les tampons, dans une énorme brioche offerte par un boulanger de Quimper – tout en étant fier de la chose, il avait quand même accepté de l'évider pour y loger la bête (« J'en referai une pour le Téléthon »). (« Que vous fassiez la fête avec ma brioche ou avec un musicien je m'en fous pas mal ; c'est toujours une fête. »)

Pierrick Pédron n'était donc pas encore dans l'usine mais son instrument oui, en trois morceaux qu'on avait époussetés, débarrassés des miettes de brioche et des fanes de radis. Il était maintenant posé sur une table, en évidence. Ce soir-là et durant toute la nuit, il a semblé à tout le monde – aux artisans de ce concert comme à ceux qui s'insurgeaient – incandescent. Il émettait, dans le hall, il irradiait. Une fois la nuit bien installée, il passa donc pour un objet magique, en attente d'un souffle qui lui donnerait vie. Du coup, tout le monde s'est mis à espérer qu'arrive le musicien – même ceux que cette idée de fête avait vraiment gonflés, voire ulcérés.

— Comme sur des roulettes ! Pierrick et le maraîcher ont été fouillés mais les CRS n'ont trouvé dans sa poche qu'une boîte d'anches. Ils ont examiné ces trucs bizarres, et les lui ont rendus. « Vous dites que c'est pas l'affûtage du bambou qui risquerait de… ? C'est quand même fin et dur… » « Ah ça monsieur l'agent, on doit pouvoir se couper, c'est certain. Mais égorger un secrétaire d'État… ? »

On ne riait plus à ces blagues-là – on en mangeait depuis cinq jours et on était comme écœurés. Bref. Une fois Pierrick à l'intérieur il y eut un moment de joie, ou d'attente enfantine : qu'il remonte son saxophone et qu'il en joue tout de suite ! Ce qu'il a senti, deviné, à la fierté avec laquelle on l'a guidé jusqu'à la table. Et lui-même il me l'a dit : l'attente n'est pas toujours à ce point fervente. Les spectateurs de ses concerts espèrent seulement une forme de transport qui leur donnera envie de rentrer chez eux vidés ou rassasiés.

— C'est pas pareil !

— ?

— … les deux mots.

— Eh bien là, si.

Dans l'abattoir, près des bains où on électrocute les dindes et les poulets, Pierrick Pédron a été reçu par des gens qui ne rentraient pas chez eux et qui attendaient que sa musique les encourage encore à ne pas le faire ; à être aussi subversive qu'ils l'étaient eux-mêmes depuis cinq jours, voire plus encore – justement – pour qu'elle soit, cette musique, en mesure de les éloigner de chez eux – encore un peu plus ; qu'elle les aide à demander plus aux autres, et à eux-mêmes ; à revenir neufs chez eux, autres, fiers, c'est-à-dire à ne pas revenir chez eux en fait, ou un « chez-eux » qui les regardera bizarre. Ta famille elle te reconnaît pas, et même toi tu t'y r'trouves pas ; tu t'cognes à tous les meubles et tu dois baisser la tête pour pas te prendre le linteau des portes. À tel point que le musicien leur a d'abord paru timide ; le ministre nous avait dit « Il joue de son saxophone comme s'il avait un paratonnerre entre les mains » et nous, on avait sous les yeux, maintenant, un type qui en avait peur… Avec toute cette attente est-ce qu'on ne lui rendait pas son saxo intimidant ? Il semblait ne plus savoir comment le prendre. C'est ça : il est intimidé par son instrument et quelques instants durant on va se demander s'il n'y a pas maldonne, une arnaque dans l'air. Est-ce que ce n'est pas un flic, une sorte de cheval de Troie, ou le musicien qui jouait pour les enfants et pour les rats ?

— C'est-à-dire ?

— Vas-y, dis… ?

— Ben ce joueur de flûte, au Moyen Âge, qui débarrasse la ville d'une invasion de rats. Mais une fois sauvés, les habitants ne lui donnent pas le salaire promis alors pour se venger il reprend sa flûte et charme les gosses de la ville comme il en a charmé les rats, et il les mène à la rivière pour les noyer à l'endroit où il a noyé les rats. Vous avez pas lu ça aux gosses ?

— Quand j'entends ce que tu lis à tes enfants je me sens plus du tout coupable de laisser les miens devant la console !

— C'est quoi le rapport avec nous ? Les gosses ou les rats ?

— Le charme, la mort ! Il prend son saxo, il nous charme et on le suit jusqu'au fourgon des CRS !

Pierrick Pédron reste à distance, comme ça, de son saxophone. Il ne l'assemble pas, il l'a juste caressé, furtivement, avant de recommencer à serrer des mains. Pour interrompre ce moment avant qu'il ne devienne gênant, j'ai proposé de visiter l'usine. On est partis à dix ou douze, avec lui, et il a fait tinter chaque plan de travail, tous les inox, et les crochets, les cartons, les hottes, les poubelles pour les viscères.

— Alors ce s'ra plutôt ça votre instrument ?

— … ?

— Toute l'usine… ?

Les flics n'ont pas compris que l'un des livreurs était resté à l'intérieur mais il était trop tôt pour se vanter. On négociait la venue d'un ancien de Lip et d'une Fralib, Rim Hidri – pour nous encourager. « Tant qu'on ne fait pas une chose, elle est impossible » c'est Montville qui répète ça. « On croit qu'il faut qu'une chose soit possible pour qu'elle advienne, mais ce qui aura lieu, alors, dans ces conditions, c'est une chose morte, ou indifférente, une chose déjà morte au moment où elle arrive. Pour qu'une chose ait un intérêt, une existence vraie, il faut d'abord qu'elle soit impossible, qu'on décide de ne pas tenir compte de ça et de la faire quand même. » Si une chose est pardonnable alors ce n'est pas du pardon. Le vrai pardon c'est celui qu'on donne à une personne impardonnable.

On touchait à des trucs obscurs mais on avait tous compris.

Pour se moquer de Montville on avait parlé d'inviter un membre des Brigades rouges emprisonné mais on avait tous compris bien sûr, la fonction magique de Rim Hidri, et que négocier sa venue c'était aussi gagner du temps. On n'allait donc pas narguer les flics en leur montrant qu'un invité avait trompé leur surveillance. « Si le taureau est tranquille, tu lui fous la paix. »

Non, Pierrick n'avait posé aucune question de calendrier. Jouera-t-il ce soir, demain, dans deux ou trois jours ? Il pouvait passer un jour ou deux à préparer ce concert – à répéter avec ceux qui désiraient jouer ou chanter. La première répétition eut lieu dans la soirée, après la fin de tous les ateliers.

— Mais c'est quoi cette fête, exactement ?

— C'est… C'est… un solstice, un rite de passage, un carnaval. Ce n'est pas un adieu à l'usine, ce n'est pas encore la naissance d'un truc.

— Donc plutôt une fête ?

— Une fête totale, a répondu Montville. Géante ! Magnifique. Sans débordements sexuels parce que c'est entre collègues mais une fête géante.

***

J'ai accompagné Montville ensuite, pour recenser ce qu'on pouvait utiliser pour assembler une batterie : boîtes en carton, palettes en bois, bacs en plastique, couvercles, plaques d'aluminium, etc. Ça l'absorbait, et à un moment je l'ai entendu reprendre une conversation (avec quelqu'un ? avec lui-même ?) :

— Et alors ?! En quoi ça empêche ? Depuis quand c'est interdit ? C'est quelle joueuse de tennis qui fait signer à ses coachs un contrat dans lequel il est écrit qu'ils ne coucheront pas ensemble ? Sharapova c'est ça ?

Il continuait le match dans sa tête ? Il pouvait bien, oui, car dans les nôtres il avait mis le feu, en parlant tout à coup de sexe, et entre nous. Peut-être sans réfléchir, mais on était bien estomaqués. Il aurait fallu qu'on soit filmés pour qu'on puisse compter tous ceux qui ont rougi. Ça fait six jours qu'on vit ensemble (les réunions, les déjeuners, dormir tous à côté les uns des autres...). Christine et Abdel ont couché ensemble, j'ai entendu ça hier – mais sans comprendre si c'était avant qu'on s'enferme dans l'abattoir, ou ici même, carrément dans un bureau ou dans les douches. Si c'est l'enfermement qu'a permis ça, ou même si c'est un résultat de l'enfermement.

— Mais c'est pas ça ! Il parlait pas de couples mais d'un grand truc fou comme une orgie. Imagine qu'on demande au saxophone de jouer des choses qui donnent envie à tout le monde de s'désaper, et de faire tout ce qu'on n'a jamais osé... ?

— N'importe quoi ! En disant « orgie » il pensait « fête » et pas à des histoires de cul.

J'ai renoncé aux boîtes à chaussures pour les Tom de la batterie.

— Vous êtes hypocrites. Dès le premier soir, dans la façon qu'on a eue de rire comme des gosses, c'était bien ça... Tout le monde y pensait. On n'avait pas nos blouses, nos charlottes et nos patins. On avait tous nos corps, des formes.

— Et des corps qui vont s'endormir c'est des corps en train de s'abandonner.

— À tripoter de la viande nue tout le temps, qu'on plumait toute la journée…

— Toutes les blagues qui ne tournaient qu'autour de ça.

— Des dindes !

— Des poules !

— « Oh la belle cuisse ! »

— Et nos gants, plus fins que des préservatifs. Qui laissent plus de sensations…

— Si tu commences à y penser, ce n'est pas la chair de poule mais la chair d'une poule, à chaque fois. Évidemment t'y penses jamais. Tes gestes tu les réfléchis pas, et dès que t'approches de la chaîne ils deviennent automatiques, plus rapides que ton cerveau.

— Pareil avec un texto : tes doigts vont bien plus vite. Mais voilà, si mentalement tu ralentis la chaîne, si tu laisses le mot « poule » rendre son jus pendant que tes gants laissent passer la sensation de la chair, alors ça t'envahit : tu te dis que tu manipules une peau, et tu penses à du sensuel, l'envie de baiser, de toucher les seins ou les fesses de ta collègue, plus doux, plus chauds… Et ça y est !

— « Ça y est » quoi ?

— Tu bandes.

— Pffffff !

56

Vanessa Perlotta,
salariée

Le mot « bouffe ». Quelqu'un a réagi, mais comme ça, pour parler, et c'est un peu parti en vrille.

— On réécrira le dictionnaire plus tard d'accord ? Quand on aura un salaire dans la poche et des chaises en plastique pour le jardin.

On est retournés voir les congélos. On a compté les bêtes, approximativement. L'ordinateur aurait pu nous le dire tout de suite parce qu'on les bipe mais personne n'en connaissait le mot de passe. Le nombre nous a poussés à réfléchir, il y avait ce qu'on allait manger nous-mêmes, et tout ce qui restait encore, qu'on peut bien utiliser. C'est pour cela que la réunion avec nos amis du parking le lendemain matin a été – mais pas sans mal hein – consacrée à formuler une aut'demande, nouvelle : « Nous voulons organiser une kermesse pour récolter des fonds. L'argent sera pour nos familles. »

Les mecs de la cellule ont piqué leur crise.

— Bien entendu vous vous foutez de notre gueule ?!

— Pardon ?

— Depuis trois jours vous ne demandez que des conneries ! Est-ce que vous savez que la moindre fenêtre ici est visée par un gendarme du GIGN au cas où quelque chose se produirait à vue, concernant le secrétaire d'État ? Et vous nous demandez l'autorisation d'organiser une kermesse avec une rôtisserie géante ?!

— Mon collègue est dépassé, je–

— Pardon ?!

L'autre continue :

— … je vous assure que ses mots ne sont pas les miens. L'idée, pourtant, est un peu celle-là : vous êtes en train de nous balader bien sûr ?

— Ah mais pas du tout, pas du tout.

Avec cette réponse elle m'a épatée, Christine, et j'aurais voulu pouvoir lui demander si son étonnement était sincère. « Ou bien tu enfonçais le clou hein ? Et tu lui disais entre les mots "Oui, oui, je me fous de toi" ? » Impossible de trancher ! (Alors ça veut dire qu'on va les promener encore un peu, et que les leçons de Fatou ont bien porté leurs fruits.)

Il faut dire, Christine, on l'a pas lâchée d'un pouce.

Quoi qu'il en soit, après deux réunions supplémentaires servant à poser le cadre de cette kermesse, ils ont fini par valider. Fallait les voir ! Abattus, déconcertés… L'idée qu'on puisse vendre des poulets sur le seuil de l'usine, à qui ferait le déplacement.

— On a besoin d'un peu d'argent pour nos familles.

On ne parle pas de com – mais personne sous la tente pour se tromper ! Le potentiel médiatique d'une telle journée c'était le mont Blanc ou bien l'Everest, c'était la queue du renard sur un manège, la jarretière de la mariée.

— Pourtant vous touchez encore vos salaires ? Vos familles ne sont pas déjà dans le besoin…

Fatima a tendu la main pour tâter le tissu du costume :

— Vous l'avez payé combien ? 1 000, 2 000 euros ? Eh

bien avec ces 1 500 euros que vous dépensez en, allez, disons vingt minutes, je fais manger mes enfants pendant quatre-vingt-dix jours, chez Lidl. Quatre-vingt-dix jours ça fait trois mois.

Avec la fête on reste bien intouchables. Plus les gens s'approchent, plus un assaut des CRS continue d'être impossible.

Le prix d'un poulet fut fixé à 4 euros (on avait annoncé 8 euros au mec de Matignon). Nos gosses et nos maris viendraient, et nos voisins et nos parents, les frères et les sœurs et tous les camarades des syndicats. « Plus nous serons populaires… »

On avait deux jours. Pour comprendre comment cuisiner cent cinquante volailles de façon à ce qu'elles soient prêtes au même moment, qu'on puisse les servir en l'espace de deux / trois heures. En faisant des calculs on a conclu qu'il nous fallait une journée ; on en rôtirait la veille soixante-quinze ou quatre-vingts, qui seraient débitées pour constituer de petites portions, ou des plats cuisinés ; et une centaine le matin même, qui seraient « vendues » entières. Pour accompagner ça, on a convenu de demander à nos soutiens le doublement des rations de légumes qu'ils nous donnaient chaque jour, et puis on a dressé la liste, avec le secrétaire d'État, de tous les ingrédients dont on allait avoir besoin : huile, beurre, sel, oignons… Du paprika et puis du thym. Demander cela n'était pas simple, c'était forcer le don. On essaya de réfléchir à un plan B au cas où ils ne pourraient pas – impossible de les payer, ni nos familles, ou pas vraiment, ou pas dans la mesure de tout ce qu'ils nous donnaient depuis mardi. L'un de nous a proposé qu'on leur suggère de communiquer autour de ces dons, que leur image de marque profite de cette générosité. Beaucoup répondirent à ce collègue par une moue embarrassée ; au moment où on cherchait à mettre en pratique un système moins pourri que le capitalisme, il était déprimant, ou écœurant, de transformer le don en force de vente.

— Mais non ! Comme une affirmation militante !

— Imaginez un peu la tête des CRS qui campent sur le parking, qui dorment dans leur car, quand ils vont voir tout le monde s'approcher de nous avec des gamelles qui sentiront bon la graisse et les oignons tout rissolés, la peau dorée de nos bestioles... ! Putain, comme c'est bon !

Mais ensuite il a fallu aller retrouver les autres.

C'est l'AG du matin, il y a quatre ou cinq grappes de sept ou huit collègues, qui lisent le journal en s'agaçant. Électricité, orage. Une nouvelle rumeur dans les articles du jour : Montville serait notre gourou. La presse invente, elle donne du corps aux fantasmes des planqués, à leurs délires ; leur gourou c'est le pouvoir, et pour exorciser la crainte qu'ils ont d'être manipulés, ils trouvent des gourous sous chaque sommier. Ils dévoilent et ils dénoncent en imaginant que ça les place hors champ, mais on se marre bien sûr. Je me marre. Au moment du meurtre du petit Philippe Bertrand, quand la police a cru tenir l'assassin, des gens sont venus gueuler « À mort ! » devant le commissariat. Et dans cette petite foule, gueulant « À mort ! » comme tous les autres, il y avait Patrick Henry, l'assassin en vrai.

— Et si c'était nous qu'on l'a gouroutisé, le ministre ?!

C'est Fatou, pour faire rire – mais à chaque fois qu'elle fait de l'humour, ma cops, elle veut aussi qu'on réfléchisse.

Peut-être est-elle aux ordres, la presse, mais peu importe, le mal est fait : la vexation, le sentiment d'être dépossédé de son histoire (et peut-être pour certains de l'impression qu'ils étaient en train de faire un geste héroïque ou historique) PUISQU'EN FAIT Y A UN GOUROU DERRIÈRE TOUT ÇA ! Eh ben ça explique le basculement d'autres collègues, qu'ont voulu repousser le secrétaire d'État, plus nettement. Tous ceux que son enthousiasme avait agacés se retrouvaient maintenant à parler de ce qu'on faisait en termes pleins de panache. Ils n'avaient pas aimé qu'on veuille les sortir du cercle vicieux de ces déprimes, et maintenant, ils revendiquaient le coup de force. Et même ils s'offusquaient qu'on leur en conteste la paternité. Tu sors le pain du four, il embaume la pièce et à cet instant – au moment où tu commences à rêver d'olives et de fromage – on te le vole. Cette vexation libéra la parole et fut en quelque sorte la pression du doigt qui enclenche le chronomètre.

Au cours des trois heures qui suivirent (la fin de la matinée, le déjeuner) personne ne parla de ces articles devant Montville. Il n'eut pas d'explications, seulement le résultat : on était froids. Il s'est énervé, il a eu le sentiment que cette distance était une nouvelle étape dans le renoncement à cette révolution dont il s'était juré, la nuit précédente, qu'il ne ferait jamais le deuil. Ils s'étaient d'abord opposés à la fête, c'est-à-dire – à ses yeux – à une attitude souveraine ; ils renonçaient maintenant à la révolution elle-même, et à tout l'orgueil qu'ils pouvaient en tirer. Ils avaient d'abord abandonné la joie, ils renonçaient aussi à la fierté. Il est donc revenu à la charge et a mis encore plus d'acharnement à décrire ce qu'allait être, dans l'histoire de cette semaine, le concert, la fête, et l'effet d'un tel moment sur les consciences ou sur les corps. Mais en insistant comme ça, il creusait sa tombe en quelque sorte, ou plutôt il achevait de détricoter le lien qu'il avait noué avec les salariés de La Générale au cours de la semaine ; il semblait insister sur la chose la plus futile et contestée, comme un stratège peut s'entêter à vouloir suivre un plan absurde. D'autres se montaient le bourrichon – mais comment évaluer le rôle de la fatigue accumulée dans la pertinence des avis qui s'opposaient ? – et ils n'hésitaient plus à le décrire comme un chauffeur qui nous mènerait vers le ravin. Alors quoi ?! Eh bien il faut le prendre de vitesse, ce chauffeur fou, pour qu'elle n'ait pas lieu. Quoi ?! Mais cette fête voyons ! Et plus personne ne se comprend.

***

— C'est marrant tu sais, tu la détestes cette nana, dès que tu prononces son prénom c'est pour lui foutre une baffe, et depuis le début tu nous répètes qu'elle a trahi, en passant à l'équipe de Montville. Mais toute cette colère pour quoi ? Je te pose la question, Gérard, parce que tu nous demandes la même chose qu'elle ; vous n'avez que *négociation* à la bouche… Alors qu'est-ce qui te met en rogne comme ça ? Est-ce que ce n'est pas justement ça ? Que la traîtresse demande la même chose que le vertueux chevalier ? Oui ça doit être irritant, j'te comprends. Même avec la plus grande mauvaise foi on ne peut que reconnaître : il y a une couille. Tu ne te dis pas que tu as merdé quelque part ? À quoi sert la pureté, et la pureté avec tant d'obstination – je te connais bien –, si c'est pour réaliser à 57 ans… 55… qu'on veut les mêmes choses que les vendus, ceux qu'on désigne comme des vendus… ?

57

Retrouvé sur un papier dans le vestiaire

Alors qu'est-ce que c'est un don ?
Certainement le contraire de se donner.

58

Céline Aberkane,
conseillère du secrétaire d'État

Je dois le faire savoir à Montville : il n'y a pas de fatalité. C'est la question qu'il ne m'a pas posée en me demandant ce mémo sur *Don Quichotte* et ses adaptations au cinéma mais ça ne peut qu'être celle qu'il se posait, en fait ; et je dois lui dire que le charme est bien rompu, qu'un cinéaste a réussi à l'adapter, ce Cervantès, que ce chef-d'œuvre – le film – a même été assez repéré en 2006 pour être édité en DVD. Albert n'y a donc pas laissé sa peau, ni sa pelisse, puisqu'il a tourné ensuite des films encore plus fous. Je dois dire à Montville que le preux chevalier faisant la gueule ne l'a même pas tiré vers le fond de la rivière, ce cinéaste ; le chevalier de la Mancha n'a pas fait d'Albert Serra un artiste aussi perdu dans son époque que le *Quichotte*, dans la sienne.

Je ne sais pas pourquoi je viens de prendre une chambre dans cet hôtel, je ne sais pas ce que je fais là.

Je vais retourner à Brest et tenter de faire passer le message au secrétaire d'État. Où en est-il en ce moment, je n'en sais rien, mais cette minute culture le distraira, non ?... Il n'y a pas de fatalité, Albert a tordu le roman de Cervantès, il lui a fait une clé dans le dos en supprimant les autres personnages, et les dialogues, et les récits. Même l'espace – il m'a expliqué ça – il l'a refermé (avec une petite focale il place la caméra près des acteurs) car à quoi bon quelques plans larges, la plaine habitée ou traversée par d'autres voyageurs, si le chevalier ne voit que les visions qu'il a ? Il a radicalisé le livre. Le film n'a rien coûté, c'est un petit budget, mais « le geste est magnifique en termes de cinéma » (c'est lui qui parle !). Je n'ai pas d'argent, quel film extraordinaire je peux faire avec ce manque d'argent ? Il n'y a pas de fatalité, il n'y a pas d'ordre supérieur et invisible capable d'écraser, il n'y a que des hommes, partout. Il faut que je fasse passer le message à l'intérieur de l'abattoir. Et si je peux faire passer un message je dois pouvoir faire entrer le DVD aussi. Les camarades accepteront qu'il passe une heure devant l'ordi. Il n'y a pas de fatalité, il faut rêver. « Il n'y a pas de fatalité » cela veut dire pas d'utopie non plus. Si l'utopie c'est des chèvres dans un pré, dès que l'idée de fatalité fait pschitt le pré n'a plus de clôture et les chèvres sont des bouquetins aux cornes dingues, et tellement agiles.

Nous formions un couple, tout était là, mais je continuais de me croire dans un de ces scénarios qu'on suce comme des bonbons, échafaudés le soir, une fois la lumière éteinte. Qui prennent la place des histoires lues par les parents. Youcef était si beau que ça ne me semblait pas possible d'être aimée par lui. Je ne le disais pas, peut-être me suis-je même comportée normalement en apparence. Mais dans un vrai couple on voit au-delà des apparences, non ? Youcef a vu que je n'arrivais pas à marcher avec lui, que je ne faisais qu'observer un couple d'amoureux. Il s'est lassé de cette présence négative, que son désir pour moi reste invraisemblable – un émerveillement, une impossibilité. Il attendait que je l'aime, et non que je passe mon temps à m'émerveiller. C'était comme remplir un tonneau percé. Mais il n'y a pas de fatalité, je répare, je bricole, et je ferme les yeux pour sauter. Albert n'a pas fait un geste pour m'encourager, je n'ai pas attendu de savoir quel était son désir pour me jeter sur sa bouche. Il n'y a pas de fatalité : je vais finir par arrêter de vouloir remettre du déo à chaque fois que Montville m'adresse la parole. Je retourne à Rennes, je dois lui parler du *Quichotte*, d'Orson Welles et moi. Je commencerai par lui dire qu'il n'y a pas de fatalité.

59

Pascal Montville

— Vous continuez de fuir, vous continuez de me fuir.

— Vous dites n'importe quoi !

— Vous passez d'un groupe à l'autre pour dire ce que vous avez à dire mais vous n'attendez pas, vous n'attendez plus de réponse, d'opposition, vous ne voulez plus entendre…

— N'importe quoi ! Vous ne vous rendez pas compte.

— C'est vous qui nous avez parlé du taxi-brousse ? Lundi ou mardi… ? Vous êtes de nouveau ce taxi-brousse qui veut foncer malgré les gens qui demandent à descendre.

J'en venais à des trucs injouables. J'imaginais des commandos de militants traquant les actionnaires, pénétrant la nuit chez eux pour les ficeler aux chaises de leur cuisine – inconfortables car ils n'y mettent jamais les pieds bien sûr – et leur montrer en boucle toute la nuit – ou jusqu'à ce qu'on les trouve, c'est-à-dire dans ma tête peut-être deux ou trois jours car ces gens-là ne peuvent pas avoir d'amis – un documentaire atroce, en rapport avec les dommages causés par les entreprises dont ils sont les actionnaires, ou sur les ravages de l'actionnariat, via les cabinets gérant les portefeuilles boursiers : tel désastre écologique pour produire à moindre coût tel composant pour un smartphone ; tel désastre social, humain, pour délocaliser à l'autre bout de l'Europe et faire sur le chômage des uns encore plus de profit, et sur le chômage des autres racheter enfin la maison qui jouxte la propriété déjà très grande de La Ferté-Vidame, mais comme ça je suis certain que personne ne fera construire un étage de plus à cette baraque que je vais pouvoir raser, etc.

Et comme les images des camps aux accusés du procès de Nuremberg, ça ne leur fera rien. Il y a des hommes pour n'être pas touchés par l'humanité des autres. Quand Camus dit « Je suis un homme et rien de ce qui est humain ne m'est étranger » ce n'est pas si niais car ce n'est pas si évident.

Alors quoi ?

60

Christiane Le Cléach,
salariée (à l'étourdissement)

Les producteurs pouvaient pas s'arrêter sans crever la gueule ouverte, et leurs volailles aussi. Il fallait que l'abattoir continue de les acheter pour dégager le terrain – au moins pour ça – et que les batteries s'engorgent pas sous les chiures et les carcasses malades, écrasées par les autres, moins malades. La télé leur a décrit un bordel hors de contrôle et pour eux qui sont en compte avec La Générale (qui leur doit parfois beaucoup d'argent) c'est l'angoisse évidemment, et ils n'ont pas d'autre choix le vendredi que d'essayer de nous forcer la main. Que l'activité reprenne ? Le bordel supplémentaire avec la kermesse leur permettra de nous approcher, voilà c'qu'on imagine, mais ils vont aller plus vite car ils peuvent plus attendre, la merde elle s'accumule. Au départ on a été surpris, mais une secrétaire du service achat et l'assistant de la comptable se sont pointés et sous l'œil des CRS les empêchant d'entrer – tout en nous laissant communiquer – nous nous sommes engagés à tout acheter, évidemment par solidarité, mais l'évidence d'hier… L'idée de ces poules nous semblait aussi… On dit comment ?… « Incongrue » ? Raah ça doit pas être assez fort… désormais, que l'achat d'une collection de cendriers ou de soixante-dix buffets normands.

Puis l'un d'entre nous a coupé court. Réunion immédiate, entre nous, à l'intérieur – ne pas trop en dire à portée des oreilles des CRS.

— Comment faire entrer ces volailles dans l'usine ?

Chacun propose une solution pour contourner le blocus – on parle comme à Cuba, et ça nous donne des forces – toutes farfelues en termes pratiques.

— Ils vont rien lâcher.

— Est-ce qu'on peut négocier la reprise de l'activité avec les flics et contre les actionnaires ?

Dans l'après-midi, pendant que certains préparent la fête, on envoie aux éleveurs des propositions bien folles ; les CRS feront barrage, « échaudés » (comprends pas) par la presse qui « raille » (pas non plus) cette « prise d'otage tournant à la kermesse » (là je comprends l'ironie et je lui réponds, au journaliste : va mourir, connard !).

C'est un des éleveurs qui va proposer un truc encore plus tordu, par retour de mail : il se gare de l'autre côté du talus avec son camion, avec un peu de chance le deuxième cercle de CRS le remarque pas trop vite, il arrime une cage – elles contiennent chacune près de cinquante poules – à un ballon qui sera radioguidé (« Les drones c'est mon dada ») pour que les bestioles passent au-dessus de l'autoroute, dans le ciel de la cellule de crise et des camions de gendarmerie, pour atterrir finalement de l'autre côté du bâtiment ou sur le toit (« Vous avez accès à la cour ou il y a des flics aussi derrière ? » il nous demande…).

Vous n'imaginez pas la violence qu'a déchaînée l'idée. Ceux qu'étaient opposés à toute idée de kermesse ont été rejoints par ceux qu'ont avalé leur langue en entendant qu'les pom-pom girls ça rev'nait à « prolonger la lutte », sous une autre forme, et ils les recrachaient maintenant, ces langues toutes bilieuses : les gonzesses à poil, passe encore, mais des poules cosmonautes maintenant… On n'en peut plus. C'est trop guignol. Ils voyaient bien que le but restait de relancer l'activité au seul profit des salariés, mais le vol des poules en zeppelin avait quelque chose de si grotesque qu'il devenait pour eux un obstacle à cette relance – et cela aussi c'était grotesque ; comment croire que tant de colère, de courage et d'intelligence pouvaient finir en farce, débile ; qu'elle en était déjà une ? Moi curieusement, pendant qu'ils s'étranglent je découvre que ce bordel me fait du bien. Que peut-être j'aime ça – j'aurais jamais cru –, que peut-être j'aurais b'soin de ça ; que maintenant ma vie–

— Encore une fois : vous êtes les premiers à ne pas croire à votre intelligence, vous avez peur de vos idées.

— Mais ce n'était pas notre idée !

— Ah ? Et faire claquer les bretelles de soutien-gorge en riant comme des gosses, c'était ma suggestion peut-être ? Quand vous ne croyez pas en vos idées, à l'intelligence des envies, vous faites qu'obéir, vous rentrez dans le rang. Vous validez ce que pensent des foules toutes les oligarchies, ce qu'elles pensent du peuple ; vous validez le malheur qui vous accable et les fait jouir, eux. Il ne faut pas qu'ils vous comprennent ! Il ne faut pas ! Si vous faites preuve d'humour tout en détruisant une agence bancaire, vous les terrorisez. Alors que si vous cassez simplement l'agence ils sourient en se disant « Le magot est ailleurs de toute façon ».

Il s'époumonait l'otage.

L'amertume gagne. De part et d'autre.

Qui c'est qui me souffle ça, je sais plus.

Toute cette histoire finira en farce, complètement débile.

En est peut-être une déjà. Moi elle me dilate la gorge – pour parler comme Montville – mais je vois qu'aux autres elle donne la sensation d'être écrasés. Amertume noire. Un rigolo tente des jeux de mots sur les dindes qu'il cuisinait, et leur cul, ou le croupion, avec un doigt pour les farcir, mais ceux qui ont milité pour la fête, et que la perspective d'envoyer des poules en l'air rend extatiques – oui, carrément –, ceux-là lui imposent gravement de la boucler. Ah, ah ! L'humour est une chose trop importante pour la laisser aux rigolos.

— Lisette, Hervé, Myriam, c'est vous qu'allez réceptionner les poules.

— Mais on vient de vous dire qu'on est contre le plan de ce guignol ! On s'y oppose.

— Nous travaillons depuis des années avec ce guignol comme tu dis.

— Eh bien continuez alors, c'est vous ! C'est vous qui vous en occupez.

— Impossible, on a déjà tous un rôle pour la préparation de la fête. Vous l'avez refusée, vous, donc vous n'avez rien à faire. Vous voulez qu'du sérieux ? Récupérer les poules pour qu'on se mette à notre compte, y a pas plus sérieux. Le sérieux de tout ça qu'on fait depuis six jours repose donc sur vous maintenant. Au boulot.

Leur tête accablée valait dix mille, l'entourloupe était énorme, un vrai tour de bento (dans la phrase). La démocratie on peut jamais l'atteindre, c'est pas une maison, plutôt un point à l'horizon. Donc il y a de la tragédie dans la démocratie, puisqu'elle est impossible – si on n'y est jamais. Certains l'imaginent un dieu toujours absent alors évidemment si c'est un clown qui s'pointe, comment reconnaître celui qu'ils attendaient ?

Un dieu, un clown. C'est la relève des dieux par les pitres. La démocratie n'est pas une clownerie mais le clown est la démocratie.

Vraiment ils sont sortis, je les ai vus, ils étaient très accablés.

Le lendemain, les communications par téléphone sont toutes restées bidon, rapides. Pour pas alerter les grandes oreilles. « On s'en tient à ce qui a été convenu. » L'éleveur est venu se garer de l'autre côté du talus. Il était aussi protégé, un peu, par le bruit de l'autoroute. Nous, aux fenêtres, et ceux du piquet de grève, on essayait de ne pas zyeuter le ciel, que les CRS et les lunettes du GIGN ne devinent pas que le salut pour nous viendrait de là. Ceux qu'étaient planqués près de la trappe du toit ne pouvaient rien regarder, eux. Mais ils attendaient pareil, prêts à bondir comme des chats, comme des tigres. À vrai dire, certains pensaient que s'y trouvaient déjà plusieurs ninjas de la gendarmerie – on n'avait pas eu besoin du toit jusqu'à présent. Et peu importe, en fait. Qu'allaient-ils faire ? Que pouvaient-ils bien faire, si quelque chose du plan devait se réaliser ? Le ninja qui voit des poules le survoler, à quel chapitre du règlement il doit se rapporter ?

Ils firent quelque chose. (Hé hé ! Je cause de mieux en mieux.)

À 10 h 34 elle apparaît sur le talus, la calotte rouge du petit ballon (peut-être le tiers d'un ballon normal). Gonflé à l'hydrogène et non avec de l'air chauffé – allez demander aux poules de surveiller le brûleur ! Nous, on l'attendait, c'est donc normal qu'on l'ait vu monter comme ça – d'abord cette calotte puis le ballon complet, puis, sous le drone ou le moteur, la cage avec ses cinquante poules qu'il fallait imaginer pas mal flippées. Les canards volent, ok, les poules on peut pas dire... ! Mais c'qui nous titillait bien plus à ce moment-là – plus que la psychologie des bêtes qu'on était habitués à voir inquiètes au moment de les trucider – c'était de se représenter ce que les flics voyaient, et à partir de quel moment, et ce qu'ils ont pu comprendre de ce qu'ils voyaient. Combien de secondes il leur aura fallu pour qu'ils valident dans leur tête la phrase : « Ils se font livrer des poules par montgolfière. » C'était immanquable ; on était tout à notre joie ET dans la tête d'un CRS aussi – plus schizophrène c'est difficile ! Mais cette déchirure n'a duré que le temps d'un pet. Quelqu'un a hurlé « L'ange doré ! L'hélicoptère et l'ange doré ! » pendant cinq minutes au moins, surexcité, et je sais pas pourquoi. Mais tout en étant bien perché apparemment, il nous a rappelés à l'ordre en quelque sorte, et à l'intérieur on s'est redéployés, moitié dans l'escalier menant au toit, moitié vers les deux portes de la cour.

C'est pour cela que beaucoup ont manqué une partie de ce qui s'est passé sur le parking.

C'est-à-dire ça : le ballon s'est élevé assez haut pour passer l'autoroute, et les CRS l'ont découvert petit à petit. Les poules effrayées chiaient en continu. Est-ce qu'ils ont tiré dessus pour stopper le robinet à fientes ? Est-ce que l'ordre de tirer a eu besoin de cascader depuis le point le plus élevé de la chaîne de commandement ? On sait pas et on s'en fout. Passé la stupeur ou l'amusement de certains, qui s'oubliaient, un gendarme a tiré sur le ballon qui survolait le parking. Évidemment il aurait pu être bourré qu'il ne l'aurait pas manqué. Il a donc fait mouche et le ballon s'est immédiatement vidé, flapi. Chute libre. C'qu'ils avaient pas anticipé – mais avaient-ils tous compris, pour la centaine de poules vivantes dans la nacelle ? – c'est que la cage allait s'ouvrir en heurtant violemment le sol, cassée ; que les poules – au moins celles qui n'étaient pas sonnées – se répandraient sur le parking ; que la joie des caméramans serait immense – depuis trois jours ils n'ont plus rien à se mettre sous la dent et ils tiennent là une image folle, enfin, qui les console d'avoir été bloqués près d'une semaine dans ce trou perdu : la volaille s'égaillant entre les jambes des CRS habitués à taper sur des manifestants, à bloquer au sol des enragés et pas des poules… Car bien sûr ils pouvaient pas faire autrement que les coffrer. Tu les imagines se balader tranquille, entrer sous la tente de Matignon, en train de pondre près des ordis de la cellule de crise ? Et les Robocop violents être obligés de faire gaffe – c'est juste un réflexe – pour pas les écraser, ou glisser sur des fientes et se retrouver les quatre pattes en l'air. C'est en tout cas parce qu'elles les faisaient trébucher DANS LA TÊTE DÉJÀ qu'ils ont vu l'second ballon qu'avec un temps de retard. Apparaître dans le ciel. Là, sonnés par l'issue ridicule du premier tir,

JE PARLE DE MIEUX EN MIEUX, JE SUIS UNE REINE.

ils sont restés tout cons les mecs, et le ballon a survolé le parking, la rue et le piquet de grève – il y a quelques applaudissements, des youyous, mais les gens sont tellement estomaqués par le spectacle – jusqu'à se trouver à l'aplomb du toit, et il continue et il se pose, presque délicatement, derrière le bâtiment. On s'est précipités pour détacher la cage, et peut-être deux minutes après le drone a semblé vouloir partir et le ballon s'est éloigné, avant de revenir dix minutes plus tard avec une nouvelle cage de poules. (Il n'y a jamais eu de troisième envoi, les CRS ayant sans doute stoppé au sol l'approvisionnement du ciel en poules, promis à un éclatement chamarré de plumes, de douceur, et de becs jaunes que les gendarmes redoutèrent vite comme un truc capable de les tuer plus sûrement que l'exécution du secrétaire d'État ou n'importe quelle autre plaie d'Égypte.) (Ça c'est pas d'moi mais on s'en fout ça sonne super.)

61

Gérard Malescese

Les éditos dont on est encore vaguement curieux. Non pour ce qu'ils peuvent dire de nous – ça y est, on s'en tamponne –, mais bien pour ce qui se dit, à travers eux, pour ce qu'ils disent comme Tatayet. Cette curiosité est une pitié. On se paie les perroquets des gens de pouvoir, une cacahouète pour chaque « Bonjour ». Les articles encore, je te disais : les éditos des quotidiens, écrits par quelques somnambules tu vois... Ils ne parlent plus que du bâti en fait, à quelle famille nous le volons cet outil industriel. Ils ne parlent plus de nous en fait, c'est fini. Ont-ils jamais parlé de nous ? Même le secrétaire d'État ne les intéresse plus, ne les intéresse pas. Le suicide de sa femme est redevenu le drame domestique qu'il aurait dû rester, c'est pas le grand scandale qui leur permet de faire des gorges chaudes, d'employer des mots spectaculaires. C'est donc toujours la même chose, toujours ; il y a quelque temps ils ont tellement hurlé quand les camarades d'Air France ont arraché la chemise du DRH, ils ont tellement écrit que le fleuron de l'aéronautique française sombrait dans la violence ! Qu'on les sent à la peine, maintenant, fatigués. Ils devraient gueuler plus fort pourtant – on retient tout un homme cette fois, avec sa chemise et son costard – et c'est quand même une plus grosse prise qu'un DRH, un secrétaire d'État ! Mais ils ont tellement gueulé comme des putois il y a deux mois qu'ils n'ont plus de voix en fait. Elles se sont étouffées avec leur propre dégueulis, les rombières.

> Les rombières du Tout-Paris → dégueulis → tout-à-l'égout → Tout-Paris et dégueulis d'égout.

Comme un qu'aurait brûlé toutes ses cartouches au premier mouvement dans la première touffe d'herbe, à quelques mètres, mais c'était deux grillons en train de s'astiquer l'élytre.

— À l'usure on les a eus, alors…

— Eh ben je ne sais pas… On pourrait dire que ça les choque moins, que le vrai scandale c'était de s'en prendre à la chemise, un bien de consommation ! Voilà. Regarde comment ils ont parlé des dernières manifs : une voiture brûle et ça fait la une de toute la presse. Une semaine plus tard un homme est dans le coma à cause d'une grenade lancée par les CRS sur des manifestants, et pas un seul quotidien ne donne sa photo en première page. Quand il mourra pour de bon il se passera rien non plus, son nom disparaîtra alors que tous ici, on connaît la marque de la chemise déchirée. C'est pas qu'on est branchés mode hein, c'est juste que les rombières l'ont répété sur tous les plateaux de télé. Tant qu'on ne tachera pas l'imperméable de Montville, ou son attaché-case, les CRS n'entreront pas ? On peut le taper, lui couper le petit doigt, le faire poser avec un flingue au bord des lèvres, il ne se passera rien, nos familles ne seront pas maudites.

— Mais en fait ces rombières qu'est-ce qu'on s'en fout ?! De ces Franz-Olivier Jesaispasquoi, de ces Bidule et de ces Truc. Lundi ma femme était furieuse, après moi, après vous.

Elle était devant sa télé, elle entendait que ces mecs-là. Elle m'a dit « Tu vas perdre ton boulot ». Elle était si anxieuse, elle avait si peur, qu'elle avait besoin du JT pour savoir quoi penser de ce qu'on faisait, et du coup elle avait honte. Mais depuis, tous les commerçants la félicitent, les gens dans la rue, et nos voisins… tout le monde lui apporte, et aux enfants, de quoi manger, des plats, des cakes, des tartes. Les gens lui disent comme ils sont fiers de nous.

— On s'en fout tu crois ? Tout ce que tu peux faire avec ton syndicat, tout au long de l'année, il suffit d'un tweet de ces connards pour que–

— Ou alors c'est un stratagème, cet essoufflement des commentaires, des gros furieux… C'est pour nous tromper. Ils nous disent : « C'est pas si important, ce que vous faites. » On se démobiliserait, on se fatiguera et plouf.

— Est-ce qu'il y a quelqu'un pour de bon, sous la chemise ?

— Tu demandes si c'est une enveloppe vide ?

— Une chemise de marque, pour faire croire à quelque chose…

— En Ukraine, quand ils ont fait la révolution – c'était en quoi ? 2005 ? 2006 ?

— Je sais pas de quoi tu parles.

— Eh bien quand ils sont entrés dans le palais présidentiel, ou dans sa maison de campagne, ils ont découvert un truc complètement vide, jamais habité. Tout y était en or massif mais tout était laid, c'était le pire des mauvais goûts. Pendant quelques heures le monde entier n'a parlé que de ça, puis les heures suivantes on a parlé du vide, le vide incroyable, et il y a eu des gens pour demander : « Pourquoi des gardes ou bien l'armée si y a personne dedans ?! »

— Tu demandes : pourquoi l'armée protège une coquille vide ?

— Voilà. C'est qu'on ne doit pas savoir que c'est tout vide, c'est qu'on doit croire que tout ça est habité, que le président est là et qu'il préside. En fait il est dans une remise, on le sort pour des trucs à la télé, ou une séance de signatures… On doit pas savoir que c'est un épouvantail, une marionnette dans laquelle n'importe qui peut bien passer la main. Dès lors que tu sais parler sans bouger les lèvres, t'as le droit de prendre le président sur tes genoux, de lui enfoncer la main par le fondement.

— T'as remarqué toutes les expressions qui parlent de fringues pour dire le pouvoir ? « Avoir l'étoffe », etc.

— Et puis ?

— Ben comme par un fait exprès là j'en ai pas d'autres en tête…

— « Être taillé pour. »

— Et il y en a d'autres ! En fait c'est bien ça, il s'agit de pouvoir mettre tel ou tel costume.

— Il avait raison Montville, quand il parlait d'agenda. On te laisse pas arriver avec ton calendrier et tes mesures ; on te demande d'enfiler le costume, c'est tout. T'as les bonnes mesures ça l'fait ; autrement ça va très vite ; t'es pas taillé pour le job.

On aurait pu être saignés à vif par ce que Patrick disait : « C'est un fantoche comme les autres, et le reste du gouvernement s'en fout bien de perdre un épouvantail, et toute cette classe de gens puissants. Ils s'en foutent! » Mais au contraire on est ressortis plus en colère encore. Cette colère je l'avais aussi, je la connaissais. On l'éprouve quand on veut écraser un insecte qui va très vite et qui parvient à échapper tout le temps aux doigts furieux, au journal roulé, à l'espadrille. Tu tapes sur le mur, tu tapes sur le sol, mais il évite les coups de savates. Tu tapes encore et il parvient toujours à fuir, ou à s'aplatir suffisamment entre les lattes ou sous la plinthe. On était dans le même état de frustration, d'agacement, de vexation. On voulait serrer un doigt au moins, de la main qui nous retire le pain de la bouche, encore, pour qu'elle cesse de nous voler, et on n'y arrivait pas, on ne trouvait qu'une manche de costume, et sous la manche griffée je-sais-pas-quoi, une chemise chère, elle aussi, et rien non plus dans la manche de cette chemise, rien du tout; pas un corps avec des sensations mais de l'air, une manche à air, la direction du vent. Et ça rend fou, tu tapes partout, tu tapes plus que prévu, t'avais pas prévu d'taper, tu voulais juste retenir la main qui t'vole, mais là tu tapes, et tu t'rends compte que pour crever la manche à air ta main a trouvé un tournevis, ou un couteau, et tu donnes des coups – t'es comme un malheureux, t'es possédé – et tu voudrais fuir, effrayé, car tu découvres ta main armée: ça y est, ils t'ont rendu coupable.

62

Hamed M'Barek

Gérard vient de parler. J'aurais beaucoup à rétorquer mais je préfère me taire. Tout ce qu'il dit – parce qu'il mourra syndicaliste, lui – est alourdi par un angle mort : une partie des solutions possibles il est incapable de les envisager, elles ne lui parlent pas, elles ne peuvent pas. Il n'y a qu'un type de rapport, il ne parle qu'une seule langue. Ce qu'a dit Fatou, ça ne peut que glisser sur ses plumes de coq. (« Montville nous a prévenus, en racontant les Brigades rouges. Ce que les brigadistes voulaient éviter, avec cet enlèvement du type qu'allait devenir Premier ministre, et son assassinat, c'est arrivé quand même. Sa mise hors circuit n'a pas empêché l'alliance entre les centre-gauche et les cocos, qui ont été étouffés puis écrasés par cette alliance… Donc il faut pas se tromper d'ennemi, il faut rendre la colère intelligente. »)

La force du ministre était certainement de ne pas relever, quand il était cité comme ça (avec cette méchanceté). De ne rien dire quand on le vidait de tout sans le remercier jamais. (« Il est complice de ça aussi » m'a dit Fatoumata, avec gentillesse, justement – mais il n'était pas là Montville, à ce moment-là, pour que ça lui fasse un baume.) Il aurait lui-même donné un autre exemple, très différent de l'assassinat italien, c'est-à-dire de ces situations où, sans se tromper d'ennemi, on en vient à se perdre dans un combat qui permettra à d'autres de vous tuer, bien mieux : « À Beyrouth les factions se sont entre-tuées pendant plusieurs années dans le centre-ville pour gagner quelques centimètres d'une rue ou d'un immeuble. Et quand ils ont tous été bien morts, quand il n'est plus resté que leurs enfants pour habiter les ruines, les Saoudiens ont débarqué, les ruines avec vue sur la mer ont eu immédiatement un prix, les prix sont montés – tout cela en même temps – et les orphelins des glorieux héros ont été obligés de vendre, expulsés par une autre guerre. La guerre économique est mille fois plus efficace que celle des kalachnikovs et bazookas. »

— Il ne faut pas se tromper d'ennemi. On se débarrasse de Montville, on leur rend et on met toute notre énergie dans le rachat de l'abattoir. Ce serait une victoire, une chose folle.

On est un peu perdus, et parmi ceux qui le sont plus que les autres, cette déroute va prendre la forme d'une révolte de tout le corps contre une idée bien trop abstraite : on libérerait le ministre sans lui foutre des gnons, on le rendrait à sa vie de bourgeois sans lacérer sa chemise… On rachèterait l'usine sans rien casser, sans y avoir mis le feu… sans que notre colère trouve jamais une expression à sa mesure, énorme… ?!

On cherche comment canaliser et purger les cerveaux de cette colère que la séquestration aura guidée jusqu'au langage… Qu'elle aura exprimé, tout le monde prenant conscience des vexations endurées par nous comme par nos prédécesseurs, aux mêmes postes…

Machines = « investissement » alors que salariés = « charges », tout le temps la

langue d'un monde ignoble. Vengeance
pour cette blessure !

Gagner tactiquement, voilà, ne nous donnera pas le sentiment d'avoir gagné. Mais quelle issue, alors, à tout ça ? Une bataille rangée avec les CRS ?

— À c'jeu-là tu sais bien qu'ils gagneront… !

Alors quelle issue ? Personne pour s'avouer qu'être les martyrs de notre cause… Au moins ça, ce s'rait concret, les coups c'est bien concret, la déroute aussi, la défaite on connaît ça, j'ai mes repères. Gagner en tacticien c'est trop abstrait, c'est vague. Est-ce que c'est encore gagner ?

— Ils nous ont mis la haine et on gagnerait sans l'avoir chassée de notre corps ?

EST-CE QUE C'EST ENCORE GAGNER ?

— Est-ce que ce n'est pas plutôt l'histoire d'un paquet qui n'aurait pas été remis à son destinataire ? Qui nous reviendrait ?

— À quoi bon avoir gagné alors ?

Tout mettait au jour la difficulté de croire en cette victoire, subtile ou non, et c'était d'une tristesse sans fond car c'était bien la preuve d'une domination achevée des possédants ; si tu ne parviens pas à reconnaître les signes de ta victoire, s'ils te restent « sur le bout de la langue », tu ne peux pas la proclamer, écrire l'histoire, et tout reste ouvert, tu peux voir l'ennemi se refaire, et charger à nouveau.

— C'est comme si j'espérais être tapée par les CRS, qu'ils me cassent au moins un truc.

— Ça ne va pas…

— Non, il y a quelque chose de tordu. Je suis fatiguée, épuisée.

— Par l'occupation, le stress ?

— Ça vient de plus loin, de beaucoup plus loin. Montville a parlé des épaules d'un géant, eh ben j'y arrive pas. Je suis épuisée. Quelqu'un ou quelque chose a cassé le ressort. La colère est là, mais plus le ressort pour rebondir. Sauver la colère, c'est tout ce dont je suis encore capable. Me faire casser une côte, un bras, le nez… Voilà, je sauve la colère…

63

Witeck Grocholski

Il y avait ceux qui étaient déjà là, les quelques camarades du syndicat qui ont monté un petit campement « de vigilance », et pas très loin – mais bien à part – des anarchistes, des pancartes parlant de Notre-Dame-des-Landes et tout le folklore. Ils sont dans les parages depuis l'annonce de la séquestration mais les CRS les repoussent chaque jour un peu par-ci, un peu par-là. Contrôles d'identité, provocations, nasses à la con. Et les familles sont arrivées, et nos enfants, le sixième jour, et tous ils ont formé ce bizarre mélange de personnes connaissant les lieux, et d'autres qui s'avancent craintifs et agressifs, qui ne comprennent pas bien l'attitude de la police, s'ils peuvent faire des selfies et s'ils se rendent coupables de quelque chose en venant manger du poulet. Et puis enfin des gens moins impliqués, des frères et des sœurs, des oncles, des voisins curieux de l'événement qu'on est, et non vraiment par solidarité, ni pour prendre des nouvelles – on s'engueulerait plutôt le reste du temps. Les enfants cherchent les enfants qu'ils peuvent connaître mais les enfants connaissent très vite tous les enfants des alentours. Napoléon disait qu'on mène les hommes avec des hochets c'est ça? Eh bien les mômes c'est aussi simple ; tu leur promets un poulet (grillé) et ils te suivent au bout du monde. Et si la promesse est appuyée par l'odeur de la rôtissoire, alors tu les relances pour une heure ou deux. Ils étaient donc tout fous et à courir comme ça entre les jambes des adultes et des punks à chiens ils ont déridé pas mal de monde – de l'autre côté de la grille c'était visible et cette souplesse nouvelle a été encouragée, nourrie, quand on a commencé à distribuer toutes les barquettes.

> Je crois que j'attendais une bousculade, qu'ils se foutent sur la gueule à coups de « C'est mon tour madame ! », de « J'étais là avant ! » et de « Pour qui elle se prend celle-là ! ».

Les moitiés, on pouvait les glisser entre les barreaux de la grille d'enceinte ; ceux qui en demandaient un entier devaient se hisser sur la pointe des pieds pour récupérer la bête par-dessus la grille, au risque de tout envoyer par terre. « Attention c'est chaud ! » Mais personne pour se brûler. Au début j'ai trébuché. Cette joie nous faisait du bien, elle nous permettait de souffler. La preuve de cette décontraction gagnée sur le stress : le succès foudroyant du père de Cédric quand il s'est adressé au poulet qu'il allait découper ou dépiauter : « Merci à toi Cocorico, merci d'avoir fienté sur ces saloperies de flics. Je t'aime d'amour et je vais prier pour que dans une autre vie tu aies de magnifiques plumes. Puisse ton courage passer en nous, aujourd'hui et pour les siècles des siècles, amen. » Seulement toutes ces choses (la grille, le GIGN, la joie des gosses et la faim ou l'humour des adultes hystérisés par l'odeur du poulet comme des frites) ne pouvaient pas durer sans supplanter notre désir premier. Elles ne pouvaient pas durer sans finir par écarter l'envie qu'on avait d'être interrogés sur ce qu'on était en train de vivre à l'intérieur, sur notre état d'esprit, notre courage. Or ces questions ne sont pas venues. À cause des CRS présents, susceptibles d'écouter ? Parce qu'un pique-nique, une fête, « ce n'est pas le moment » ? Parce que via la télé ils avaient l'impression de savoir ? Parce qu'en s'enfermant dans l'usine, en devenant des hors-la-loi, on a mis tellement de distance entre eux et nous, entre ce qu'on était avec eux et ce que nous sommes devenus, ou en train de devenir…

— C'est plus facile de nier, en quelque sorte, de faire comme si cette différence n'existait pas.

Quand j'ai eu mon bac je suis parti trois mois très loin, quatre mois, en bus, à dormir dehors ou dans des auberges de jeunesse. Quand je suis rentré (changé, bouleversé, heureux) j'ai appelé mon meilleur pote, on s'est retrouvés au PMU et là il m'a saoulé toute la soirée avec les résultats de la Ligue 1. Il ne m'a pas demandé ce que j'avais vécu au bout du monde, non. Il m'a raconté par le menu le match Nice-Guingamp (0-0) et je n'ai pas pu décrire Valparaíso, ni Punta Arenas, et pas non plus le détroit de Magellan.

Là, tout à l'heure, hier, j'ai revécu la scène, le même type de vexation : on était en mouvement (immobiles et enfermés et surveillés mais quelle vitesse !) et personne pour le relever, parmi les nôtres, les gens qu'on aime ? Leur façon de n'être qu'à un pique-nique, avec la joie de tous les pique-niques, elle était aussi piquante qu'une lacrymo ; tu ne vois rien venir, ça ne sent rien, mais très vite ça te fait pleurer. Et moi, les yeux rougis des collègues, ils m'ont fait éclater de rire (beaucoup dedans, un peu dehors), leur déception me vengeait, et par le sarcasme je me protégeais des larmes, de la tentation de faire corps avec les collègues :

— Vous n'êtes pas des héros, vous n'êtes que des GO !

64

Fatoumata Diarra,
salariée

Vraiment, c'est l'image la plus forte de ces huit jours.

En ce qui me concerne, hein.

Parce qu'une fois les deux cages à l'intérieur du bâtiment quelqu'un a demandé ce qu'on allait faire de ces poulets. C'était bien sûr bidon – une question pour respirer. Car la journée de la veille, passée à manipuler des bêtes mortes, a bien laissé des traces, et on en était à chercher comment les prendre en compte. En libérant l'animal c'est notre humanité qu'on libérait, beaucoup l'avaient compris, mais pour aller où ? Pour faire quoi de cette humanité nouvelle ?

— Les poules mettent une drôle d'animation dedans, faut que t'ailles voir. On les découvre pour ainsi dire ! Des gosses autour d'une chatte qu'aurait pondu trois boules de poils ! Même les poules on les redécouvre, oui ! À se demander si ce soir c'est pas le goût du pain qu'on va redécouvrir.

— T'es attendri !

— Ah ah ! Peut-être.

— Et qu'est-ce que tu vas en faire ensuite de cet attendrissement ? Tu le passeras aussi à la disqueuse ?

Bien sûr on pourrait reprendre, comme avant – le corps a une mémoire inouïe des gestes du travail ! – mais il faudrait se forcer; nos automatismes, ils sont grippés j'ai l'impression. Entre la chaîne et puis nos corps un voile se dresse, tendu, un rideau de pluie, ou des bourrasques de sable. On sent tous – on était quoi? Trente? Quarante? – qu'on ne peut plus faire comme si de cette chaîne à nos bras passaient encore des ordres, des impulsions, des réactions.

Pendant trois jours une dizaine d'entre nous ont réfléchi à ce qu'on pourrait voler. On cherchait un trésor, paniqués à l'idée qu'il n'y en ait pas. L'essentiel est invisible pour les yeux c'est ça? Quelqu'un a ouvert les portes des frigos. Des poulets chaque jour moins comestibles? On regardait maintenant les poules différemment: «C'est vous le trésor?» Elles nous avaient regonflés – c'est pas du sentiment, c'est plus subtil que ça: une forme de respect – non pour les poules en tant que poules, mais pour la vie qui est en elles. Je les regardais sans me projeter, je ne disais pas à la poule morte «Tu es ma sœur et je t'aime en tant que sœur», non. Mais je ne pouvais plus la tuer sans y penser, comme avant l'occupation. Tout cela, ce cheminement, je l'avais fait en cuisinant toute la journée pourtant. Les autres un peu moins car ils semblaient plus démunis, là, devant les deux cages et la centaine de poules chargées symboliquement d'inaugurer l'usine nouvelle, dont on prenait la direction. C'était curieux, mon affaire, parce qu'il y avait un protocole *dhabiha* dans l'usine, étant donné que notre plus gros client était l'Arabie saoudite. Pour qu'une bête devienne comestible, il ne faut pas maltraiter l'animal pendant l'élevage; il ne faut pas le faire souffrir avant et pendant l'abattage; il ne faut pas tuer un animal devant un autre, ou des enfants; on doit égorger la bête au moyen d'un instrument tranchant, à la base du cou, en s'arrangeant pour que le sang jaillisse de manière à ce que l'animal meure vite.

Alors c'est quoi le problème des cathos avec la viande halal ? C'est quoi ce truc qui les pousse à préférer furieusement une viande abattue dans la souffrance ?

Mais c'est pas pour démarrer une engueulade que je dis ça. Les cathos, les musulmans… je m'en fiche royal. On a adopté ce protocole pour faire du fric, ok, avec des clients sensibles à l'argument, mais il a en fait une autre intelligence, qui s'impose maintenant à nous, au point de vouloir témoigner à l'animal vivant un respect nouveau. On le respectait déjà, en quelque sorte. C'était déroutant, car il n'y avait donc pas grand-chose à faire, si ce n'est suivre cette procédure à la façon d'une bizarre prière laïque.

Et puis quoi, on en avait 100… La chaîne peut tuer et préparer 500 000 poules par jour… Tu tournes la clé de contact de ta Ferrari, toi, pour faire 45 mètres ?

65

Pascal Persimon (GIGN)

Si ça se trouve, il serait encore vivant…

Je suis à la fin de mon temps de poste. On va tourner. Je le sais aux crampes qui commencent à se faire sentir – on a l'usine en joue depuis trois heures, l'équipe B se prépare, l'oreillette vient de parler. Je suis nerveux, j'ai très mal dormi toute cette semaine (une nuit sur deux dans le camion, une nuit sur deux dans la caserne de Brest). Je dors mal depuis quinze jours, avec tout ce qui me bouffe la tête, avec tout ce qui m'empêche d'enregistrer toutes les images qu'on nous balance. Ils veulent qu'on mémorise les « protagonistes » et qu'on sache quels sont les gens à neutraliser. Au cas où on devrait « y aller ». Au-dehors je ne laisse rien voir mais c'est ma première mission alors ils se doutent bien. Que je flippe.

Si ça se trouve il serait encore vivant.

Toutes les questions (« Ça va les crampes ? ») ou les conseils répétés pour protéger hanches et genoux qui morflent quand on reste longtemps au sol, en appui… Et combien de fois ils m'ont demandé l'heure de la relève ! Je suis le bizut, définitif.

J'essaie de paraître souple et tranquille, fauve, mais il y a les ordres dans l'oreillette (ils préparent une reddition) et les relances de la banque pour le crédit parce que la chambre n'est pas encore payée, et la rage quand même, au fil des jours – une sorte de rage, hein –, d'être tenu (Romu dit « par les couilles ») depuis six jours… On n'agit pas (surveillance des ouvertures, le doigt sur la détente en permanence, la crispation qu'il faut prévenir, l'attente d'un ordre qui ne vient pas, le bruit des hélicos de surveillance – toute la journée…). Les collègues me racontent pour la dixième fois, pour la quinzième fois comment l'attente a niqué l'inspecteur Farges, qui se fait avoir comme un bleu par Belmondo lorsqu'il file son Magnum au dictateur africain et c'était un piège, et Farges, trop nerveux, il tombe dedans : il tire sur le bougnoule en pensant tirer sur Belmondo mais c'est le corps d'un bougnoule en costard qu'on voit passer par la fenêtre, et s'écraser mort sur les pavés de la cour. On n'agit pas – on se raconte des films – car le secrétaire d'État il doit revenir entier, à Paris – s'y faire engueuler ou autre chose je m'en fous bien c'est déjà si chiant. On n'agit pas mais d'entendre les autres raconter *Le Professionnel* que je connais par cœur…

Et le colon qui cette fois retient les chiens… Peut-être sont-ils rassurés, dedans, car on ne donne pas l'assaut… Mais moi, j'en viendrais presque à trembler pour les grévistes qu'on a en joue car si on n'entre pas c'est que le président ou le Premier ministre prépare quelque chose de plus terrible qu'une simple charge de CRS…

et de voir d'un coup sortir plus d'ouvriers que d'habitude, checker à toute vitesse tous les visages, entendre « Tu prends les 12, 13, 14 et 15 ! » dans l'oreillette et tout s'accélère à compter de là, je ne peux plus rien freiner et la relève il n'en est plus question évid–

> Tiens au milieu de cette famille est-ce que c'est pas la conseillère du ministre ? Qu'est-ce qu'elle foutrait là ? Hier, le colon a dit : « Dégagée. Elle est à Paris. » C'est elle ou pas ?

-emment, évidemment, et dans la lunette apparaît alors un des visages projetés par le lieutenant lors du briefing C'est lui le syndicaliste mis sur la touche par ses collègues ? C'EST LUI OU C'EST PAS LUI ?? Mon cerveau, mon cerveau n'a pas le temps de décider s'il s'agit de celui qu'il faut sauver ou d'un qu'il faut neutraliser, a dit le lieutenant QU'EST-CE QU'IL A DIT ?! et j'ai perdu le contrôle QU'EST-CE QU'IL A DIT BORDEL ? ! et j'ai levé le bras gauche je n'ai pas hurlé j'ai gardé l'index droit sur la détente le contact froid pulpe du doigt le froid qui remonte la main, mais j'ai levé le bras.

66

Christiane Le Cléach

Pendant qu'ils jouent à courir après les poules sans chercher à les choper, à l'étage, c'est le début d'une réunion, et Christelle prend la parole. « Tiens, c'est Christelle. » Je me retourne plus pour voir qui parle. Dans l'oreille on a maintenant la voix des autres. Ça a pris des jours hein, et quelques nuits pour se « réapproprier le vide entre les choses », et puis les collègues, que le bruit de la chaîne « accapare dès qu'on entre dans l'entreprise » – on a des poètes dans la boîte –, le bruit fantastique hein, et le ploc-ploc de pas grand-chose que font les carcasses qui tombent… Très vite les nouveaux n'essayaient plus de parler pendant les heures. Et alors t'es plus que des corps informes, des blouses unisexes, et des tronches de cake – les sourires constipés qu'on fait quand on cherche à faire croire au collègue qu'on a compris ce qu'il a dit, alors que rien du tout – si bien qu'à la cantine on est parfois surpris de leur découvrir cette voix-là. Et des fois ça me poursuit ; quand je trouve qu'ils n'ont pas la voix de leur poignée de main ou de leur indifférence, celle-là qui pète plus haut que son cul alors qu'en fait elle a cette voix de crécelle avec laquelle jamais c'est sûr elle aura pu toper un mec – obligé de montrer ses nichons tout de suite, pour intéresser.

Et que les yeux du mec ordonnent à ses oreilles de pas se plaindre.

Bref. Là je me retourne plus, ni les autres, car on sait que c'est Christelle qui vient de parler :

— Demain ce serait bien qu'on sorte les blouses. Que tous ceux qui mettent un nez dehors, où y aura les familles et les caméras, ce serait bien qu'ils aient la blouse, avec le nom de la boîte, et notre nom, peut-être en aussi gros.

— Pour distribuer les poulets ?

— Peu importe. Tous ceux qui mettront un pied dehors. Qu'on soit tous en uniforme, parce que les caméras vont filmer – c'est sûr et c'est le but.

— Alors les musiciens aussi.

— Ça veut dire qu'il faut en trouver une pour l'autre, et une pour monsieur Pédron.

Tout le monde répondait « Oui bien sûr » mentalement, quand la colère de Christelle explosa en cailloux qui étaient des « Non » des « Ça va pas la tête », qui étaient un cri, une exaspération.

— Montville ne porte pas nos blouses ! Il n'est pas de l'abattoir, il n'a pas vécu ce qu'on a vécu, il va pas morfler comme nous. Cette blouse c'est tout ce qu'on a enduré, je veux bien que ça devienne notre fierté sans plus de patron mais certainement pas la sienne.

Mais est-ce que c'est encore Montville je me suis demandé, et aux autres aussi, que j'ai interrogés. Je trouvais ma question intelligente ; il y avait tout ce que la semaine avait changé pour chacun mais aussi à la surface, la peau, cette barbe qui avait bien poussé sur les joues des mecs. Avec un peu de travail, est-ce qu'on le reconnaîtrait si facilement ? Il est plutôt pas mal mais est-ce qu'il n'est pas en fait un peu banal aussi ?

On le trouve pas mal car il est ministre, non... ? C'est le mot ministre qui nous met de l'or dans les yeux, « Mais en fait, si on l'croisait à la Brasserie de la Mairie ce s'rait rien qu'une petite pétasse ». Toutes mes copines ont éclaté de rire ! C'est tellement une blague à nous !

— Ce serait aussi grave que ce qu'a fait Chirac, ou c'était Sarko, en invitant des soldats allemands pour le défilé des Champs-Élysées. C'est pas digne !

Christelle, Hervé, Gérard... Ils sortent furieux.

Mais sans moquerie de notre part, la réunion va continuer, et tourner au jeu : il faut trouver des noms à écrire sur les blouses que vont porter le ministre et le saxo. Quelqu'un dit « Pierre » mais pourquoi Pierre ? Quelqu'un dit « Un nom breton » mais Karima précise : « Oui, comme le mien ! » et tout le monde éclate de rire en imaginant qu'on écrive sur la blouse du ministre le nom d'HADJADJ alors qu'après tout pourquoi pas bien sûr ? C'est lui, Montville, qui va proposer qu'on garde l'étiquette STAGIAIRE, ou INTÉRIM. Il tend la main droite : « Bonjour, Pascal. Intérim. » Tout le monde éclate de rire. C'est nerveux car ce n'est pas si drôle mais il y a de l'électricité. Heureusement que les autres ont claqué la porte car avec cette blague ils auraient pété les plombs.

— Alors si ce n'est pas Abdul ni Roger, on l'appelle comment ?

Il est là, il sourit doucement mais on parle de lui comme s'il était très loin.

— Eh ben on n'a qu'à bricoler.

Et c'est devenu une sorte de loto. Les collègues donnaient une syllabe, chacun, et bien sûr, elle sortait tout droit de leur propre nom. Ça a duré tout de même, car c'était pas tout d'avoir toutes ces syllabes, fallait encore faire un prénom avec, et aussi un nom qui sonne comme dans nos vies. C'était de la couture, un patchwork : avec plein de vieux bouts tu fais une nouvelle carte d'identité. C'est pas qu'on est des chiffons mais avec plein de trucs d'emprunt tu fais une vraie personne. On le baptisait en déglutissant, il sortait de nous. On ne donnait pas un rein mais une syllabe – de celles qui sonnent presque tous les jours, quand on arrive ici, et qu'on donne son nom tout en pointant, ou quand on répond au téléphone ; qu'on fait sonner dans la tête dès qu'on s'appelle à table. Qui sonne comme ça depuis la naissance, l'instit qui fait l'appel, chaque matin, qui sonnera jusqu'à la mort. Le curé qui parle à ton cercueil et dit « Entre ici Machin Chose ». J'entends « Chris » dans la rue et je me retourne, toujours. Eh bien c'était cette chose vivante qu'on amputait d'une syllabe pour la lui donner, un bout et c'était vraiment comme de la moelle épinière : on s'en prive d'un peu pour sauver quelqu'un mais elle se reconstitue donc on s'est pas privé.

Au bout de vingt minutes Pascal Montville s'appelait Simon-Yann Petinengo, sous nos applaudissements, et on prenait un marqueur pour l'écrire sur sa blouse à lui, et en fait, moi, je l'ai pas fait sans émotion.

67

Hamed M'Barek, salarié

Quand on a décidé d'occuper l'usine, certains – beaucoup – se sont carapatés. Ils avaient une excuse (« Je vis seule avec mes deux gosses, qui s'en occupera ? ») ou ils n'étaient pas d'accord, ou ils avaient peur, mais il n'y a jamais eu d'altercation, chacun est libre. On s'est contentés de rire aux dérobades foireuses, et à ce jeu c'est Kimberly qu'est repartie avec la palme – son prénom déjà faisait encore rire, alors qu'elle enchaînait les semaines d'intérim depuis plus de six mois : « Je suis pom-pom girl, j'peux pas rater les entraînements sinon ils vont me virer. »

— On lui parle de décapiter Louis XVI et elle répond : j'peux pas, j'ai pom-pom girl !

De mon côté je riais aussi mais j'étais presque jaloux. Je l'imaginais dehors en train de danser. J'ai replongé dans mes pensées qui ne sont pas des idées mais des herbes, des buissons, des oiseaux ou des falaises. Et la cintrée est apparue. Elle m'a vu installé comme ça, assis par terre, l'oreille collée à la conduite, et elle a dit tout haut « C'est pas un coquillage, t'entendras pas ta mer ». Et j'ai d'abord eu envie de grogner ou de la baffer car cette moquerie ne visait pas ma nature seulement. Mais je n'ai pas bougé, j'allais lui dire que c'était juste pour supporter ma tête mais je ne pouvais rien lui rétorquer en fait, elle avait raison, « C'est ce que je fais ! », j'écoutais cette espèce de bruit profond de l'aération en y cherchant la rumeur de l'océan. Pas tant celui des vagues qui s'effondrent sur elles-mêmes qu'une sorte de souffle continu, ce bruit qui n'en est pas un, qu'on entend à l'entrée d'un gouffre, le bruit – énorme ou étouffé – de la terre, un bruit de cataracte, alors je suis revenu dans le hall, avec eux, et Kimberly.

***

Quand on a commencé à faire savoir, via nos enfants et nos conjoints, qu'une fête s'organisait pour encourager tout le monde, elle a été une des premières à se manifester.

— Vous voulez qu'on vienne avec les copines ? On pourrait danser pour vous… ?

Ceux qui étaient déjà contre le concert sont devenus dingues : « Vous filez vers le grand n'importe quoi. » Ce « vous » désignait le camp d'en face (mais dans l'usine, et non pas celui qui tenait le parking), c'est-à-dire tous ceux qui adoraient l'idée de ces danseuses fluo. Il désignait ceux qui étaient téléguidés par un ministre qui les rendait fous en nous rappelant qu'on pouvait s'en prendre à lui, physiquement, tout en insistant dans le même souffle hein pour que les pom-pom girls viennent danser dans l'abattoir.

— Pierrick Pédron a justement composé un album extraordinaire qui s'appelle *Cheerleaders*. C'est quasiment pour cet album qu'on l'a invité, Cyril et moi. C'est incroyable qu'elle se propose, cette Kimberly. Faut accepter !

Ils s'énervaient, à part :

— C'est quoi le sens de ce bordel ? En fait il n'a envie que de s'amuser, de tout casser. Il n'est pas là pour nous, il est taré. Comment tout ça peut vous séduire ?!

La veille on a su qu'elles avaient un bus, qu'elles viendraient défier les CRS – comment refuser à une collègue l'accès qu'ils accordaient à nos familles et aux voisins ?

Et de fait, vers 11 heures un bus est arrivé, qu'on a vu se garer à l'entrée de la zone industrielle. Beaucoup vont descendre les accueillir mais avec d'autres je vais rester dans les bureaux, pour observer les va-et-vient des gens et comment les CRS les laissent ou non passer. Et le bus, précisément, ils s'en approchent avec des petites foulées. « C'est quoi ce bordel encore ?! » Des individus ou des familles, au compte-gouttes ; passe encore ! Mais un bus complet, c'est-à-dire une chose organisée, capable de les déborder, non, c'est non.

Ils parlent au chauffeur, via la porte ouverte.

Ils montent dans le bus. Notamment celui qui a une GoPro sur le poitrail.

Ils redescendent. Ils sont rejoints. Ils sont douze. Ils parlent, ils rient un peu mais restent déployés autour du bus.

— Les poulets qui matent les poules !

L'une d'entre elles descend, suivie par le chauffeur. Elle vise le gradé qui leur a parlé, les autres se rapprochent. Ils parlent. Le gradé s'écarte pour écouter son talkie-walkie – il prend ses ordres ? Il revient et elle remonte dans le bus. Le chauffeur referme la porte. Est-ce qu'elles vont repartir ? Le bus reste en place. Cinq minutes, dix minutes. Ils ont dû leur proposer un compromis bidon (vous achetez un poulet et vous déguerpissez – sans être sorties déguisées, ça c'est sûr).

Un plus gradé vient discuter avec le gradé petit. Bref, pour l'instant c'est non. J'imagine les mecs de Matignon, sous la tente, penchés sur le récepteur qui vient de cracher les mots « dangereuses » et « majorettes », les oreilles écarquillées.

Quelques minutes plus tard un type du piquet de grève m'apprend que les CRS appellent « Knysna » le bus des majorettes. Elles font grève, elles ne veulent pas descendre. Ils se marrent. S'ils trouvent ça drôle, est-ce qu'on peut dire qu'elles ont les cartes en main ?

Le bus ne bouge pas, et leur cheftaine ne revient pas vers la flicaille. Qui s'énerve car ils sont plusieurs maintenant, retenus par ce bus qui n'était pas prévu alors que les familles approchent du piquet de grève et s'y installent pour dévorer sur place des poulets entiers, bardées de gosses trop heureux de pouvoir enfin manger avec les mains, les cuisses et la peau dorée, craquante ALORS QUE les Robocop devraient les éloigner si l'on s'en tient aux décisions prises ce matin (« Vous n'avez pas le droit de manger ici, allons, allons. De l'autre côté du parking et puis c'est tout »).

— Vous êtes une menace.

Et certains parents se mettront à pouffer de rire devant l'énormité, la bêtise, et la peur – malgré leur propre peur, qu'ils ressentaient l'instant d'avant, et l'intimidation, les regards mauvais des CRS. Comme c'est fragile tout ça, en fait !

J'ai l'œil qui bande. Je dois comprendre ce qui se passe dans le bus, il faudra peut-être qu'on intervienne, qu'on force la main des CRS.

C'est certainement ce qu'ils se disent : « C'est un bus rempli de danseuses en justaucorps, sous leur jogging, et je dois observer pour des raisons professionnelles. » Les yeux se bagarrent avec les reflets des vitres pour pénétrer l'intérieur, ils palpent les joggings pour des raisons professionnelles (on peut supposer qu'elles cachent des trucs dessous), passant de l'une à l'autre comme les bourdons de fleur en fleur.

Mais pourquoi exiger cette fouille au corps qu'ils n'ont pas imposée aux autres femmes ? Si elle a lieu, il faudra que les mères s'insurgent, qu'elles exigent le même traitement à l'écart de leur famille. On commencerait à rigoler sévère.

Et si les enfants venaient à savoir qu'il y a des princesses, là, tout près d'eux, très maquillées, des danseuses, ils feraient le siège du bus… Est-ce qu'il ne faut pas provoquer ça ? Et rendre intouchables les danseuses, à leur tour ?

Les CRS décident sans doute les conditions ; si elles descendent, c'est en jogging, et sans danser. Elles n'entrent pas dans l'usine, elles ne s'approchent pas du piquet de grève. Les gendarmes croient contenir le flux d'un jet d'eau mais c'est un torrent ou un fleuve et ils sont en passe de perdre, évidemment. Elles sont dans le bus, y a des conciliabules. Le chauffeur participe, on le voit faire des gestes. Elles s'agitent d'un coup maintenant. Gloubi-boulga de bustes, de bras, de têtes, de mains… Est-ce qu'elles se mettent en tenue ? « Tu comprends, toi ? » Il y a les reflets. Seuls les CRS harnachés comme pour la guerre, ayant peut-être des verres spéciaux sur leurs lunettes, ou parce qu'ils sont plus près, seuls ces quinze-là devinent des corps en train d'apparaître non pas nus, mais moulés par la viscose. Et pour des raisons professionnelles ils ne peuvent détourner les yeux alors qu'ils préféreraient nettement, car en tombant vestes et pantalons les filles font apparaître le ridicule des forces de l'ordre, d'abord, et non leurs seins. Si les familles présentes s'agglutinaient contre le bus, alors les Robocop pourraient tromper leur excitation et la gêne qui en découle en s'occupant des gosses et des mamans, en les faisant reculer, en chargeant, en matraquant tout ça, ou en gazant tous azimuts. Mais là non, ils doivent regarder, quand bien même ils aimeraient faire autre chose. Les blagues idiotes pour paraître détendus, elles ne trompent personne, donc ils préfèrent ne pas, et se découvrent coincés.

Mais surtout ils ont perdu : les paillettes des justaucorps renvoient la lumière depuis dix minutes, et les familles comprennent, sur le trottoir, qui sont ces femmes. La curiosité et l'imminence d'une fête ou d'un spectacle les détournent des barquettes de frites et des poulets. Ça bruisse, ça parle, des enfants veulent s'approcher du bus à l'intérieur duquel Christophe devine que le chauffeur, les jambes écartées au-dessus de la travée centrale, est en train de trifouiller au niveau des porte-bagages ou du plafond. Ça va durer un peu. Est-ce que les CRS savent ce qu'il fait ? Ils se parlent beaucoup à ce moment-là... On va voir la trappe du toit s'ouvrir complètement, et une première danseuse passer la tête, les épaules et le buste, et se dresser enfin et tendre la main ensuite pour aider la deuxième à se hisser et ainsi de suite. En cinq minutes, elles sont huit sur le toit du bus, magnifiques, radieuses, acclamées.

L'effet est immédiat : les CRS se retournent pour comprendre et les mômes leur filent entre les jambes. Petit pont, grand pont, c'est l'eau du torrent que je disais. Et les ados, et les conjoints. Et elles se mettent à danser, pour les premiers rangs et bien au-delà, en fait, pour les CRS qui sont au pied du bus comme pour ceux qui sont plus loin ; pour les familles et les enfants. Les ados qui n'étaient venus qu'à reculons ne regrettent plus rien. Les images auront un effet extraordinaire, les caméramans ont pigé ça, et ils sont tout de suite allés à l'angle permettant d'avoir les CRS au premier plan et les danseuses aux cuisses légères à l'arrière-plan – les CRS comprendront trop tard qu'elles ne sont pas le sujet de ces images, mais plutôt comment ils ont été piégés. C'est génial ! Ils vont bien chercher pendant cinq minutes à entrer dans le bus mais le chauffeur a tout verrouillé de l'intérieur. Or comme les médias se rangent toujours du côté du pouvoir, c'est que le pouvoir est dans l'usine, à cet instant, ou quelque part entre les cuisses de nos danseuses, l'appétit des gosses et les rôtissoires de la cuisine. Les médias c'est comme ces papiers qui permettent de connaître le pH d'une solution. Tu les plonges dans un milieu et ils te disent qui en impose. C'est un révélateur quoi, et non pas le quatrième pouvoir.

— Eh ben celle-là ! Ça c'est des fesses !

— …

— Ah non mais j'aime hein, j'aime beaucoup !

— Ça te rappelle Mireille quoi.

— Et puis celle-là, t'as vu toute cette poitrine. On dirait que son truc va exploser et qu'on va se prendre des paillettes mauves partout dans la gueule.

— …

— On dit toujours que les danseuses qu'ont trop de seins elles sont virées avant, genre dès que ça pousse trop…

— Oui eh ben c'est bon, on peut décider de regarder autre chose. Tu vas me dire quoi maintenant : que celle du bout elle a un cou trop long pour une tête trop petite ?

— Ah non, y a des danseuses je vais pas regarder ailleurs !

— On dirait qu'tu bosses au calibrage des œufs !

— Peuh !

— Et puis j'te dis pas ça, imbécile ! Moi aussi je veux rien louper du spectacle, mais je sais pas moi : on peut regarder comment elles dansent, et pas leur épilation ou les bas déchirés.

— J'ai entendu que celle-là, là, celle que tout le monde regarde, ils l'appellent Adrienne.

— Adrienne ?

— Ah là tu m'écoutes, là monsieur est intéressé, et il conteste pas que je dise « C'est la plus belle ». Toi vraiment on dirait qu'tu bosses au calibrage des œufs.

***

Mais les CRS vont perdre plus, encore plus, quand Pierrick Pédron et les deux autres, avertis qu'il faut y aller, vont se faufiler avec leurs instruments. Que les filles dehors ne rament pas trop, qu'elles puissent entendre un semblant de rythme. Voilà pour l'intention des trois. Mais tout en rejoignant les danseuses par la musique, ils vont vite se dire – passé l'amusement – que c'est une victoire courte, étriquée, si elle ne sert qu'à se payer les CRS. L'ennemi ce n'est pas ça, ce n'est pas eux.

— Il faut une autre victoire – là maintenant, tout de suite.

Un moment qui piétinerait l'idée d'adversité, qui la rendrait mesquine, dérisoire, invisible. Que la joie de la victoire soit pleine et entière, pleine d'elle-même, que n'entre aucune pointe d'amertume dans sa composition, aucune trace de rire mauvais, pas le moindre bras d'honneur. Que cette joie soit pure d'insultes, un grand paysage jaune, le bruit du ressac dans l'oreille, et dans les veines tout un torrent.

Et ça, ce sont les majorettes qui vont le permettre. Elles vont s'interrompre, c'est un peu brutal, et se parler deux secondes, peut-être pour se dire : ce qu'on aime, là, c'est l'idée de ce moment et pas le moment lui-même, hein les filles ? Pierrick joue encore. La danseuse principale lui adresse un signe : un « stop » très impérial. Il s'arrête. Elles dansent. Il comprend tout de suite qu'elles viennent de traduire sa phrase en bras, en cuisses, en ports de tête. Il n'a pas besoin d'un nouveau signe ; alors qu'elles se figent il envoie une nouvelle phrase. C'est une *battle* magnifique qui laisse toute la CRS très impuissante : d'un côté des grilles les musiciens, de l'autre les filles (elles sont dix-huit). Ils jouent une phrase, qu'elles reprennent et emmènent ailleurs, ils s'inspirent de ce qu'elles ont dansé pour emmener la phrase un peu plus loin, et à nouveau, la recevant, elles leur répondent. Les gens applaudissent, ils se retournent, ils saluent chaque phrase, applaudissent et comptent les points, mais l'applaudimètre est généreux, et tout le monde a la même note.

68

Simon-Yann Petinengo

Est-ce qu'ils peuvent me retrouver sous ma blouse taguée « Simon-Yann Petinengo » ? Cela fait sept jours qu'il est ici, sans rasoir, et il a sur les joues une barbe qui commence à ressembler à quelque chose... Je l'observe dans les toilettes. Est-ce que je me retrouve, moi, déjà, sous lui ? Sous cette barbe qui le précède... Elle pousse et mon visage s'éloigne, il s'enfonce, il disparaît. Une jungle en petit. La fatigue et l'excitation aussi, le poussent, dans des retranchements jamais explorés. Tu as des valises sous les yeux, tu pourrais voyager non ? J'ai voyagé ? Je rentre ou je suis sur le départ ? Je peux rentrer parce que je suis vraiment parti ? Je n'ai nulle part où revenir... Tu voudrais que la concierge te regarde d'un air méfiant en aboyant : « Pas de démarchage, hein, pas dans cet immeuble ! »

Est-ce qu'ils vont renifler Pascal Montville, ces chiens, comme un des leurs, celui qu'ils fréquentaient ? Je ne voudrais pas être la captive élevée par une tribu comanche, que les visages pâles reconnaîtront pourtant après quinze ans d'éloignement, presque aussitôt. Est-ce que les CRS me confondront avec les salariés si nous sortons de l'abattoir en file indienne ? Il ne faut pas qu'ils puissent. S'ils me désignaient parmi les autres… je serais envahi par une honte que je n'ai jamais ressentie, jusque-là, que je sens monter, me figer. J'aurais voulu que la mue soit plus parfaite, et que mon visage lui-même soit transformé, qu'il devienne celui d'un autre. Je n'ai rien à voir avec les forces de l'ordre, aucun de mes traits n'est dans leur logiciel. Ils ont d'autres iris, ils n'ont pas les miens, ni ceux de Simon-Yann Petinengo. Et ce n'est pas d'après la fatigue des chairs ou des muscles qu'ils pourront nous distinguer pour savoir qui est qui… On se tient droits, avec de bonnes têtes de vainqueurs, dopés par ce qui s'est passé ici, plutôt qu'usés. Je les regarde : les épaules sont relevées, ils ont déposé la charge qui les écrasait ? On pourrait dire que ces corps-là sont en train de se transformer, que bientôt ils auront l'élégance de ceux qui ne regardent pas, à l'instant de traverser, parce qu'ils se disent que les voitures leur céderont l'espace *naturellement*. C'est un changement de forme et non d'intensité. On sort de l'usine mais on ne lâche rien, elle reste à nous, on y revient tout de suite, très vite. On en sort pour détricoter le cordon de gendarmerie, pour y revenir libres d'agir. Je passe de groupe en groupe, pour dire ça : ce n'est pas un abandon ni la fin du combat. Tous nous sortons en sachant que le plus gros a été obtenu ici, dans les têtes, et que nous allons pouvoir puiser dans cette confiance pour le reste du conflit, la reprise de l'abattoir par les salariés, l'invention de la coopérative avec *in fine* les soutiens de tous ceux qui ont parié contre nous au cours de la semaine, qui se sont démenés pour nous tuer symboliquement.

Est-ce que je leur ai raconté que le supermarché d'Aubagne *démonté* trois fois par les Fralib en lutte, en trois ans, a aussi été le premier à mettre en rayon

les thés de la coopérative montée par les
ex-Fralib ?

Nous allons partir demain ou après-demain, avec l'usine, comme le psychiatre de 25 ans fuguant avec tous les malades de la clinique. Nous emportons les machines, les murs, nos convictions et puis nos muscles. Tant qu'on n'ose pas se faire peur rien ne sert de se bouger. On ne laisse sur place que la peinture racontant l'histoire de la famille propriétaire ; deux fans de BD ont repeint tous les visages en leur faisant la tête de Guevara. Ce n'est plus un arbre généalogique dressé fièrement, aristocratique, mais toute la jungle de la Sierra Maestra. On a beaucoup ri, c'était un rire qui nous regonflait, une fierté. C'était une blague mais aussi un événement.

69

Sylvaine Grocholski

… Alors j'ai voulu parler avec quelqu'un. C'est Montville que j'ai d'abord croisé mais il était comme en extase. Martine est arrivée ensuite. Avec un visage plus neutre alors j'ai cherché à lui décrire ce que je ressentais, mais plus je parlais plus je me demandais pourquoi («T'es comme une montgolfière crevée qui s'affale en faisant un bruit de flapflap»). Pourquoi confier ça à quelqu'un ? Je voyais s'éteindre les yeux de Martine… Est-ce que j'espérais qu'on me contredise ? Qu'on me rassure ? J'ai fini par la boucler. Tu deviens raisonnable ? Non, c'est autre chose ; si j'éprouve le besoin de me confier sans savoir pourquoi, et alors que je devrais me taire pour ne pas désespérer tous mes collègues, parlant quand même, qui parle à travers moi ? De quel ventriloque je suis la marionnette ? Des fils partout, je lève la tête mais le début de ces ficelles se perd dans le noir. C'est plus des fils alors, avec une main, ou une explication au bout, mais des lianes, et des singes pour se laisser glisser le long de ces lianes, ils fondent sur moi, qu'est-ce qu'ils me veulent, et ils se dispersent dans l'usine alors je me retourne mais je ne vois rien. J'ai des macaques dans le dos et je ne sais pas s'ils s'épouillent ou s'ils se moquent… Si j'ai l'impression d'être manipulée quand je parle à Martine sans connaître ma motivation, ou le bénéfice des mots qui sortent, est-ce que les singes ont pris le contrôle, vol noir de corbeaux ? En parlant je fais entrer le démon de la tristesse dans l'abattoir ?

Lui son impossible c'est la joie. Sa femme est morte. Nous ce serait quoi ? La révolte ? Mais on y est ! Que la révolte donne quelque chose (parce que toujours elle donne rien du tout) ? Ce serait d'y croire ? Ou alors c'est aussi la joie, notre impossible, celle qui fait danser comme ça, en pleine rue, parce que tu viens d'entendre un merle, ou parce que t'as envie de boire une pinte sans respirer et qu'il y ait toutes tes copines pour t'applaudir… ?

— On doit se débarrasser de lui !

— C'est pas une prise de guerre c'est un écran de fumée. Si vous le gardez, vous dites en substance que le pouvoir c'est encore tel ou tel homme, mais ce n'est pas vrai, ce n'est plus ça. Il nous l'a dit quand il parlait d'Aldo Moro ; les Brigades rouges l'ont tué pour faire capoter l'alliance entre le parti communiste et les chrétiens-démocrates. Est-ce que cette alliance a tout de même eu lieu ? Oui.

— Et l'exemple des Libanais qui se tuaient pour des bouts de trottoir en pensant que c'était le voisin d'en face l'ennemi, et toute la logique du pognon qui se gave avec la guerre et les destructions qu'elle permet.

Est-ce que quelqu'un ici comprend cet exemple, vu que l'argent des Saoudiens, nous, on l'espère, et depuis plusieurs semaines ? On l'espère, on est comme des marins qui attendent le vent, des mecs à planche qui attendent une grande vague, on espère le déferlement d'argent pour chasser le stress, et lutter pied à pied comme sur la ligne de partage des eaux… et contenir la déferlante des CRS redoutée comme une avalanche capable de tuer ; un déferlement d'argent, pour repousser et emporter loin.

— Bien sûr on comprend. T'es pas le seul à être malin Witeck.

La question dont on ne se sortait pas, en revanche, était celle du secrétaire d'État, c'est-à-dire celle de son pouvoir, et donc de sa valeur.

— On s'en débarrasse et on met toute notre énergie dans le rachat de l'abattoir.

À cause de ça les salariés passeront l'après-midi à regarder bizarrement le secrétaire d'État : il a du pouvoir ou il n'en a pas ? Ils aimeraient que la réponse s'affiche magiquement sur son front. Ils ne lui posent pas la question de peur d'être embobinés, par lui ou par ce qu'ils croient. Il voit ces regards étranges, un peu absents. Est-ce qu'ils essaient de le percer à jour ? Lui s'active pour ce concert, et cette fête, en renonçant à déchiffrer ces regards bizarres puisqu'il a accepté l'idée qu'il n'y a pas de communauté de destin (on lui interdit le « on », le « nous »). « On est comme des bolides suivant, parfois côte à côte, des logiques différentes. »

« S'il n'a pas de pouvoir, il fait pschitt, il disparaît ; s'il n'a pas de pouvoir, pourquoi être ministre ? Pour détourner l'attention et laisser ceux qui vont travailler dans l'ombre à la réalisation de choses non démocratiques seulement pour leurs intérêts propres, oligarchiques ? S'il a du pouvoir, qu'en fait-il et pourquoi les autres l'ont lâché et pourquoi les CRS ne sont pas entrés tout de suite pour le reprendre ? S'il est un paravent il est complice ou malheureux ? S'il est complice, la colère sera plus grande contre lui que contre ceux qui s'agitent dans l'ombre – c'est l'idiot utile. S'il est malheureux, qu'il s'écarte pour qu'on passe. »

***

— Quelles discussions nous ont menés là ?! C'est comme une suite d'arguments que tu valides car tu les prends les uns après les autres – pris comme ça, individuellement, ils sont tous propres –, mais à la fin ça donne un monstre. Genre tu additionnes des nombres entiers et à la fin t'as un nombre avec des décimales.

— Mais un raisonnement on le fait pas tout seul. T'aimes les images ? Eh ben c'est comme une recette. D'accord c'est toi qui remues mais les œufs et la farine, c'est pas toi. Si y a la myxomatose dans les œufs c'est pas ta faute.

— Un peu, si, fallait acheter mieux, fallait–

— Et l'éleveur qui s'en fout, qui s'occupe mal de son élevage ? Qui nous vend sa merde en connaissance de cause, en truquant les analyses… Qui se fout du poison…

— Tu veux dire que c'est la faute de la direction ou du ministre le monstre qu'on a dans la tête ?! Pour toi c'est comme un empoisonnement ?

— Pendant dix ans, vingt ans, ils se foutent complètement de notre misère, ils espèrent qu'on restera les abrutis qu'on est, jusqu'à la fin, et ils ne reconnaissent pas le monstre qu'ils ont fait grandir le jour où nous sortons de cet abrutissement… C'est pas nous Christine, c'est eux !

— QUI « NOUS » ?! QUI « EUX » ?!

— …

— …

— Pleure pas… Allons…

— Mais alors t'es d'accord avec ça toi aussi ?!

— Quoi ça ?

Mais y a rien à faire, elle pleure, elle pleure, c'est un effondrement. Son visage devient laid parce qu'elle voudrait ne pas pleurer, pleurer c'est laisser le monstre entrer. Elle voudrait lui faire barrage tranquille, tranquillement. Mais elle s'effondre, elle pleure.

— On est la misère dont ils se sont moqués. Le mot « misère » il mord. C'est un mot domestique alors on oublie qu'il peut mordre et qu'au fond il est sauvage.

70

Christiane

— Comme à la brasserie de Lille–

— La BRADERIE de Lille !

— ... les immenses tas de moules, les coquilles... À la fin du week-end c'est en tonnes que ça monte, des tonnes de coquilles ! Qu'est-ce qu'ils en font quand il faut nettoyer après, j'en sais rien.

— Si ça se trouve ils en font quelque chose.

— Au moins nous on a les mômes !

Pour s'occuper, en effet, les enfants – qui ont toujours fini plus tôt – ont commencé à rassembler les os des cuisses et les pilons. Évidemment la cintrée s'en est mêlée – dès qu'elle peut ne pas être avec nous, ça, t'es certain, tu peux compter sur elle ! Elle a distribué les ordres et ils sont devenus ses petits soldats en rigolant – si c'est pas un sortilège ça ? Sylvie c'est tout à fait le genre de personnes sur qui les gosses jettent des cailloux... Mais là non ; ils lui ont comme apporté leurs os, c'était comme ces cadeaux qu'on fait aux dieux, ou aux ancêtres. Ils les déposaient à ses pieds. Elle leur parlait mais comme à des oiseaux. J'aurais pu dire qu'elle était un peu bourrée mais je sais qu'elle ne boit pas. Alors quoi ?

Peu importe. Assez vite ils ont pas suffi ces os, et les trolls ont commencé à ramasser ceux des adultes, qui avaient des carcasses complètes à leur donner. Et ils les déposaient aux pieds de Sylvie avec douceur mais aussi désinvolture, c'était bizarre – mais dans le langage des gosses ça veut rien dire du tout, cette désinvolture ; c'est que des gestes en liberté – et elle s'est vite trouvée encerclée par les carcasses. Les gamins étaient excités par ce qui était en train de se dessiner et ils se sont mis à presser ceux qui mangeaient encore, qu'on termine vite – il leur fallait de nouvelles carcasses –, ils nous les auraient ôtées de la bouche. Ils étaient sérieux, on n'a pas réussi à les calmer. Ils voyaient quelque chose – pour certains, c'était même une fièvre : Sylvie soulevée par le tas qui se formait à ses pieds, sous ses pieds, Sylvie presque portée par les os des bêtes, les cartilages et la structure de cathédrale de toutes ces petites cages thoraciques, que chacun venait de sucer, de dépiauter, à la recherche de la chair goûteuse, et elle s'est retrouvée au sommet de ce monticule bizarre, d'os passés par toutes les bouches pour renforcer la vie de chacun, vigie comme au-devant d'un bateau ou montée en haut du mât, les yeux exorbités par une vision qu'était peut-être la même que celle des enfants, et peut-être une autre, qu'elle voyait beaucoup apparemment, dans les carcasses, car elle semblait vouloir ne pas marcher dessus – est-ce qu'elle craignait d'enfoncer leur cage thoracique, de leur écraser les ailes ? C'est quoi le délire ? Ne pas leur faire mal ? Elle retire maintenant ses chaussures et ses chaussettes. Est-ce qu'elle danse ? Pédron et les autres jouaient encore, Sylvie pouvait donner l'impression de singer les majorettes… ? Les premiers sourires s'effacent car il est clair qu'elle ne les imite pas, qu'elle ne s'en moque pas non plus. Elle garde sa blouse on ne voit donc que ses pieds nus, c'est captivant pourtant. Ils continuent, ses pieds, de vouloir éviter les carcasses mais ce n'est plus possible, elle en a déjà sous elle sept ou huit strates. Et les gamins continuent d'écumer le parking pour que l'ossuaire-pyramide s'élève encore, et elle avec, qui ne pose ses pieds que sur un tas de braises en quelque sorte, et ses pieds dansent tellement qu'ils attisent un ancien feu, lui redonnant de la vigueur, ou aux poulets eux-mêmes, les convoquer, les faire se redresser – les ramener à la vie ? Il y a encore la musique, les phrases du saxophone qui font des volutes de notes, de longues guirlandes de notes liquides ou hérissées dégringolant de haut et ça remonte encore plus haut, des notes de musique emportées comme des étourneaux pris dans un essaim et elle danse elle, comme pour convoquer. Elle serait chaman, elle accompagnerait les âmes, la musique ensorcelante de Pierrick Pédron. Elle organiserait le passage de la mort vers la vie après avoir facilité le passage de la vie vers la mort, des poulets, et on comprend tous un peu pourquoi c'est elle, parmi nous, parmi tous les collègues, qui se retrouve choisie par les enfants pour cette cérémonie : il y a six mois la médecine du travail lui a prescrit un mois d'arrêt – à faire toujours le même geste (arracher les cuisses et les pilons), à la cadence de plusieurs centaines par heure, elle s'est démoli l'épaule, elle ne pouvait plus bouger son bras. TMS. Et je comprends tout, qu'elle est là pour porter l'âme des poulets dans les méandres de l'ossuaire, qu'ils trouvent la sortie, pour que la beauté de sa danse soit la chose avec laquelle ils partiront, les poulets, un souvenir de leur séjour sur terre. C'est asiatique ou africain ce qu'elle fait. Autrement ces âmes reviendront laides et en colère, dans d'autres corps, qu'elles enlaidiront, qu'elles rendront amers, et Sylvie est bien placée pour savoir qu'elle doit les respecter car après avoir démantibulé plusieurs milliers de poulets, ils se sont vengés, ils lui ont niqué la clavicule et l'avant-bras, les muscles, les articulations, elle était plus capable de rien. Ce que tu fais au poulet, le poulet te le fera, voilà ce qu'elle danse, et pourquoi tout en étant au sommet du monticule il ne s'effondre pas : parce que les poulets morts l'écoutent sans ressentir son poids, parce qu'elle danse comme un chrétien parlant aux lions romains, qui l'écoutent sans plus vouloir le dévorer. Et on est tous fascinés par la musique, par la beauté des majorettes et par l'étrange splendeur sexuelle de la grosse Sylvie qui danse avec ses pieds comme si c'était des flammes.

71

Marc-Antoine Robert,
GIGN

Au premier plan j'ai d'abord le cul des filles qui sont obligées d'en rester à des trucs lascifs autrement, si elles dansaient vraiment, le toit du bus pourrait plier, ou elles tomberaient; ensuite il y a leurs musiciens de bastringue que j'entends pas et c'est mieux comme ça très certainement car ils tapent sur des seaux en plastique et je déteste les saxophones, les trompettes, je déteste; comment les gosses peuvent-ils avoir envie de se trémousser sur cette musique – en suçant des cuisses de poulet! –, mystère! Et tous les adultes derrière eux! Et encore plus loin, terminant la perspective, des photographes pour mitrailler la scène depuis la position inverse, qui mitraillent et nous obligent – l'ordre vient de tomber – à nous aplatir pour ne plus apparaître sur les photos qu'ils prennent. On doit s'allonger mieux, sur le toit de l'entrepôt, en ne cherchant plus à scruter aucun mouvement dans l'abattoir, et les collègues aussi, en bas, doivent sortir du champ des appareils. Le colonel est fou de rage, il veut qu'on arrête de livrer aux journalistes des images qui humilient toute l'armée. Le colon hurle à nouveau: «On se recule, on est manipulés!» On est manipulés par en bas, c'est le grand renversement. «Je ne suis pas ce pantin» *ni tes hommes* je lui réponds mentalement,

« dont le monde entier va se moquer », et d'abord ces gosses en train de se régaler quand, dès ce soir ou dès demain, ils se verront au premier plan de la photo, devant les musiciens qui les auront fait danser de manière grotesque, et leurs parents un peu plus loin, se rinçant l'œil à regarder quelques pétasses en justaucorps brillants, magnifiques, et tout au bout, fermant la marche, harnachés, surentraînés, tendus comme jamais, les gendarmes du GIGN et leurs fusils d'assaut pointés sur des culs mais interdits de décharger.

72

Gérard Malescese

Hier, vendredi, ou bien jeudi. C'était quand hier? Hier, les articles. On passe un cap dans le délire: Montville nous aurait maraboutés. Les mandatés de la cellule de crise ne l'ont plus vu depuis mardi matin, ce serait une preuve. Marlon Brando enfoncé dans la jungle du Vietnam ne répond plus aux appels de l'armée américaine. Il est bel et bien devenu le chef d'une bande de factieux cernés par les flics, nécessairement désespérés, foutus, qu'il veut mener à la pire des conclusions. La répétition de « gourou » est bien marrante mais il est suivi par le mot « secte », car on est toujours le gourou d'une secte, « gourou » permet « secte ». Sans lui ils n'auraient pas osé, les patrons de presse, nous décrire comme ça, mais les mots tout seuls ça n'existe pas. Un mot c'est toujours une chaîne de mots. Et puis quand tu dis « Ce n'est pas une secte », tu fais entrer le mot dans la tête des gens. Et quand « secte » est dans la tête des gens, il est comme un string au rayon lingerie: les étiquettes sont plus visibles que le produit. Et les étiquettes en l'occurrence c'est « escroquerie », « drogue », « sexe », « délire » et, aussi visible que le mot « soldé » : « apocalypse ».

Je dis qu'ils n'auraient pas osé (le mot « secte ») mais c'est avoir la mémoire comme une passoire : toute l'année ils présentent le syndicat comme ça.

Une occupation, une fête, des majorettes, un procès populaire... C'est comme un manège dans ma tête, sur une musique de bastringue. J'ai la tête qui tourne. Le secrétaire d'État est omniprésent oui, et il a un rôle dans toutes nos décisions. Mais d'une manière bien trop complexe pour qu'en rendent compte les éditos, avec la langue qu'ils utilisent, car ils nous voient trop cons, et ça va les démolir – à prendre les autres pour des cons on devient con soi-même. Par exemple, lisant ces nouveaux articles, cette nouvelle théorie, la description du ministre devenu gourou, Montville a comme exigé de nous de la colère. « Votre intelligence est insultée. » C'est un paradoxe mais est-ce qu'il n'a pas raison ? Si la situation se mord la queue, est-ce qu'elle n'est pas aussi pour nous une ligne droite vers l'horizon, un point lumineux ?

Sans compter tout ce qu'on lui refuse.

Pareil : l'idée de ce concert, que j'ai détestée tout de suite, contre laquelle je me suis battu, c'est elle maintenant qui me galvanise, c'est comme une arme que je retourne contre Montville – alors « gourou »... Que dalle. Cette musique je lui grimpe sur les épaules, je vois Sylvie danser là-bas, où les gosses apportent les carcasses ; je vais faire les mêmes mouvements, avec les bras, pareil – elle va chercher quelque chose au sol, des carcasses, et elle remonte ses mains le long de son corps pour finir par tendre et donner, ou elle les lance vers le ciel, mais lancées vraiment.

J'entends le saxo et Montville qui tape sur les seaux en plastique et le sang dans mes oreilles, le cœur bat pareil contre mes tempes et la sueur qui goutte de mes sourcils, contre mon dos, entre les fesses, c'est toute cette innocence qui passe en moi, qui me porte. Je suis innocent, le scandale est trop colossal, trop obsédant. C'est Fatou qu'avait raison, c'est parce qu'il est innocent Montville, parce que ce n'est pas le pire, qu'il faut y aller, pour répondre à un scandale à la mesure de ce scandale. On serait coupables de ne pas sortir de la culpabilité – à nos yeux déjà, à ceux des autres travailleurs, et aux yeux de nos enfants. Tant qu'on s'insurge pas, on valide que c'est nous qui coûtons cher, que c'est nous qu'on travaille mal ou pas assez, que c'est nous la « masse salariale », les charges, et pas le « capital » ou l'essentiel, la richesse.

Si on ne fait pas un coup d'éclat, le système continue de nous dévorer, alors que c'est tout ça qu'il faut renverser, revenir dans l'innocence. Je vais faire un truc fou par colère mais je vais le faire pour redevenir innocent, pour nous ramener tous dans l'innocence.

73

Hamed M'Barek

La fête continue, la musique. Impossible de savoir si c'est elle qui les a poussés vers cette chose folle, ou s'ils étaient déjà déterminés. Ils n'ont pas dit que la fête, les majorettes et les poules qui tombent du ciel, ils n'ont pas dit que ça leur avait donné des ailes. Ils l'ont dit ? Ils ne se sont pas décrits furieux de voir l'occupation prendre une tournure qu'ils redoutaient depuis trois jours, la dénonçant avec une virulence qui brûlait tous les châteaux construits par nous, en Espagne. Mais le fait est qu'ils ont agi. Que tout s'est tendu jusqu'à cette folie. Il y a d'abord eu plusieurs foyers de discussion, c'était comme des départs de feu dans plusieurs salles et dans plusieurs endroits du hall. Je n'ai été d'aucun de ces groupes pendant près de dix minutes, je n'ai pas compris tout de suite, qu'ils parlaient d'intervenir.

— Ils ont quitté le toit de gauche, et celui du garage. On ne les voit plus. Au sol ils sont repassés derrière leurs camions.

— Pour s'armer, c'est évident. Ils vont profiter des familles pour entrer dans l'usine.

— Ou un truc chirurgical seulement, avec cinq ou six mecs du RAID, pour exfiltrer Montville… Facile puisqu'il est sur le parvis. Ils l'ont reconnu c'est évident. C'est tellement con ce truc de la blouse, du nom, de la barbe ! On s'est fait avoir comme des imbéciles.

Ils profiteraient de notre déconcentration ? Malgré les caméras qui revenaient pour filmer les danseuses surmaquillées et les doigts tout gras des gosses heureux ? Je suis passé de groupe en groupe, on me croyait à mes paysages violines, à mes descriptions de rivières, et on ne changeait pas de sujet quand j'arrivais. Mais je n'ai pas débrouillé la chose. Il était un peu question de ça, mais puisqu'on en parlait au lieu de renforcer le piquet de grève, ou d'aller planquer Montville dans les frigos, par exemple, et sous des couvertures, puisqu'on restait dans le hall ou dans le vestiaire, c'est que la chose n'avait pas lieu, qu'elle était pressentie seulement, ou même imaginée… C'était les mêmes qui contestaient très violemment le ministre, comme ils continuaient de le désigner, depuis deux jours, et d'autres collègues. Ils soufflaient sur les braises, ils disaient « C'est quoi ça ? On est où là-dedans, nous ? ». Ils disaient « … bien sûr que les gens devant leur télé, quand ils verront ces filles toutes mauves, roses, et fuchsia, et quand ils entendront la musique des seaux de plage, qu'il tape sur des pots de yaourt votre ministre, et des gosses en train de se disputer le rab de peau grillée, vous êtes bien certains qu'ils vont se dire, les mecs devant leur télé, que notre combat est légitime ? Vraiment t'es sûre de ça ? ». Donc on est obligés, médiatiquement, de rester dans la catastrophe humaine ? Même là on n'a plus droit à autre chose ? Et sur la plateforme ils disaient : « Je m'en fous tu vois, de savoir s'il est complice des flics et du gouvernement en nous faisant applaudir les pom-pom girls, et cuisiner au lieu de réfléchir, parce que tu vois c'est tout pareil : même s'il est pas complice, même s'il a proposé ça en pensant que c'était notre combat, le résultat il est pareil, on passe pour des guignols, plus personne de solidaire car on est des bienheureux. Qu'il le fasse exprès ou bien inconsciemment, il est avec les CRS, il est encore de son gouvernement, de sa classe dirigeante. On voulait un procès, on l'a pas jugé et voilà où on en est ! » Et Gérard Malescese qui pour tous ces discours jouait à chaque fois la même rythmique : « Négociations, négociations. Rapport de force. »

Leur colère est terrible, les autres les écoutent. Ils douchent l'atmosphère de fête, bientôt les trois musiciens seront seuls à jouer pour les danseuses, et on ne pourra même plus mater. Sans doute aussi par assommage car tous les visages étaient un peu radieux quand même, il faut le dire. Engueuler quelqu'un qui se marre est très facile. Vite il se sent con et ensuite la place est nette pour qu'il fasse le contraire de s'amuser ou se réjouir. Ils ont le vent en poupe, ceux qui débinent Montville pendant qu'il tape sur des seaux où on peut lire MAYONNAISE INDUSTRIELLE et en dessous 10 LITRES.

On continue de passer des cuisines au dehors pour porter les poulets grillés mais les collègues sont de moins en moins nombreux à ressortir, ensuite, happés par les échanges, la nervosité à l'intérieur. Et à chaque fois tout le monde refait le même constat : « Les flics ne bougent plus. » Et cette phrase répétée, répétée, à un moment Josie va la dégoupiller et elle va nous éclabousser avec l'angoisse contenue dedans :

— C'est pas possible, ceux qu'on voit c'est comme un leurre. Le grand nawak ils peuvent pas le tolérer.

— Qui ?

— Mais les flics ! Ils font un truc, ils se préparent.

J'ai trouvé ça comique, cet appel lancé par nos syndicalistes à la police. Ce sentiment qu'ils étaient les uns comme les autres perdants à cette musique, à cette fête, au grand nawak.

— En fait tu veux que les CRS te protègent de quoi ?! Parce que c'est ça non ?

Si je n'avais pas prononcé cette phrase, le ministre serait encore vivant. Mais Hervé a été fou furieux d'entendre ça, de comprendre ce que je pointais, cette complicité – mais rien de sûr car la fureur avait certainement pris de vitesse son intelligence donc peut-être a-t-il compris une autre chose ; qu'il était acculé par ce paradoxe, mais ce n'est pas moi qui l'engageais dans une impasse en formulant ça comme ça, il y était déjà. Je ne dis pas que j'ai tué Montville, mais je me demande quand même si ce n'est pas kif-kif. Gérard et Hervé ont vécu ça comme une brûlure, un de ces défis qui rendent fous tous les adolescents. Augmenté de la colère d'un adulte qui n'en peut plus. Ils sont allés faire un signe amical au ministre pour qu'il rentre dans l'abattoir, façon « J'ai quelque chose à te dire ».

Dans mon dos, le corps de Fatou hésitait entre la panique et une crise de larmes, l'effondrement qui ne prévient pas, abattue sans sommation.

— Mais si vous faites ça… Vous n'espérez donc rien du tout de c'qu'on a construit cette semaine ? Tout le travail pour réfléchir à notre coopérative, cette nouvelle façon de nous parler, de ne plus travailler pour des patrons ? Tout ça vous allez le tuer ?

Montville s'est levé, à la fin du morceau, Pédron a repris seul, et Montville est rentré dans l'abattoir. Une fois hors de portée des caméras, Gérard a bredouillé pour lui des excuses rapides, tout en lui faisant presque une clé avec le bras gauche, maladroite – il ne sait pas s'y prendre mais il a vu des flics, à la télé. Presque tout seul – mais il se débattait pas Montville – il lui a lié les poignets avec cette ficelle qui nous sert pour les pattes des poulets au moment de la cuisson, plusieurs tours pendant lesquels on aurait pu bouger, dire qu'il faisait ça tout seul, mais à ce moment-là il y avait de la paralysie – c'était aussi à nous qu'il faisait une clé, en fait – et sans doute est-on beaucoup à avoir pensé qu'il l'enfermait pour qu'en cas d'assaut les flics aient au moins du mal à le trouver ; pour qu'en cas d'assaut on n'ait pas à le surveiller s'il essayait de s'enfuir. Et de fait il l'a mené – quand même suivi par quelques-uns, mais très très peu – dans un frigo. Comment réagir ?

— S'il l'enferme, il faut aussi le bâillonner !

Je n'aimais certainement pas la façon de faire car dès ce moment-là j'ai eu le sentiment que c'était Gérard qui profitait de la musique et de la fête, et non les CRS, mais j'étais perdu.

— Faut débrancher la sécurité froid autrement il va mourir d'hypothermie dans une heure ou deux.

Je n'ai pas vu d'arme à feu pourtant.

— Hein ? !

— Faut débrancher l'système !

Remerciements

À Oliver Rohe, à Aurélie Adler.
À Cloé Tralci et plus encore Anna Fichet.
À Margot qui aura souvent attendu que je libère l'ordinateur (pour *The Kid*, *Le Livre de la jungle* ou *La Reine des neiges*).

À celles et ceux du 32 mars.
Aux habitants de la Roya.

33) politics nothing to do with nobleness
Don Quichotte
- frequent mention of social unrest in Europe
- social commentary on chômage, the economy in smaller print
259) reads D.Q in gare de Montparnasse
- history of social agitation (Lip strike)
- American Jazz (free jazz)

Composition : Entrelignes (64)
Achevé d'imprimer
par CPI Firmin Didot
à Mesnil-sur-l'Estrée en juin 2017
Dépôt légal : juin 2017
Numéro d'imprimeur : 141738
ISBN 978-2-07-272688-0 / Imprimé en France

316523